Relations

interculturelles
Comprendre pour mieux agir

Édithe Gaudet
Collège Ahuntsic

chap 10 phase d'adaptation

CCDMD
CENTRE COLLÉGIAL DE DÉVELOPPEMENT
DE MATÉRIEL DIDACTIQUE

Le Centre collégial de développement de matériel didactique a apporté
un soutien pédagogique et financier à la réalisation de cet ouvrage.

D1402117

THOMSON
*
GROUPE MODULO

Australie   Canada   Espagne   États-Unis   Mexique   Royaume-Uni   Singapour

Nous reconnaissons l'aide financière du gouvernement du Canada par l'entremise du Programme d'Aide au Développement de l'Industrie de l'Édition (PADIÉ) pour nos activités d'édition.

L'information de Statistique Canada est utilisée en vertu d'une permission du ministre de l'Industrie, à titre de ministre responsable de Statistique Canada. On peut obtenir de l'information sur la disponibilité de la vaste gamme de données de Statistique Canada par l'entremise des bureaux régionaux de Statistique Canada, de son site Internet au http://www.statcan.ca et de son numéro d'appels sans frais au 1 800 263-1136.

Catalogage avant publication de Bibliothèque et Archives Canada

Gaudet, Édithe, 1949-

    Relations interculturelles : comprendre pour mieux agir

    Comprend des réf. bibliogr.
    Pour les étudiants du niveau collégial.

    ISBN 2-89443-251-8

    1. Québec (Province) - Relations interethniques. 2. Groupes ethniques - Québec (Province). 3. Minorités - Québec (Province). 4. Relations culturelles. 5. Immigrants - Intégration - Québec (Province). 6. Québec (Province) - Émigration et immigration - Histoire I. Titre.

FC2950.A1G38 2005   305.8'009714   C2005-940886-3

Responsabilité du projet pour le CCDMD : Paul Rompré

Équipe de production

Éditeur : Sylvain Garneau
Chargée de projet : Renée Théorêt
Révision linguistique : Monique Tanguay
Correction d'épreuves : Marie Calabrese, Monelle Gélinas
Typographie : Carole Deslandes
Montage : Dominique Chabot
Maquette : Nathalie Ménard
Couverture : Marguerite Gouin

THOMSON

GROUPE MODULO

Relations interculturelles
Comprendre pour mieux agir

© Groupe Modulo, 2005
233, av. Dunbar
Mont-Royal (Québec)
Canada H3P 2H4
Téléphone : (514) 738-9818/1 888 738-9818
Télécopieur : (514) 738-5838/1 888 273-5247
Site Internet : www.groupemodulo.com

Dépôt légal — Bibliothèque nationale du Québec, 2005
Bibliothèque nationale du Canada, 2005
ISBN 2-89443-251-8

Imprimé au Canada
2 3 4 5   09 08 07 06

PRÉFACE

La réalité du travail policier au Québec s'est transformée de façon significative au cours des dernières décennies, en raison notamment de la multiethnicité de la population. C'est ainsi que le Service de police de la Ville de Montréal assure aujourd'hui la sécurité publique d'une des agglomérations les plus diversifiées au monde.

Même si l'immigration n'est pas un phénomène nouveau au Québec, elle s'est intensifiée et modifiée depuis les quarante dernières années par sa « visibilité » et sa diversité. Une autre réalité est à considérer : plus de 80 % des immigrants et des immigrantes qui s'installent au Québec le font dans la région de Montréal. Actuellement, un Montréalais sur quatre est né à l'extérieur du Canada.

Par conséquent, les policiers et policières ont à intervenir auprès d'une clientèle d'origines ethniques et culturelles très variées, dans toutes sortes de situations où ils peuvent être confrontés à des valeurs, à des coutumes et à des comportements différents des leurs. Ayant aussi à composer avec la peur et l'appréhension que certains immigrants et immigrantes entretiennent à l'égard de l'institution policière, l'intervenant policier doit acquérir certaines connaissances et développer des habiletés qui faciliteront ses interventions.

Au cours de ces interactions, adopter des attitudes d'accueil et d'ouverture à la différence prend tout son sens dans la perspective d'une intervention policière professionnelle et de qualité. C'est d'ailleurs dans cet esprit qu'a été conçu cet ouvrage qui veut aider l'étudiant et l'étudiante en Techniques policières ou dans d'autres domaines d'intervention à mieux comprendre le phénomène migratoire, l'histoire, le cheminement et les valeurs de ceux qui ont choisi le Québec comme terre d'accueil.

Jean-Sébastien Fleury
Agent de concertation communautaire
Section Prévention et relations communautaires
Service de police de la Ville de Montréal

Remerciements

Cet ouvrage n'aurait pu voir le jour sans l'intervention précieuse de plusieurs collaborateurs, et ce, à toutes les étapes de sa réalisation.

Je veux d'abord remercier le Centre collégial de développement de matériel didactique qui a appuyé le projet et mis à ma disposition les ressources financières et matérielles nécessaires. Un merci particulier et amical à Paul Rompré, chargé de projets, qui, par sa très grande disponibilité et ses commentaires pertinents, m'a soutenue durant toute l'entreprise.

Plusieurs collègues ont accepté, dès le début du projet, de lire et de commenter les premières pages soumises à leur attention : merci à Claire Denis, professeure au Collège de Sherbrooke, Jean Dandurand, professeur au Collège de Maisonneuve, André Lecomte, professeur au Cégep de Trois-Rivières, et Lucie Paradis, professeure au Collège Ahuntsic.

Il me faut également souligner l'excellent travail des deux enseignantes qui ont assumé la révision scientifique de la quasi-totalité de l'ouvrage : Claire Denis, du Collège de Sherbrooke pour les trois premiers chapitres, et France Hubert, professeure retraitée du Collège de Maisonneuve, pour les autres chapitres, à l'exception du dernier. Celui-ci a en effet été révisé par les sergents Claude Mercier, Stéphane Plourde et Daniel Rouleau du Service de police de la Ville de Montréal. Ces collaborateurs, tant par leurs connaissances que par leurs expériences de pédagogues ou de praticiens, ont enrichi le contenu du manuel et en ont assuré la rigueur.

Merci à Jean-Sébastien Fleury, agent de concertation communautaire (section Prévention et relations communautaires) pour son étroite collaboration, notamment lors des rencontres avec les élèves de Techniques policières ; merci à Valérie Courville qui m'a fait profiter de ses recherches statistiques.

Je tiens à remercier Dominique Lefort et, surtout, Renée Théorêt du Groupe Modulo pour la coordination du travail de révision linguistique, de mise en pages et d'édition.

L'idée d'écrire ce livre m'est venue de mon expérience d'enseignante auprès des élèves de Techniques policières que je côtoie depuis plusieurs années. Je leur dois beaucoup. Ils ont été en quelque sorte mes premiers lecteurs et m'ont permis d'évaluer la pertinence de la théorie et des exercices proposés dans cet ouvrage.

Merci, enfin, à Paul, à Jean-Sébastien et à Étienne pour leur confiance et leur amour.

Édithe Gaudet
Mai 2005

AVANT-PROPOS

L'étranger

Quand j'étais petite fille
Dans une petite ville
Il y avait la famille, les amis, les voisins
Ceux qui étaient comme nous
Puis il y avait les autres
Les étrangers, l'Étranger
C'était l'Italien, le Polonais
L'homme de la ville d'à côté
Les pauvres, les quêteux, les moins bien habillés
[...] Aujourd'hui l'étranger
C'est moi et quelques autres
Comme l'Arabe, le Noir
L'homme de partout [...]
On me regarde en souriant ou on se méfie
On change de trottoir quand on me voit
On éloigne les enfants [...]
Je viens sûrement du bout du monde
Je suis l'étrangère
On est toujours l'étranger de quelqu'un.

Pauline JULIEN et Jacques PERRON
(Reproduit avec la permission de la succession Pauline Julien.)

Régulièrement, les médias parlent des immigrants qui arrivent au pays ou de réfugiés menacés d'expulsion qui trouvent asile dans les églises. On annonce le Ramadan et le Yom Kippour dans les journaux et à la télévision. On mange dans les restaurants dits ethniques. Les institutions scolaires, politiques et judiciaires se penchent sur des demandes faites par des communautés (par exemple, le port du kirpan sikh et du foulard islamique dans les écoles). On expose des cas de discrimination sur la place publique ou on s'inquiète de l'intégration linguistique des immigrants. Bref, face à l'immigration, la société québécoise est en pleine ébullition : les questions sont multiples, les réponses ne vont pas toujours de soi et les citoyens sont de plus en plus nombreux à vivre, au quotidien, des chocs culturels importants.

Pourquoi la question de l'immigration suscite-t-elle tant de débats ? Pourquoi, du côté de la société d'accueil, éprouve-t-on si souvent un sentiment d'envahissement alors que le nombre d'immigrants admis au Canada et au Québec est plutôt faible ? Comment faire en sorte que les immigrants s'intègrent bien à la société québécoise, qu'ils soient acceptés et aidés dans leur processus d'intégration par les membres de la société d'accueil ? Quel est le rôle des intervenants sociaux à cet égard ? Par les connaissances qu'il transmet, les analyses et les clés d'interprétation qu'il propose, cet ouvrage tente de répondre à ces questions.

Au cours des années 1980, les débats sur l'immigration ont contribué à définir de nouvelles modalités d'échange entre nouveaux arrivants et membres de la société d'accueil. C'est dans ce contexte qu'est née l'approche interculturelle que nous privilégions dans cet ouvrage et qui repose sur le double postulat du changement et de la permanence : les cultures mises en contact s'interpénètrent et se transform mutuellement, sans qu'aucune y perde son identité propre. L'interculturel est donc une « série d'interactions et d'interrelations » qui se produisent lorsque des membres de cultures différentes entrent en contact les uns avec les autres (au travail, à l'école, dans des relations de voisinage, d'amitié). C'est aussi l'ensemble des changements qui se produisent à la suite de ces interactions.

Les interactions entre la société qui reçoit et les communautés qui arrivent forment une toile aux fils multiples et fragiles. Les personnes susceptibles d'exercer un métier ou une profession qui les fera intervenir auprès de « clientèles immigrantes » doivent donc acquérir les compétences appropriées en communication interculturelle. En ce sens, cet ouvrage s'adresse tout particulièrement aux futurs policiers et policières, mais sera tout aussi utile aux futures infirmières, aux intervenants en délinquance, en éducation spécialisée, aux éducatrices en petite enfance, etc.

Dans cette perspective, le « savoir-vivre ensemble » dans des mondes de plus en plus diversifiés est un des grands défis qu'ont à relever les sociétés modernes et leurs institutions. L'avenir n'est pas à l'identité culturelle monolithique, mais aux identités multiples et multiformes. Pour communiquer, il ne suffit plus de connaître la langue et les coutumes des autres ; il faut aussi comprendre les rapports complexes que les individus et les sociétés ont avec leurs cultures (Verbunt, 2001).

Le point de vue que nous adoptons ouvertement ici se fonde sur une approche interculturelle de la société, approche qui nous semble convenir le mieux à la société québécoise, car elle encourage généralement l'acquisition de connaissances (le savoir), le développement d'habiletés de communication et d'intervention (le savoir-faire) et l'adoption de nouvelles attitudes (le savoir-être).

Cet ouvrage vise quatre grands objectifs pédagogiques. D'abord, décrire et analyser le phénomène de l'immigration dans l'évolution de la société québécoise, en traçant de l'immigration au Canada et au Québec un portrait rigoureux qui en explique à la fois les causes et les enjeux. Puis, fournir au lecteur des clés pour interpréter les façons d'agir et de penser des individus suivant leur appartenance culturelle et ethnique, en lui donnant des informations sur les communautés installées au Québec et les grandes étapes de leur intégration. Ensuite, pointer les manifestations d'intolérance à l'égard de ces communautés, en proposant au lecteur une réflexion sur les obstacles à la communication interculturelle et en l'invitant à découvrir les aspects fondamentaux des principales chartes de droits et libertés en vigueur dans le monde, au Canada et au Québec. Enfin, permettre au lecteur d'évaluer sa capacité à entrer en relation avec des gens appartenant à diverses cultures, en analysant la nature de la rencontre et en proposant une méthode de résolution de problèmes qui prépare le terrain à ceux et celles qui auront à faire des interventions interculturelles.

Nous espérons que cet ouvrage saura débusquer les préjugés les plus tenaces et favoriser une attitude authentique d'ouverture à l'autre et d'acceptation de la différence, désormais perçue non comme une menace, mais comme un apport indispensable à la création d'une société interculturelle.

Bonne lecture !

TABLE DES MATIÈRES

CHAPITRE 1

L'entrée au Canada

*Il n'existe pas de plus grande douleur au monde que
la perte de sa terre natale.*

EURIPIDE, 431 av. J.-C.

De tout temps, des groupes de personnes ou des individus ont quitté leur pays
ou leur lieu de résidence pour s'installer ailleurs. Les migrations internationales
font partie de l'évolution des sociétés. Les pressions démographiques, les catastrophes naturelles, la recherche de meilleures conditions de vie, l'esprit aven-
turier sont autant de raisons qui justifient le départ de son pays, de sa ville,
de sa région.

Dans ce chapitre, nous aborderons l'immigration en tant que phénomène mon-
dial, puis présenterons les enjeux et les défis que pose cette problématique
pour les sociétés canadienne et québécoise. Nous nous attarderons ensuite
aux législations régissant l'immigration et analyserons la *Loi canadienne sur
l'immigration* avec ses critères de sélection et ses catégories d'admission des
immigrants. Enfin, nous traiterons de la *Loi sur la citoyenneté* qui définit le
contrat social et juridique de l'immigrant qui s'installe au Canada.

L'immigration, un phénomène mondial

Si, à travers le temps, bon nombre d'immigrants ont quitté leur pays en raison de catastrophes naturelles, d'autres, des réfugiés de la peur, de la persécution, de l'intolérance, sont victimes de la pauvreté, des rivalités raciales et ethniques, des guerres ou de la violation des droits humains fondamentaux. Les causes de la migration diffèrent selon les siècles, mais elles favorisent toujours l'exode de millions de travailleurs expatriés, de réfugiés, d'immigrants, de travailleurs saisonniers. À ceux-là, il faut ajouter toutes les personnes qui sont déplacées à l'intérieur de leur propre pays et celles qui reviennent dans leur pays d'origine.

Bien que les mouvements migratoires résultent quelquefois de décisions individuelles, ils sont beaucoup plus souvent le produit de rapports économiques, sociaux, politiques et culturels. C'est souvent sous le poids de pressions économiques, politiques et de plus en plus écologiques que les systèmes migratoires sont mis en place. Voyons de plus près deux types de migrations : les migrations économiques et les migrations de refuge.

LES MIGRATIONS ÉCONOMIQUES

Depuis quelques décennies, on a assisté à un gigantesque mouvement de population, et les migrations internationales seront un des plus importants défis du XXIᵉ siècle. Selon le Fonds des Nations Unies pour la population, 175 millions de personnes vivent aujourd'hui à l'extérieur de leur pays d'origine, ce qui équivaut à près de 3 % de la population mondiale. De cet ensemble-ci, la grande majorité a émigré pour des raisons économiques (United Nations, 2002). Une carte explorant les grands courants migratoires de la fin du XXᵉ siècle est présentée à la fin de l'ouvrage (voir la carte 1 de l'encart couleur). On peut y voir que le plus important mouvement migratoire provient principalement de l'Afrique du Nord et du Proche-Orient (Maroc, Turquie, Yémen), de l'Asie du Sud et de l'Est (en particulier la Chine et les Philippines), de l'Amérique latine et des Caraïbes (Mexique, Cuba et Haïti) vers les pays plus industrialisés de l'Amérique du Nord, de l'Europe de l'Ouest et de l'Océanie. Amorcé dans les années 1960, ce mouvement migratoire est devenu dans les années 1990 le principal courant d'immigration. Cette forte migration s'explique surtout par les inégalités socio-économiques. La volonté de survie, le besoin de dignité, la recherche d'un monde meilleur et d'une vie décente, voilà autant de raisons qui poussent les immigrants venant de pays plus pauvres à cogner aux portes de pays plus riches.

LES MIGRATIONS DE REFUGE

Aux causes économiques de la migration s'ajoutent de plus en plus des causes politiques : on parle alors de migrations de refuge. Ce type de migration regroupe quatre catégories d'individus : les réfugiés, les demandeurs d'asile, les rapatriés et les personnes déplacées.

Les réfugiés

Les réfugiés sont des personnes qui se trouvent à l'extérieur de leur pays d'origine et qui ont été reconnues comme tels par le Haut Commissariat pour les réfugiés (HCR), en vertu d'accords internationaux. Le HCR a été créé en décembre 1950 par la résolution 428 de l'Assemblée générale des Nations Unies

La Convention des Nations Unies de 1951 relative au statut des réfugiés

La Convention de 1951 relative au statut des réfugiés est adoptée par la conférence des Nations Unies sur le statut des réfugiés et des apatrides qui se déroule à Genève du 2 au 25 juillet 1951. Les États peuvent la ratifier à partir du 28 juillet, et elle entre en vigueur le 22 avril 1954.

La Convention énonce les droits et obligations des réfugiés et les obligations des États envers les réfugiés. Elle précise aussi les normes internationales pour leur traitement. Elle établit les principes qui prônent et protègent les droits des réfugiés en matière de travail, d'éducation, de résidence, de liberté de mouvement, d'accès à la justice, de naturalisation et, par-dessus tout, de garantie de non-retour dans un pays où les réfugiés risquent d'être persécutés. Les articles 1er et 33 contiennent deux des plus importantes dispositions :

Article premier –
Définition du terme « réfugié »

A (2). [Un réfugié est une personne qui] [...] craignant avec raison d'être persécutée du fait de sa race, de sa religion, de sa nationalité, de son appartenance à un certain groupe social ou de ses opinions politiques, se trouve hors du pays dont elle a la nationalité et qui ne peut ou, du fait de cette crainte, ne veut se réclamer de la protection de ce pays ; ou qui, si elle n'a pas de nationalité et se trouve loin du pays dans lequel elle avait sa résidence habituelle [...] ne peut, ou en raison de ladite crainte, ne veut y retourner.

Article 33 –
Défense d'expulsion et de refoulement

1. Aucun des États contractants n'expulsera ou ne refoulera, de quelque manière que ce soit, un réfugié sur les frontières des territoires où sa vie ou sa liberté serait menacée en raison de sa race, de sa religion, de sa nationalité, de son appartenance à un certain groupe social ou de ses opinions politiques...

La définition des réfugiés contenue dans la Convention de 1951 est limitée aux personnes devenues réfugiées « par suite d'événements survenus avant le 1er janvier 1951 ». Cette restriction temporelle sera levée, plus tard, par l'article 1er (2) du Protocole de 1967 [...]. Les États signataires de la Convention de 1951 peuvent limiter leurs obligations à des événements survenus en Europe en vertu d'une déclaration spécifique.

La Convention des Nations Unies de 1951 et le Protocole de 1967 restent le plus important et le seul instrument universel du droit international des réfugiés. Au 31 décembre 1999, 131 États sont signataires de la Convention de 1951 et du Protocole de 1967, et 138 États ont ratifié au moins un des deux textes.

Source : Haut Commissariat des Nations Unies pour les réfugiés, *Les réfugiés dans le monde, 2000 – Cinquante ans d'action humanitaire*, Paris, Éditions Autrement/HCR, 2000, p. 23.

et est entré en activité le 1er janvier 1951. Son mandat est de protéger les réfugiés et de chercher des solutions durables à leur sort. Le HCR s'occupe de quelque 20 millions de réfugiés. Il est l'une des plus grandes organisations humanitaires de la planète et a reçu deux fois le prix Nobel de la paix.

Deux documents, la Convention des Nations Unies de 1951 relative au statut des réfugiés (ou Convention de Genève) et son Protocole signé à New York en 1967, ont établi une définition internationale du statut de réfugié et déterminé les obligations des gouvernements envers les réfugiés se trouvant sur leur territoire (voir l'encadré ci-dessus). En 2002, on comptait environ 20 millions de réfugiés dans le monde et 80 % d'entre eux étaient des femmes et des enfants. Presque la

En 1986, la nation canadienne a reçu la médaille Nansen, une récompense prestigieuse à caractère humanitaire international, en reconnaissance de ses multiples contributions pour venir en aide aux réfugiés. C'est la seule et unique fois que ce prix a été décerné à une nation entière.

Le Norvégien Friedtjof Nansen a été le premier haut-commissaire pour les réfugiés au sein de la Société des Nations. Il s'était donné pour mission de prouver que la Société, créée en 1920, permettrait d'améliorer le monde. Il a reçu le prix Nobel de la paix en 1922 pour son travail en faveur des personnes déplacées et des réfugiés. La médaille Nansen perpétue sa mémoire depuis 1954, et est attribuée à des personnes, des groupes ou des institutions qui ont défendu de façon exceptionnelle la cause des réfugiés.

moitié (44,6 %) des réfugiés relevant de la compétence du HCR provenaient de l'Asie, particulièrement de l'Afghanistan (3,5 millions), du Burundi (538 000) et de l'Irak (500 000).

Les demandeurs d'asile

On appelle demandeurs d'asile les personnes qui ont quitté leur pays d'origine, ont demandé le statut de réfugié dans un autre pays et attendent que le gouvernement approprié ou le HCR prenne une décision à leur sujet. Ces personnes souhaitent bénéficier de la protection juridique et de l'assistance matérielle qu'accorde le statut de réfugié.

Les rapatriés

Les rapatriés désignent des personnes qui ont été déplacées et que l'on tente de réintégrer dans leur pays d'origine. Dès que les circonstances le permettent (par exemple, à la fin d'un conflit ou lorsqu'il y a garantie d'une certaine stabilité), le HCR encourage le rapatriement volontaire. Il met à la disposition de ces personnes des moyens de transport et une aide financière, notamment. Par exemple, en 2002, il y a eu 1,2 million de rapatriés en Afghanistan (après la guerre).

Les personnes déplacées

Cette catégorie regroupe des personnes qui ont été contraintes de fuir leur domicile ou leur résidence habituelle de manière soudaine ou inattendue à la suite d'un conflit armé, de luttes internes, de violations systématiques des droits de la personne, de catastrophes naturelles, sans avoir traversé de frontière d'État internationalement reconnue. Ce sont des réfugiés dans leur propre pays et, à ce titre, ils ne peuvent habituellement pas profiter des protections internationales accordées aux réfugiés qui ont quitté leur pays. Actuellement, on estime à quelque 25 à 30 millions le nombre de personnes déplacées dans le monde, ce qui est beaucoup plus que le nombre de réfugiés (HCR, 2002).

Voici quelques exemples de conflits qui ont entraîné le déplacement de milliers de gens : en 1972, au Soudan, à la fin de la guerre civile, un demi-million de personnes ont dû gagner le sud du pays ; en 1991, en Irak, au lendemain de la guerre du Golfe, 1 million de Kurdes ont été refoulés vers la frontière turque qui leur a été fermée ; en 1994, au Rwanda et au Burundi, 1,7 million de personnes ont été déplacées ; en 2002, plusieurs millions en Afghanistan (HCR, 2002).

Arrivée de réfugiés des Balkans.

Les enjeux et les défis de l'immigration pour la société

Enjeu majeur dans le développement du Canada et du Québec, l'immigration s'inscrit principalement dans une perspective de développement démographique et économique. Déjà en 1990, dans son *Énoncé de Politique en matière d'immigration et d'intégration*, le gouvernement du Québec avait retenu les principes du redressement démographique et de la prospérité économique comme des enjeux de taille pour le développement de la société québécoise. Le gouvernement canadien réaffirmera ces mêmes enjeux avec la nouvelle *Loi canadienne sur l'immigration* (gouvernement du Canada, 2002). Plus récemment, le gouvernement québécois a présenté un plan d'action 2004-2007 qui s'articule autour de cinq axes d'intervention : une immigration correspondant aux besoins du Québec et respectueuse de ses valeurs ; un accueil et une insertion durable en emploi ; l'apprentissage de la langue française comme gage de réussite ; un Québec fier de sa diversité ; une Capitale nationale, une métropole et des régions engagées dans l'action (gouvernement du Québec, 2004).

Dans cette partie du chapitre, nous nous attarderons à quelques indicateurs liés au développement démographique du Québec : la dénatalité, le vieillissement de la population, la décroissance de la population. Nous analyserons aussi quelques indicateurs liés au développement économique du Québec et nous tenterons de voir si l'immigration peut être envisagée comme un moyen de gérer ce développement.

L'ENJEU DÉMOGRAPHIQUE

La dénatalité

Les données récentes sur la démographie indiquent que l'**indice de fécondité** des Québécoises est de 1,45 enfant par femme (2002). Sur la base de l'étude des données des dernières décennies, la baisse des naissances est impressionnante. En effet, de 1963 à 1972, l'indice de fécondité est passé de 3,56 à 1,77 enfant par femme, soit de 136 000 à 88 100 naissances. Du début à la fin des années 1990, l'indice de fécondité est passé de 1,6 à 1,45 enfant par femme. À la fin du siècle, il y avait donc deux fois moins de naissances qu'au début des années 1960. Comme il faut 2,1 enfants par femme pour assurer le remplacement des générations, on constate que depuis plus de 30 ans le Québec n'assure plus ce seuil de remplacement.

La figure 1.1 présente le nombre de naissances au Québec de 1900 à 2000. On remarque une hausse importante entre les années 1940 et 1960, puis une chute qui n'a cessé depuis.

Indice de fécondité
Mesure statistique indiquant le nombre moyen d'enfants qu'auront les femmes à la fin de la vie féconde.

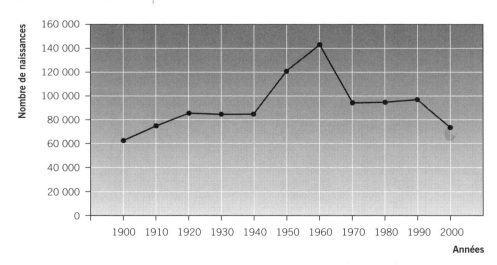

Source : Institut de la statistique du Québec, mars 2004. Reproduction autorisée par les Publications du Québec.

Figure 1.1   Nombre de naissances au Québec, de 1900 à 2000.

Le vieillissement de la population

Le vieillissement de la population est une des conséquences de la dénatalité et une des caractéristiques majeures de l'évolution de la population québécoise. Avec une espérance de vie de plus de 80 ans chez les femmes et de plus de 75 ans chez les hommes, nous assisterons à un véritable «grey-boom» dans les années qui viennent. Déjà en 2001, la population des 65 ans et plus comptait 870 000 personnes et elle passera à 2,1 millions en 2031. Le pourcentage de personnes âgées de 65 ans et plus, qui était de 12,0% en 1996, passera à 29,4% en 2046; il est intéressant de noter que la population des 85 ans et plus, qui représente actuellement 8,9% des personnes âgées de 65 ans et plus, en représentera 24% en 2046.

Les pyramides des âges de 1951, de 1971, de 1996 et de 2041 illustrent bien à la fois la dénatalité et le vieillissement de la population québécoise (voir la figure 1.2). De 1951 à 2041, la forme de la pyramide se modifie progressivement jusqu'à devenir presque inversée (en 2041) par rapport à une pyramide traditionnelle (en 1951). Cette évolution est causée par la succession de générations de moins en moins nombreuses, puisque la fécondité n'assure pas leur remplacement, et par une espérance de vie plus élevée. Une autre facette du vieillissement démographique est la réduction du poids démographique des jeunes. Le nombre de Québécois de 0 à 14 ans est en diminution constante; il chutera de 1,4 million à 0,9 million de 1996 à 2041.

La décroissance de la population

Le Bureau de la statistique du Québec envisage plusieurs scénarios quant à la croissance de la population québécoise. S'il ne fait aucun doute que l'accrois-

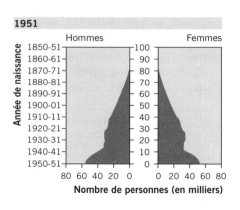

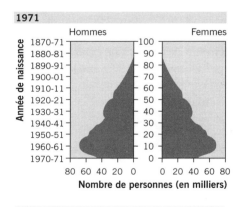

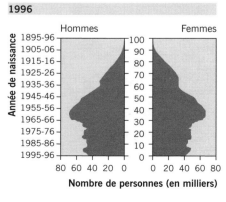

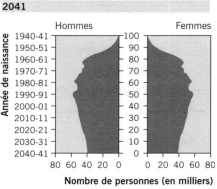

Source: Adapté, en partie, des recensements de Statistique Canada, 1951, 1971 et 1996.

Figure 1.2 Pyramides des âges au Québec, 1951, 1971, 1996 et 2041.

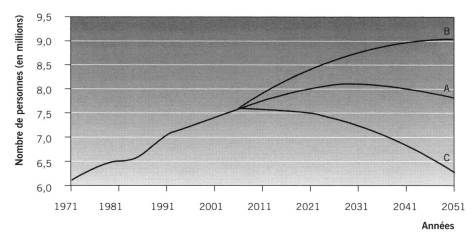

Source: Thibault, Létourneau et Girard, « Nouvelles perspectives de la population du Québec, 2001-2051 », dans *Données sociodémographiques en bref*, Québec, Institut de la statistique du Québec, vol. 8, n° 2, février 2004. Reproduction autorisée par Les Publications du Québec.

Figure 1.3 Évolution de la population québécoise à partir de trois scénarios.

sement naturel de la population deviendra négatif, les spécialistes s'entendent moins sur la date du point de rupture, c'est-à-dire le moment où la population québécoise commencera à décroître. Les uns l'établissent vers 2021, d'autres vers 2011 ou à la fin des années 2020. À l'aide de la figure 1.3, tentons d'analyser le scénario de référence (A). Celui-ci trace l'évolution de la population québécoise si la tendance observée depuis plusieurs années se maintient, c'est-à-dire selon un indice de fécondité de 1,5 enfant par femme, un volume d'immigration de 37 500 personnes et une mortalité basée sur une espérance de vie d'environ 80 ans. D'après ce scénario, la population du Québec, qui est de 7,5 millions en 2003, pourrait croître jusqu'en 2031 pour commencer à décliner à partir de ce moment, puis de plus en plus rapidement vers les années 2040.

Si la fécondité, le nombre d'immigrants admis au Québec et l'espérance de vie augmentaient de façon significative, cela permettrait un accroissement de la population et retarderait son déclin (scénario B). Dans le cas contraire, un scénario faible (C) annonce un déclin beaucoup plus hâtif que les deux précédents.

L'immigration internationale comme solution à la crise démographique du Québec

L'immigration internationale apparaît comme la solution miracle pour contrer les effets néfastes de la dénatalité. Pendant plusieurs décennies, l'immigration a effectivement expliqué une part importante de la croissance démographique du Canada et du Québec. Il semble toutefois qu'on doit maintenant faire une analyse plus modérée de l'immigration internationale en tant que solution à la crise démographique du Québec. Déjà, en 1990, des études révélaient que « l'immigration à elle seule ne suffit pas pour contrecarrer les évolutions à venir, elle peut cependant reporter l'échéance de certaines d'entre elles et atténuer les autres effets de ces tendances lourdes » (gouvernement du Québec, 1990). Pour qu'il y ait un véritable redressement démographique au cours du prochain siècle, il aurait fallu augmenter l'indice de fécondité à 1,8 enfant par femme et accueillir 55 000 immigrants par année, et ce, depuis plusieurs décennies. Or, le Québec est encore très loin de cet objectif avec un indice de fécondité de 1,45 enfant par femme et un volume d'immigration de 39 512 personnes en 2003.

Tableau 1.1 Composantes de la croissance démographique au Québec (1971-2001).

Année	Population totale (en millions de personnes)	Nombre de naissances (en milliers de personnes)	Nombre de décès (en milliers de personnes)	Migrations internationales (en milliers de personnes)		Migrations interprovinciales (en milliers de personnes)		Solde migratoire net (%)
				Immigrants	Émigrants	Entrants	Sortants	
1971	6,1	93,7	41,1	19,2	16,6	38,7	63,7	–22,4
1981	6,5	95,2	42,7	21,1	7,8	23,5	46,1	–5,0
1991	7,0	97,3	49,2	51,7	6,5	24,5	37,5	+35,2
1996	7,2	85,1	52,2	29,3	6,5	24,7	39,4	+11,1
2001	7,4	72,3	54,2	37,5	12,8	26,1	35,6	+3,8

Sources : Gouvernement du Québec, *Migrations internationales et interprovinciales, Québec 1961-2002*, Institut de la statistique du Québec, 2003 ; Adapté, en partie, du recensement de Statistique Canada, 2001. Reproduction autorisée par Les Publications du Québec.

Migration internationale
Migration composée des immigrants, qui viennent d'autres pays et s'installent au Québec, et des émigrants, qui partent du Québec pour s'installer dans un autre pays.

Migration interprovinciale
Migration composée des entrants, qui viennent d'une autre province et s'installent au Québec, et des sortants, qui partent du Québec pour s'installer dans une autre province.

Solde migratoire net
Somme des migrations internationales et des migrations interprovinciales.

Le tableau 1.1 résume les composantes de la croissance démographique québécoise depuis trois décennies (entre 1971 et 2001). Ces indicateurs sont le nombre de naissances, le nombre de décès, les **migrations internationales**, les **migrations interprovinciales** et le **solde migratoire net**. Cette période est marquée par une baisse constante du nombre de naissances et une hausse du nombre de décès, par une hausse du nombre d'immigrants entrés au Québec et une baisse du nombre de Québécois qui s'établissent dans d'autres pays (sauf en 2001 où l'on note une hausse), de même que par une baisse du nombre de personnes venues d'autres provinces canadiennes pour s'établir au Québec et de Québécois qui s'établissent dans d'autres provinces. Enfin, le tableau montre que le solde migratoire net est positif depuis les années 1990.

L'ENJEU ÉCONOMIQUE

Traditionnellement, l'immigration a influé positivement sur l'ensemble des variables et des relations du système économique. Parmi les avantages de l'immigration sur l'économie canadienne et québécoise, mentionnons notamment l'épargne en matière d'éducation et de formation de la main-d'œuvre immigrante. Depuis plusieurs décennies, le Canada et le Québec accueillent des immigrants hautement scolarisés ; ainsi, selon le recensement canadien de 2001, 34 % des immigrants admis au Canada détenaient l'équivalent d'un baccalauréat.

Disposant dans la plupart des cas d'un capital financier, les immigrants font rapidement usage des biens de consommation, contribuent à l'élargissement des marchés et paient des taxes et des impôts. La *Loi sur l'immigration et la protection des réfugiés du Canada* (2002) privilégie aussi l'admission de travailleurs pouvant combler des postes en demande au pays et de gens d'affaires qui viennent investir de l'argent et créer des emplois. L'importance de l'immigration au Canada et au Québec est de fait fortement liée aux exigences du marché du travail et aux besoins de main-d'œuvre.

La figure 1.4 montre le lien entre l'économie canadienne et l'immigration. En effet, depuis 1946, les périodes de sous-emploi ou de chômage correspondent à des baisses significatives de l'immigration. Le contraire est aussi vrai : une période de croissance économique génère une augmentation du nombre d'immigrants au Canada.

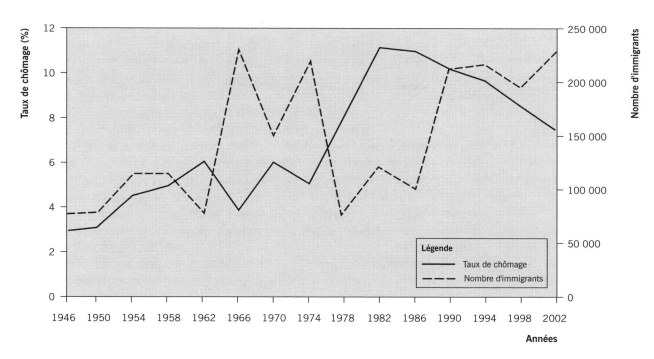

Sources: Gouvernement du Canada, *Bâtir le Canada pour le xxi*^e *siècle*, ministère des Finances, 1998 ; gouvernement du Canada, *Composantes de la croissance démographique*, adapté en partie, du recensement de Statistique Canada, 2001. Reproduit avec la permission du ministère des Travaux publics et Services gouvernementaux Canada, 2004.

Figure 1.4 Taux de chômage et nombre d'immigrants au Canada, de 1946 à 2002.

Bien que, dans l'ensemble, les immigrants vivent une situation socio-économique qui se compare à celle de l'ensemble de la population du Québec, les nouveaux arrivants éprouvent de plus grandes difficultés à s'intégrer au marché du travail, surtout depuis les années 1990. Ces difficultés sont surtout attribuables à leur maîtrise insuffisante du français, au manque d'orientation professionnelle et d'information sur le fonctionnement du marché du travail, à la lenteur et à la complexité du processus de valorisation de leurs compétences, au difficile accès à certaines professions ou métiers réglementés, à leur sous-représentation dans les emplois des diverses fonctions publiques et, enfin, à une discrimination dans l'embauche. Le recensement canadien de 2001 réaffirme ce constat d'une plus grande difficulté d'intégration économique des immigrants d'arrivée récente (depuis 1996). En dépit de l'essor économique de la fin des années 1990, le taux de chômage chez ces immigrants est deux fois plus élevé que chez les Canadiens de naissance, même si leur niveau de scolarité est souvent supérieur à celui des Canadiens d'origine.

La *Loi sur l'immigration et la protection des réfugiés du Canada*

Une nouvelle *Loi sur l'immigration et la protection des réfugiés du Canada* a été promulguée en juin 2002. Elle remplace la *Loi sur l'immigration* de 1976. Cette nouvelle loi dote le Canada d'instruments qui lui permettront d'attirer des travailleurs ayant des compétences polyvalentes et d'accélérer la réunification des familles. Cette loi est stricte envers ceux qui constitueraient une menace pour la sécurité du Canada, et elle préserve les traditions humanitaires de la société canadienne qui accorde sa protection à ceux qui en ont besoin.

Parmi les changements importants, mentionnons la volonté du Canada de mieux assurer la sûreté de ses frontières. Pour ce faire, la loi met à la disposition du gouvernement de nombreux instruments, dont des motifs de détention plus clairs, moins de possibilités d'appel et de sursis auprès des tribunaux lorsqu'il s'agit du renvoi de grands criminels et la suspension des revendications du statut de réfugié pour ceux qui sont accusés de crimes graves, jusqu'à ce que les tribunaux rendent leur décision. Ainsi, pour faire face au phénomène croissant du trafic des personnes, la loi prévoit des sanctions sévères, jusqu'à la prison à perpétuité ou des amendes pouvant atteindre un million de dollars pour les passeurs et ceux qui se livrent au trafic de migrants. Des sanctions ont également été prévues pour la fraude et les documents falsifiés.

Carte de résident permanent.

La mise en circulation d'une carte de résident permanent fait aussi partie des changements apportés à la loi. Cette carte de plastique attestant l'identité de son titulaire facilitera le retour au Canada des résidents permanents qui se déplacent à l'étranger.

La photographie et la signature, ainsi que la description de son titulaire (taille, couleur des yeux et sexe), y sont gravées au laser, ce qui rend très difficiles la falsification et la reproduction frauduleuse de cette carte.

La *Loi sur l'immigration et la protection des réfugiés* est aussi plus stricte quant à la vérification de l'état de santé de ceux ou celles qui entrent au pays. Des mesures ont été implantées pour vérifier si les nouveaux arrivants représentent un danger pour la santé ou la sécurité du public et s'ils peuvent constituer un fardeau financier pour les services de santé ou sociaux. Ainsi, toutes les personnes qui demandent la résidence permanente (ainsi que les personnes à charge), certains visiteurs qui sollicitent l'admission au Canada (pour une période supérieure à six mois), ceux qui travailleront dans un domaine de la santé publique et ceux qui demandent l'asile au Canada doivent subir un examen médical (gouvernement du Canada, 2002).

La compétence en matière d'immigration est partagée entre le gouvernement fédéral et les provinces, mais les mesures législatives fédérales ont préséance. Depuis 1978, plusieurs provinces ont signé des accords en matière d'immigration. L'*Accord Canada-Québec relatif à l'immigration et à l'admission temporaire des aubains* (entente McDougall–Gagnon-Tremblay) est le plus complet. Signé en 1991, il donne au Québec la responsabilité exclusive de la sélection des immigrants économiques. En 1998 et en 1999, le ministère canadien de la Citoyenneté et de l'Immigration a signé des accords avec la Colombie-Britannique, la Saskatchewan, le Manitoba, le Nouveau-Brunswick et Terre-Neuve. Ces ententes portent principalement sur la responsabilité des services d'établissement et la planification de l'immigration selon les besoins de main-d'œuvre (gouvernement du Canada, 1999).

Le Canada veut attirer des gens qui s'installent au pays de façon permanente, mais il permet aussi une immigration de type temporaire. Nous nous intéresserons d'abord aux critères de sélection des immigrants qui veulent s'y établir de façon permanente.

L'IMMIGRATION PERMANENTE

La *Loi sur l'immigration et la protection des réfugiés* décrit trois catégories d'admission reliées à l'immigration permanente : l'immigration économique, le regroupement familial et les réfugiés.

L'immigration économique

La catégorie de l'immigration économique relève de la compétence exclusive du Québec depuis 1991 (entente fédérale-provinciale McDougall–Gagnon-Tremblay). Cette catégorie est constituée de ressortissants étrangers âgés d'au moins 18 ans, désignés comme travailleurs permanents ou faisant partie des gens d'affaires.

L'immigrant travailleur permanent Pour être admise comme immigrant travailleur permanent, la personne doit posséder une formation et des compétences professionnelles qui faciliteront son insertion sur le marché du travail. Il existe trois programmes auxquels cette personne peut s'inscrire : le programme Emploi assuré, le programme Professions en demande et le programme Employabilité et mobilité professionnelle (voir l'encadré *Critères d'admissibilité des travailleurs permanents*).

Toute personne qui veut obtenir le statut de travailleur permanent doit remplir une grille de sélection qui tient compte de neuf critères : le programme de sélection, la formation professionnelle, l'expérience professionnelle, l'âge, les connaissances linguistiques, le séjour au Québec, les liens avec le Québec, les enfants et l'autonomie financière (voir le tableau 1.2). Pour chacun de ces critères, des points sont alloués.

L'immigrant d'affaires Pour être sélectionnée comme immigrant d'affaires, la personne doit s'engager à réaliser un investissement dont les retombées économiques seront significatives pour le Québec. Trois programmes sont offerts : le

---

Critères d'admissibilité des travailleurs permanents

Programme Emploi assuré

> Avoir reçu une offre d'embauche de la part d'un employeur québécois, lequel doit démontrer qu'il n'a pu recruter un citoyen ou un résident permanent pour occuper ce poste.

Programme Professions en demande

> Exercer une profession inscrite dans la liste des professions en demande (par exemple : chimistes, ingénieurs, électriciens, mathématiciens, machinistes et vérificateurs d'usinage, designers industriels).

> Posséder au moins six mois d'expérience dans l'exercice de cette profession.

> Avoir suffisamment d'argent pour subvenir à ses besoins durant les trois premiers mois suivant son arrivée au Québec (au moins 2300 $, plus 1000 $ pour chacun des membres de la famille qui accompagnent).

Programme Employabilité et mobilité professionnelle

> Avoir une formation professionnelle privilégiée et permettant une insertion sur le marché du travail.

> Avoir une connaissance du français et de l'anglais.

> Posséder six mois d'expérience professionnelle.

> Avoir séjourné au Québec et entretenu des liens avec le Québec.

> Avoir l'argent nécessaire pour subvenir à ses besoins durant les trois premiers mois suivant son arrivée au Québec.

Tableau 1.2 Critères d'évaluation des immigrants relevant de la catégorie de l'immigration économique.

Critères d'évaluation	Points
Programme de sélection	0 à 15
Formation professionnelle • Scolarité • Deuxième spécialité	 0 à 11 0 à 4
Expérience professionnelle (mois ou années d'expérience professionnelle accumulés au cours des 10 dernières années)	0 à 10
Âge (moins de 20 ans ; de 20 à 35 ans ; 36 ans ; 37 ans ; 38 ans ; 39 ans ; de 40 à 45 ans ; plus de 45 ans)	0 à 10
Connaissances linguistiques • Français (compréhension et expression orale : niveaux avancé, intermédiaire 1 et 2, débutant) • Anglais (compréhension et expression orale : niveaux avancé, intermédiaire 1 et 2, débutant)	 0 à 16 0 à 6
Séjour au Québec (études, emploi, stage de travail, séjour de 2 semaines à 3 mois ou de plus de 3 mois)	0 à 6
Liens avec le Québec (parent ou ami citoyen canadien ou résident permanent au Québec)	0 à 3
Enfants (nombre d'enfants de 12 ans et moins et de 13 à 17 ans)	0 à 8
Autonomie (ressources financières suffisantes pour subvenir à ses besoins et à ceux des gens qui accompagnent : moins de 3 mois, plus de 3 mois)	0 ou 1
Total des points	0 à 90

Source : Gouvernement du Québec, *Mode d'emploi pour immigrer au Québec, Les travailleurs permanents*, ministère des Relations avec les citoyens et Immigration, 2002. Reproduction autorisée par les Publications du Québec.

programme Entrepreneurs, le programme Investisseurs et le programme Travailleurs autonomes. Les critères d'admissibilité à ces programmes sont présentés dans l'encadré *Critères d'admissibilité aux programmes d'affaires*.

Lorsque sa candidature est retenue, le ressortissant reçoit un *Certificat de sélection du Québec*, document officiel d'immigration délivré par le gouvernement du Québec. Pour être admis au Canada, le candidat doit se soumettre à un contrôle médical et judiciaire. Il reçoit ensuite un visa d'immigration et le statut de résident permanent.

Le regroupement familial

La politique d'immigration du Canada repose sur cette notion : ceux qui immigrent au Canada s'établiront d'autant plus facilement s'ils sont soutenus par leur famille.

Le Québec respecte les mêmes critères de sélection que le Canada. Ainsi donc, tout citoyen canadien et résident permanent âgé d'au moins 18 ans domicilié au Québec peut se porter garant d'un parent désirant immigrer si celui-ci appartient à la catégorie du regroupement familial, soit :

> son **époux**, son **conjoint de fait** ou son **partenaire conjugal** âgé d'au moins 16 ans ;

> son enfant à charge : l'enfant biologique de l'un ou l'autre des parents n'ayant jamais été adopté par une personne autre que l'époux ou le conjoint de fait de l'un des parents, ou enfant adopté de l'un ou l'autre des parents ;

> son père, sa mère, son grand-père ou sa grand-mère ;

> son frère, sa sœur, son neveu, sa nièce, son petit-fils ou sa petite-fille, orphelin de père et de mère, âgé de moins de 18 ans, non marié ni conjoint de fait ;

> une personne mineure non mariée qu'il a l'intention d'adopter et qu'il peut adopter en vertu des lois du Québec (gouvernement du Québec, 2002).

Époux (épouse) Personne mariée de 16 ans ou plus.

Conjoint(e) de fait Personne âgée de 16 ans ou plus, de même sexe ou de sexe différent, qui vit maritalement depuis au moins un an avec le garant ou le parrainé principal, soit une personne qui a une relation maritale depuis au moins un an avec le garant ou le parrainé principal, mais qui ne peut pas vivre avec lui parce qu'elle est persécutée ou est l'objet de quelque forme de contrôle pénal.

Partenaire conjugal(e) Personne de 16 ans ou plus, de même sexe ou de sexe différent, qui entretient avec le garant une relation maritale depuis au moins un an et qui vit à l'extérieur du Canada.

Critères d'admissibilité aux programmes d'affaires

Programme Entrepreneurs

❯ Disposer d'un avoir net minimal de 300 000 $CA, obtenu licitement avec, le cas échéant, son époux ou conjoint de fait.

❯ Posséder au moins trois ans d'expérience en gestion (planification, direction, contrôle des ressources humaines, matérielles et financières) acquise au sein d'une entreprise (agricole, commerciale ou industrielle) rentable et licite.

❯ Soumettre un projet d'affaires ayant pour but de créer ou d'acquérir une entreprise au Québec, entreprise que la personne gérera elle-même ou à titre d'associé à la gestion et aux ressources quotidiennes ; cette entreprise emploiera au moins trois résidants du Québec autres que cette personne et les membres de sa famille immédiate.

❯ Se conformer pendant au moins un an, au cours des trois années suivant l'obtention de la résidence permanente, aux conditions suivantes : avoir la mainmise sur au moins 33,3 % des capitaux de l'entreprise, assurer la gestion de celle-ci de façon active et suivie, créer pour des citoyens canadiens ou des résidents permanents au moins un équivalent d'emploi à temps plein (à l'exclusion de la personne et des membres de sa famille).

Programme Investisseurs

❯ Disposer d'un avoir net d'au moins 800 000 $CA accumulé par des activités économiques licites.

❯ Posséder au moins trois ans d'expérience en gestion (planification, direction, contrôle des ressources humaines, matérielles et financières) acquise au sein d'une entreprise rentable et licite (agricole, commerciale ou industrielle), d'un gouvernement ou d'un organisme international.

❯ S'engager à investir pour cinq ans un montant minimum de 400 000 $CA, en signant une convention avec un intermédiaire financier (courtier en valeurs mobilières, reconnu par la Commission des valeurs mobilières du Québec, ou une société de fiducie) ; cette somme sera placée pour financer des programmes d'aide aux petites et moyennes entreprises (PME) du Québec.

Programme Travailleurs autonomes

❯ Créer son emploi au Québec par l'exercice d'une profession à son propre compte.

❯ Disposer d'un avoir minimal net de 100 000 $CA, obtenu licitement avec, le cas échéant, son époux ou conjoint de fait.

❯ Posséder au moins deux ans d'expérience à son compte dans la profession que l'on entend exercer au Québec.

Les requérants de la catégorie de la famille ne sont pas évalués en vertu d'un système de points comme le sont les immigrants travailleurs permanents, mais ils doivent satisfaire aux critères concernant la santé (étude du dossier médical) et la réputation (étude du dossier judiciaire). La personne qui se porte garante d'un membre de sa famille doit s'engager par contrat auprès du gouvernement à subvenir aux besoins essentiels de cette personne (nourriture, logement, vêtements, etc.). L'engagement ne peut être annulé même s'il y a divorce ou séparation ou si la situation financière du garant se détériore.

La durée de l'engagement varie selon les personnes parrainées : elle est de trois ans pour l'époux, le conjoint de fait ou le partenaire conjugal ; d'un minimum de dix ans ou jusqu'à l'âge de la majorité (18 ans), selon la plus longue des deux périodes, pour l'enfant mineur ; et de dix ans pour les autres personnes de cette catégorie.

Les réfugiés

Cette troisième catégorie relève de la compétence exclusive du Canada et elle comprend les sous-catégories suivantes : les réfugiés au sens de la Convention des Nations Unies, les réfugiés sélectionnés à l'étranger par le biais de catégories désignées, les réfugiés bénéficiant de mesures spéciales d'ordre humanitaire et, enfin, les demandeurs du statut de réfugié.

Les réfugiés au sens de la Convention des Nations Unies Depuis 1969, le Canada est signataire de la Convention des Nations Unies relative au statut des réfugiés et de son Protocole. Cette convention accorde une reconnaissance légale au statut de réfugié. La définition de « réfugié », telle qu'énoncée dans la Convention, fait partie de la *Loi sur l'immigration et la protection des réfugiés* du Canada. Ainsi, les réfugiés au sens de la Convention sont des personnes qui, craignant avec raison d'être persécutées du fait de leur race, de leur religion, de leur nationalité, de leur appartenance à un groupe social ou de leurs opinions politiques :

> se trouvent hors du pays dont elles ont la nationalité et ne peuvent, ou, du fait de cette crainte, ne veulent se réclamer de la protection de ce pays, ou

> si elles n'ont pas de nationalité et se trouvent hors du pays dans lequel elles avaient leur résidence habituelle, ne peuvent ou, en raison de ladite crainte, ne veulent y retourner ;

> n'ont pas perdu leur statut de réfugié au sens de la Convention pour des raisons comme le retour volontaire dans le pays d'origine (gouvernement du Canada, 2002).

Les réfugiés sélectionnés à l'étranger : les catégories désignées D'autres catégories de personnes que les réfugiés au sens de la Convention peuvent être désignées pour bénéficier de programmes canadiens d'immigration fondés sur des motifs humanitaires. C'est le cas, par exemple, de catégories telles que les prisonniers politiques ou les exilés volontaires. Ces catégories regroupent des personnes qui se trouvent dans une situation semblable à celle d'un réfugié et qui ont besoin d'être protégées, même si elles ne correspondent pas à la définition stricte de réfugié au sens de la Convention des Nations Unies.

Les réfugiés bénéficiant de mesures spéciales d'ordre humanitaire Ces mesures concernent le rétablissement de personnes qui ont besoin d'aide humanitaire du fait qu'elles sont victimes d'un désastre naturel ou écologique, mais qui ne sont pas des réfugiés au sens de la Convention ni des membres d'une catégorie désignée. Ces personnes ne sont pas évaluées en fonction du système de points d'appréciation, mais on considère leur capacité à bien s'adapter à la vie canadienne. Par exemple, on pourra tenir compte de leur scolarité, de leurs compétences professionnelles, de leur connaissance du français ou de l'anglais, de l'aide financière qu'elles pourraient recevoir durant leur installation au Canada, de leur santé, de leur dossier judiciaire.

Les demandeurs du statut de réfugié Un demandeur du statut de réfugié est une personne qui arrive au Canada et demande le statut de réfugié au sens de la Convention. Cette demande peut se faire dès l'arrivée aux frontières ou dans un centre d'Immigration Canada. Depuis 1993, le Canada a adopté un nouveau processus de reconnaissance du statut de réfugié (Loi C-86) afin de réduire son caractère attractif. La majorité des demandeurs de ce statut se présentent à un bureau frontalier ou à un aéroport sans être munis des documents requis par la *Loi sur l'immigration et la protection des réfugiés* (passeport, titre de voyage, visa, etc.) ; d'autres ont une autorisation de séjour qui est abrogée ou dont la durée est expirée ; quelques-uns sont temporairement autorisés à séjourner au pays à titre de touriste, d'étudiant, de travailleur saisonnier. La commission de l'Immigration et du Statut de réfugié (CISR) est l'organisme chargé d'étudier ces requêtes. Un peu plus du tiers de ces demandes s'avèrent conformes à la notion de réfugié au sens de la Convention, alors qu'environ le tiers n'y correspondent pas; les autres demandes font souvent l'objet de désistement et quelques-unes sont jugées non recevables.

Le tableau 1.3 fait la synthèse des différentes catégories d'admission des immigrants au Canada et au Québec.

Tableau 1.3 Critères de sélection des immigrants admis au Québec selon trois catégories (immigration économique, regroupement familial, réfugiés).

CATÉGORIE DE L'IMMIGRATION ÉCONOMIQUE		
Sous-catégories	**Types de programme**	**Critères de sélection**
Travailleur permanent	Programme Emploi assuré	▪ Détenir un emploi.
	Programme Professions en demande	▪ Avoir des possibilités d'emploi. ▪ Posséder l'argent pour subvenir à ses besoins. ▪ Avoir de l'expérience professionnelle.
	Programme Employabilité et mobilité professionnelle	▪ Avoir de l'expérience professionnelle. ▪ Avoir déjà séjourné au Québec. ▪ Posséder l'argent pour subvenir à ses besoins.
Gens d'affaires	▪ Programme Entrepreneurs ▪ Programme Investisseurs ▪ Programme Travailleurs autonomes	▪ Détenir un capital financier. ▪ Avoir de l'expérience en gestion. ▪ Investir de l'argent au Québec (investisseurs). ▪ Créer de l'emploi (entrepreneurs). ▪ Créer son propre emploi (travailleurs autonomes).

CATÉGORIE DU REGROUPEMENT FAMILIAL	
	Critères de sélection
Famille immédiate: époux, conjoint de fait ou partenaire conjugal	▪ Se porter garant du nouvel arrivant pendant 3 ans.
Famille immédiate: enfant mineur ou à charge	▪ Se porter garant de l'enfant jusqu'à sa majorité.
Famille élargie: père et mère, grands-parents, frère et sœur, neveu et nièce, petit-fils ou petite-fille	▪ Se porter garant du parent pendant 10 ans.

CATÉGORIE DES RÉFUGIÉS	
	Critères de sélection
Réfugiés au sens de la Convention	▪ Être reconnu réfugié au sens de la Convention des Nations Unies. ▪ Se trouver hors du pays dont il a la nationalité.
Catégories désignées	▪ Avoir besoin de protection sans correspondre à la définition stricte de réfugié au sens de la Convention.
Mesures spéciales d'ordre humanitaire	▪ Avoir besoin d'aide humanitaire (victime d'un désastre naturel ou écologique).
Demandeurs du statut de réfugié	▪ Demander l'asile en arrivant aux frontières canadiennes.

L'IMMIGRATION TEMPORAIRE

Dans cette partie, nous verrons quelles personnes peuvent séjourner de façon temporaire au Canada, ainsi que la durée et les modalités de leur séjour.

Le Programme canadien d'immigration prévoit l'entrée de personnes qui désirent visiter le Canada mais n'ont pas l'intention de s'y établir. On regroupe sous cette désignation les ressortissants d'autres pays qui séjournent au Québec pour un temps limité. Par exemple, il peut s'agir d'étudiants étrangers (dans les collèges ou les universités québécoises) qui obtiennent un permis de séjour d'un an, renouvelable ; de travailleurs temporaires (tels les Mexicains qui viennent cueillir des fraises pendant l'été) qui peuvent, eux aussi, bénéficier d'un permis de séjour d'un an, renouvelable ; de touristes avec un permis de séjour d'un maximum de trois mois ; de personnes en séjour thérapeutique qui peuvent vivre au Québec pendant une certaine période, renouvelable (ainsi, le Québec a reçu pendant quelques étés des enfants de Tchernobyl).

L'immigration temporaire comprend également les détenteurs du permis du ministre fédéral de l'Immigration ; par exemple, le ministre peut, dans des cas particuliers et pour d'autres raisons que celles déjà citées, permettre à des personnes de rester au Canada pour un temps limité. Toutes ces personnes doivent obtenir un permis de séjour canadien.

L'accès à la citoyenneté

Le droit à l'immigration est limité à quelques pays dans le monde ; ainsi, le Canada, les États-Unis et l'Australie sont des pays qui favorisent l'immigration. Certains pays européens comme la France et l'Allemagne ont reçu à différentes époques une immigration permanente mais favorisent aujourd'hui une immigration temporaire (travailleurs saisonniers). Dans plusieurs pays, le droit à la citoyenneté n'est pas automatique et, dans certains cas (par exemple en Suisse), il est presque impossible de l'obtenir ; dans certains pays, le fait d'y naître confère automatiquement la citoyenneté (par exemple au Canada) ; dans d'autres, il faut que l'enfant en fasse la demande lorsqu'il atteint sa majorité (par exemple en France).

DEVENIR CITOYEN AU CANADA

La notion de citoyenneté canadienne est relativement jeune dans l'histoire du Canada. Ce n'est en effet qu'après la Seconde Guerre mondiale, avec l'adoption de la *Loi sur la citoyenneté* en 1947, que les Canadiens passent du statut de « sujets britanniques résidant au Canada » à celui de citoyens canadiens. Cette loi a été révisée en 1977 et, en 1993, le Comité permanent de la citoyenneté et de l'Immigration a recommandé des amendements à la loi.

LA CITOYENNETÉ OBTENUE PAR LA NAISSANCE

Tous les enfants nés au Canada (à l'exception des enfants nés de diplomates étrangers) sont automatiquement citoyens canadiens, quel que soit le statut de leurs parents. Les enfants nés à l'étranger d'un parent canadien acquièrent automatiquement la citoyenneté canadienne même s'ils ne résident pas au Canada, mais ils doivent en faire la demande officiellement avant l'âge de 28 ans s'ils veulent la conserver. La troisième génération et les suivantes n'ont plus le droit à la citoyenneté. La *Loi sur la citoyenneté* réduit aussi la distinction entre les enfants naturels et les enfants adoptés. Ainsi, elle accorde la citoyenneté à l'enfant adopté à l'étranger par un citoyen canadien sans que l'enfant ait à satisfaire à des exigences d'ordre médical ou à celle de la résidence permanente.

LA CITOYENNETÉ OBTENUE PAR NATURALISATION

Une personne qui veut devenir citoyen canadien peut présenter une demande de citoyenneté canadienne si elle respecte les critères suivants :

> avoir 18 ans et plus ;
> être résidente permanente ;
> avoir vécu au Canada pendant au moins trois des quatre dernières années précédant sa demande de citoyenneté ;
> passer une évaluation de compréhension de l'une ou l'autre des deux langues officielles du pays : le français ou l'anglais ;
> avoir une certaine connaissance du Canada et connaître les droits et responsabilités liés à la citoyenneté.

Ne peut devenir citoyen canadien toute personne qui a connu l'une ou l'autre des situations suivantes :

> avoir été en prison, en liberté conditionnelle ou visée par une ordonnance de probation (ou l'avoir été au cours des quatre dernières années) ;
> avoir été trouvée coupable d'une acte criminel au cours des trois dernières années ; ou
> avoir été accusée d'un acte criminel ;
> être sous l'effet d'une ordonnance d'expulsion du Canada ;
> être inculpée d'une infraction aux termes de la *Loi sur la citoyenneté* ;
> faire l'objet d'une investigation pour crime de guerre ou crime contre l'humanité ;
> s'être vu retirer ou révoquer sa citoyenneté canadienne au cours des cinq dernières années.

Une nouvelle disposition de la *Loi sur la citoyenneté* donne au ministre le pouvoir d'annuler la citoyenneté dans les cas où elle aurait été obtenue sous une fausse identité ou dans les cas où une personne n'y aurait pas droit en raison de ses antécédents criminels. Les enfants d'une personne dont la citoyenneté est révoquée peuvent également être visés par cette révocation. Des sanctions sont prévues dans les cas de complicité et d'abus de pouvoir commis par des agents de la citoyenneté dans l'exercice de leurs fonctions. Les personnes reconnues coupables d'une infraction relative à la citoyenneté subiront des sanctions plus sévères qu'avant (peine maximale de 10 000 $ ou de cinq ans de prison, ou les deux).

Le résident permanent qui entreprend une démarche de reconnaissance de citoyenneté doit d'abord en faire la demande en remplissant un formulaire de Demande de citoyenneté auprès du ministère de la Citoyenneté et Immigration Canada. Cette demande comporte des frais de 200 $ pour les adultes et de 100 $ pour les enfants. Si aucun motif n'empêche le résident permanent d'obtenir la citoyenneté, il est convoqué à un test de citoyenneté. On remet d'abord aux personnes qui font la demande de citoyenneté une brochure d'information sur l'exercice du droit de vote au Canada, l'histoire et la géographie du pays, le système du gouvernement, ainsi que les droits et les responsabilités des Canadiens ; cette brochure contient également une série de questions susceptibles de leur être

---

SAVIEZ-VOUS QUE...

Seules les personnes âgées de 18 à 59 ans sont convoquées au test de citoyenneté ; les personnes âgées de 60 ans et plus en sont dispensées. Pour celles de moins de 18 ans, les règles sont un peu différentes : le parent qui fait la demande pour l'enfant doit être citoyen canadien ou avoir fait sa propre demande de citoyenneté. Il n'est pas nécessaire que l'enfant ait vécu trois ans au Canada.

Serment de citoyenneté

« Je jure fidélité et sincère allégeance à sa Majesté Élizabeth Deux, Reine du Canada, à ses héritiers et successeurs et je jure d'observer fidèlement les lois du Canada et de remplir loyalement mes obligations de citoyen canadien. »

posées. De plus, un examen permet de vérifier la connaissance du français ou de l'anglais du résident, car celui-ci doit être capable de parler et de comprendre une des deux langues officielles ou de savoir lire et écrire le français ou l'anglais de base. On lui fait passer un examen écrit et, dans certains cas, une entrevue. S'il est jugé apte à devenir citoyen canadien, il est convoqué à une cérémonie de remise des certificats. Lors de cette cérémonie, les personnes promettent allégeance au Canada, prêtent serment à Élizabeth II, Reine d'Angleterre et du Canada, signent ce serment et reçoivent ensuite leur certificat de citoyenneté canadienne (gouvernement du Canada, *Comment devenir citoyen canadien*, 2002).

Pourriez-vous devenir citoyen canadien ?

Voici des exemples de questions qui peuvent être posées dans le test de citoyenneté. Précisons que ce questionnaire est à choix multiple et que les réponses se trouvent toutes dans la brochure d'information remise au préalable à chacun des candidats.

Partie I : Questions sur le Canada

Les peuples autochtones

1. Qui sont les peuples autochtones au Canada ?

2. De qui descendent les Métis ?

L'histoire

1. Pourquoi les explorateurs sont-ils d'abord venus dans la région de l'Atlantique ?

2. Qui étaient les Loyalistes de l'Empire-Uni ?

La Confédération et le gouvernement

1. En quelle année le Canada est-il devenu un pays ?

2. Qui a été le premier premier ministre du Canada ?

Les droits et les responsabilités

1. Nommez deux libertés fondamentales protégées par la *Charte canadienne des droits et libertés*.

2. Donnez un exemple de la façon dont vous pouvez manifester votre sens des responsabilités en participant à des activités communautaires.

Les langues

1. Quelle est la seule province officiellement bilingue ?

Les symboles

1. Quelle chanson constitue l'hymne national du Canada ?

La géographie

1. Quelle est la population du Canada ?

2. Dans quelle province vit plus du tiers des Canadiens et des Canadiennes ?

L'économie

1. Quelles sont les trois principales industries du Canada ?

2. Dans quel secteur travaillent la plupart des Canadiens et des Canadiennes ?

Le gouvernement fédéral

1. Qui est le chef d'État du Canada ?

2. Comment s'appelle le gouverneur général ?

Les élections fédérales

1. Combien y a-t-il de circonscriptions électorales au Canada ?

2. Dans quelle circonscription électorale habitez-vous ?

Partie II : Questions sur la région du résident

1. Quelle est la capitale de la province ou du territoire que vous habitez ?

2. Nommez trois ressources naturelles importantes à l'heure actuelle pour l'économie de votre région.

3. Comment s'appelle votre maire ?

4. Comment s'appelle le premier ministre de votre province ou territoire ?

Extraits tirés de : Gouvernement du Canada, *Regard sur le Canada – L'examen pour la citoyenneté – questions*, Citoyenneté et Immigration Canada, Ottawa, 2004. Reproduit avec la permission du ministère des Travaux publics et Services gouvernementaux Canada, 2004.

Des demandeurs du statut de réfugié se «réfugient» dans les églises

1998   Des dizaines de Chiliens à qui l'on a refusé le statut de réfugié font une grève de la faim pendant 38 jours afin de protester contre leur expulsion du Canada.

1998   Une soixantaine de Chiliens occupent l'église Saint-Jean-de-la-Croix à Montréal. Ils réclament le statut de réfugié.

2002   Un couple d'Algériens se réfugie dans l'église Union United Church après avoir reçu un avis d'expulsion du ministère fédéral de l'Immigration.

2004   Une famille colombienne vit dans une église de Montréal depuis plus de 400 jours, voulant éviter la déportation. Le père, qui dit avoir été torturé et craindre pour sa vie s'il retourne en Colombie, vit dans cette église avec sa conjointe et sa fille de 20 ans. Ils ne sont pas sortis de l'église depuis plus d'un an.

2004   Sous le coup d'un avis d'expulsion vers l'Algérie, Mohamed Cherfi, un enseignant de formation, trouve refuge à l'Église unie Saint-Pierre de Québec au début de l'année 2004. Monsieur Cherfi, porte-parole des sans-statut, avait comparu plus tôt devant un juge parce qu'il avait occupé le bureau du ministre de l'Immigration du Canada avec d'autres demandeurs du statut de réfugié. Lors de l'évacuation du bureau du ministre, on l'avait accusé d'entrave au travail policier, ce qui lui avait valu l'interdiction de changer d'adresse.

Les policiers de la ville de Québec reçoivent le mandat d'arrêter monsieur Cherfi dans cette église sous prétexte qu'on lui a imposé de ne pas changer d'adresse et, le 5 mars 2004, l'ordre est mis à exécution.

1. **Quels sont les critères de sélection des demandeurs du statut de réfugié ?**

2. **Pourquoi ces gens se réfugient-ils dans une église ?**

3. **Question d'éthique :**
   A-t-on le droit d'évacuer par la force des gens qui se réfugient dans une église ?

Deux siècles de politiques d'immigration

Ancrée dans la vie canadienne et québécoise depuis fort longtemps, l'immigration génère des politiques et des législations depuis plus d'un siècle. Dans ce chapitre, nous tenterons d'identifier et d'expliquer les différents mécanismes de contrôle (lois, règlements, critères de sélection) instaurés par le gouvernement canadien depuis le XIXe siècle et nous nous efforcerons de montrer comment l'immigration est intimement liée à l'histoire des institutions politiques, économiques et culturelles des Canadiens et des Québécois.

Comme nous ne pouvions présenter toutes les législations, nous avons retenu celles qui ont marqué l'histoire de l'immigration, que ce soit par la teneur de leurs propos, leur effet discriminatoire sur certains groupes ou leur recherche d'équité. Enfin, nous nous intéresserons à certaines communautés qui se sont établies pendant ces différentes périodes et qui ont marqué la vie sociale au Canada et au Québec.

Le XIXᵉ siècle : les premières politiques d'immigration

Les premières politiques d'immigration voient le jour avec la création de la Confédération canadienne en 1867, qui, à ce moment, regroupe le Québec, l'Ontario, la Nouvelle-Écosse et le Nouveau-Brunswick. L'article 95 de l'*Acte de l'Amérique du Nord britannique* spécifie que l'immigration et l'agriculture relèvent toutes deux de la compétence partagée entre le gouvernement central et les provinces. On associe l'immigration et l'agriculture car le peuplement du Canada et la colonisation de l'ouest du pays en dépendent.

Immigrants allemands arrivant à Québec, en 1911.

La première loi fédérale sur l'immigration, l'*Immigration Act*, est promulguée peu de temps après la Confédération, soit en 1869. Elle prévoit un partage entre le gouvernement central et les provinces des responsabilités en matière d'immigration. L'*Immigration Act* définit les contrôles médicaux requis pour pouvoir entrer au pays et en interdit l'accès aux miséreux, aux infirmes et aux déficients mentaux (Whitaker, 1991).

À cette époque, pour stimuler le développement et le peuplement du pays, le gouvernement donne des millions d'acres de terre à des compagnies de chemin de fer qui sont autorisées à les vendre pour financer la construction des lignes de voies ferrées. Le Canadien Pacifique, par exemple, reçoit 31 millions d'acres de terre et met sur pied son propre service de colonisation et d'immigration ; il recrute des immigrants à l'étranger et accorde à ceux-ci des prêts pour financer leur voyage au Canada et l'achat de fermes (Helly, 1987). Les résultats de ces politiques d'immigration et de peuplement ne se font pas attendre : de 1896 à 1913, le flux migratoire passe de 17 000 à 401 000. En fait, le Canada reçoit pendant cette période le plus grand nombre d'immigrants de toute son histoire. Ce sont surtout des cultivateurs, des ouvriers agricoles et des domestiques en provenance des îles Britanniques, des États-Unis et de l'Europe de l'Ouest.

L'ARRIVÉE DES IRLANDAIS

Entre 1816 et 1851, près d'un million d'immigrants britanniques, écossais puis irlandais débarquent à Québec, à Montréal et dans les ports de l'Atlantique. En Irlande, à partir de 1840, une maladie de la pomme de terre, le mildiou, détruit les récoltes. Et comme la plupart des Irlandais sont paysans et se nourrissent presque exclusivement de pommes de terre, leur situation deviendra désastreuse en quelques années. La famine atteindra son point culminant en 1847. C'est donc en quête de meilleures conditions de vie que des milliers de paysans irlandais expropriés ou ruinés s'entassent dans des bateaux pour traverser l'Atlantique. La traversée se fait souvent dans des conditions inhumaines qui rappellent celles des « boat people » d'aujourd'hui. Les conditions hygiéniques lamentables, imposées par des capitaines et des entreprises avides de profit, sont propices aux épidémies de choléra et de typhus. Par exemple, durant la seule décennie 1845-1855, plus de 106 000 Irlandais partent pour le Canada ; 18 000 d'entre eux périssent, en route ou à l'arrivée (Bernier, Dompierre, 1987). Ceux qui résistent aux épidémies de choléra et de typhus arrivent à Grosse-Île, en aval de Québec, où ils sont d'abord mis en quarantaine. Puis, s'ils sont jugés sains, ils peuvent poursuivre leur voyage vers Québec et Montréal. Grosse-Île a vu défiler jusqu'à 70 000 immigrants chaque année pendant des décennies.

Il semble que les Irlandais ont reçu beaucoup de soutien de la part des Canadiens français. Ceux-ci ont travaillé ensemble à la construction du canal Lachine (amorcée en 1825), du canal de Beauharnois et du pont Victoria, inauguré en 1860.

L'ARRIVÉE DES CHINOIS

Les immigrants chinois, attirés par la « ruée vers l'or » de la Californie, arrivent dans cette région de l'Amérique au milieu du XIXe siècle. Une vague de racisme pousse alors nombre d'entre eux à fuir cette zone et à migrer vers les États de l'Est américain et les mines du nord de la Colombie-Britannique. À compter de 1858, le gouvernement canadien accepte des milliers de paysans chinois et les fait travailler dans ces mines et à la construction du chemin de fer transcontinental. Cette immigration, peu importante en nombre, restera gravée dans l'histoire en raison du traitement discriminatoire dont les Chinois ont fait l'objet. Par exemple, on rapporte qu'un ouvrier chinois travaillant dans les mines de charbon reçoit 1 $ par jour alors que, pour le même travail, un ouvrier blanc gagne de 2 $ à 3 $ par jour (Helly, 1987). La main-d'œuvre chinoise se révèle rapidement indispensable à la construction du tronçon de chemin de fer traversant les Rocheuses et les Prairies. On estime que plus de 15 000 ouvriers y ont travaillé dans des conditions difficiles et dangereuses.

Vers la fin du XIXe siècle, la construction du chemin de fer se termine. À cause des remous que suscite la présence des Chinois, le Parlement canadien adopte une loi visant à restreindre l'immigration chinoise. Cette loi, promulguée en 1885, impose une taxe d'entrée de 50 $ à tout homme d'origine chinoise, taxe qui sera haussée jusqu'à 500 $ en 1903, ce qui équivaut alors à une énorme somme. À partir de ce moment, plusieurs Chinois quittent la Colombie-Britannique et migrent vers l'est du Canada, en Alberta, en Ontario et au Québec. Mais, peu importe où elle se trouve au Canada, la communauté chinoise est victime des pires préjugés sociaux. Ses membres sont littéralement perçus comme des indésirables et la réputation qu'on leur fait tend à les exclure. Ainsi, on prétend qu'ils font preuve de « méconnaissance de toute civilité et rationalité ». On a noté chez eux la « prégnance d'instincts corporels non contrôlés ». Enfin, on dit qu'ils sont « sales, porteurs d'épidémie, drogués, adeptes de la prostitution, ignorants de la loi et de la morale » (Helly, 1987). Le point culminant de cette discrimination est la promulgation, en 1923, du *Chinese*

Immigrant chinois qui travaille au chemin de fer en Colombie-Britannique.

Immigration Act, législation qui interdit l'entrée des Chinois au Canada, de même qu'aux Japonais et aux Africains.

L'ARRIVÉE DES NOIRS AMÉRICAINS ET ANTILLAIS

L'histoire officielle de la présence noire au Québec débute en 1628 avec la vente d'un jeune esclave noir, Olivier Le Jeune. Au lendemain de la Conquête (1760), dans ce qu'on appelait la Nouvelle-France, un peu plus de 1000 Africains sont esclaves dans des familles françaises (Bizzari, 1994). Le Parlement britannique adopte une loi, entrée en vigueur en 1834, qui abolit l'esclavage dans toutes ses colonies. Cette loi donne lieu à l'essor du « chemin de fer clandestin », un réseau de personnes et de lieux mis en place pour aider les Noirs à s'enfuir d'États américains où ils sont esclaves (l'esclavage ne sera aboli qu'en 1865 aux États-Unis). Créé en 1780, ce « chemin de fer clandestin » connaît son apogée entre 1840 et 1860, particulièrement après l'adoption en 1850 du *Fugitive Slave Act*, une loi américaine qui autorise les chasseurs d'esclaves à poursuivre les fugitifs en terre libre et à les reprendre (gouvernement du Canada, 1998).

Un autre réseau de chemin de fer, véritable celui-là, contribue à l'essor de la communauté noire au Québec et à Montréal à la fin du XIXᵉ siècle. Plusieurs Noirs en provenance des États-Unis, fuyant l'esclavage et la guerre de Sécession, de même que des Antillais de la Barbade, de la Jamaïque, de Trinidad et Tobago et de la Guyane arrivent à Montréal. Ces immigrants sont surtout attirés par les emplois liés à la construction du canal de Lachine et au développement du réseau de chemin de fer (Fehmiu-Brown, 1995). Des centaines d'hommes noirs sont engagés comme porteurs et bagagistes sur les trains. Même les plus instruits travaillent pour les compagnies ferroviaires, car plusieurs professions libérales leur sont interdites (par exemple, l'Université McGill refuse à cette époque les Noirs dans ses facultés de médecine et de droit). Ils s'installent dans les quartiers de Montréal situés au sud et au nord du canal Lachine (Williams, 1998).

Le tableau 2.1 présente les législations du XIXᵉ siècle et les motifs de déplacement des principales communautés immigrant au Canada.

SAVIEZ-VOUS QUE...

L'organisation du « chemin de fer clandestin » utilisait des mots du vocabulaire ferroviaire pour décrire le rôle des personnes qui aidaient les fugitifs le long de leur route. Par exemple, les « conducteurs » aidaient les fugitifs en les cachant pour qu'ils ne soient pas repris par leurs maîtres. Ces conducteurs faisaient passer leurs « passagers » ou « marchandises » d'une « station » (refuge) à une autre.

Tableau 2.1 Au XIXᵉ siècle.

Législations et événements marquants
▪ 1834 : Abolition de l'esclavage dans les colonies britanniques
▪ 1869 : Première loi canadienne sur l'immigration, l'*Immigration Act*
▪ 1885 : Taxe d'entrée imposée aux Chinois

Motifs d'immigration des principales communautés	
Groupes ethniques	**Motifs d'immigration**
Irlandais	Grande famine et pauvreté en Irlande
Chinois	Surpopulation et pauvreté en Chine Discrimination en Californie
Noirs américains des États-Unis	Fuite de l'esclavage (chemin de fer clandestin)
Noirs antillais anglophones	Pauvreté dans les Antilles anglophones

Les Chinois de l'Est

1. De quel groupe parle-t-on dans ce texte ?

2. Sur quels éléments du texte vous appuyez-vous pour affirmer cela ?

Voir la solution, p. 36.

« À quelques exceptions près, les [...] sont les Chinois des États de l'Est. Ils ne portent aucun intérêt à nos institutions civiques et politiques ou à notre système d'éducation. Ils ne viennent pas ici pour s'établir parmi nous, ou pour acquérir le statut de citoyen et donc pour s'intégrer à nous, mais plutôt pour séjourner ici quelques années comme des étrangers. [...] Ils représentent une horde prête à envahir nos industries et non pas un courant d'émigration permanente. Si possible, ils n'envoient pas leurs enfants à l'école, mais tentent plutôt de les placer dans une manufacture dès leur plus jeune âge. Dans ce but, ils mentent à propos de l'âge de leurs enfants avec la plus grande audace. [...] Gagner autant que possible indifféremment du nombre d'heures de travail, vivre dans le plus grand dénuement afin d'éviter le plus possible la dépense et afin de grossir leurs économies et de les sortir du pays une fois accumulées ; voilà en somme le but des [...] qui habitent nos régions industrielles. »

Extrait cité dans : Pierre Anctil, « Les Chinois de l'Est », *Recherches sociographiques*, janvier-avril 1981.

Du début du XXᵉ siècle à la fin de la Seconde Guerre mondiale

LÉGISLATIONS XÉNOPHOBES ET MESURES DISCRIMINATOIRES

En 1896, Clifford Sifton est nommé ministre de l'Intérieur dans le gouvernement de Wilfrid Laurier, et l'immigration est son dossier prioritaire.

Le plan Sifton crée une hiérarchie des pays d'origine : viennent en tête de liste les immigrants des îles Britanniques et des États-Unis, puis suivent les Français, les Belges, les Hollandais, les Scandinaves, les Suisses, les Finlandais ; arrivent ensuite les Russes, les Austro-Hongrois, les Allemands, les Ukrainiens et les Polonais. Ces groupes sont considérés comme « assimilables ». D'autres sont plutôt considérés comme « indésirables » : les Italiens, les Arabes, les Grecs, les Juifs, les Asiatiques, les Africains et les Gitans (Cardinal, Couture, 1998). La taxe d'entrée de 50 $ imposée aux Chinois depuis 1885 passe à 100 $ en 1900 et à 500 $ en 1903.

En 1906, le gouvernement canadien adopte de nouveaux critères d'exclusion et on élargit la catégorie des « indésirables » aux « faibles d'esprit, aux malades affligés de maladies "répugnantes", aux mendiants professionnels, aux prostituées, aux épileptiques, bref à tout individu qui représente une menace potentielle pour la santé publique, la sécurité de l'État et le trésor public » (Cardinal, Couture, 1998).

En 1908, on exige des immigrants venant de l'Inde qu'ils aient au moins 200 $ en poche et qu'ils arrivent directement au Canada, sans escale. Cette dernière exigence se révèle fortement discriminatoire puisqu'il n'y a, à l'époque, aucun moyen de transport direct entre l'Inde et le Canada. En 1910, on interdit l'immigration de femmes et de jeunes filles « amorales » ; on ajoute aussi à la loi la précision suivante : « Quiconque préconise le renversement du gouvernement canadien ou britannique ne pourra être accepté au Canada. » Cette loi permet alors au Canada de refuser l'entrée aux militants syndicaux ou politiques sous

« De la bonne qualité, pour moi, c'est un paysan costaud en peau de mouton, né sur la terre, dont les ancêtres étaient agriculteurs depuis dix générations, qui a une femme robuste et une demi-douzaine d'enfants. »

Sir Clifford Sifton, ministre canadien de l'Intérieur, 1896-1905.

prétexte qu'ils peuvent représenter un danger pour la sécurité de l'État. L'année suivante, en 1911, un décret ministériel vise à interdire l'entrée d'immigrants « noirs » en prétendant qu'ils sont biologiquement incapables de s'adapter aux durs hivers canadiens. Pourtant, la publicité faite alors aux États-Unis par le gouvernement canadien met en valeur le climat tempéré du pays... surtout en hiver (Berthelot, 1991).

Après la Première Guerre mondiale, une nouvelle loi abolit la taxe d'entrée des immigrants chinois, mais la *Loi sur l'immigration sino-canadienne*, votée en 1923, leur interdit pratiquement l'entrée au Canada en fixant des quotas quant au nombre de personnes admissibles venant de la Chine, du Japon et de l'Afrique. Pourtant, à peu près en même temps, en 1922, le Canada adopte une loi favorisant la venue de 100 000 Britanniques.

La récession des années 1930 restreint grandement l'immigration et entraîne des changements dans les critères d'admission des immigrants. On n'accepte désormais que les agriculteurs qui disposent du capital nécessaire à leur installation. À partir de 1931, seuls les Britanniques et les Américains ont le droit d'immigrer au Canada, après une sélection sévère. Pendant la Seconde Guerre mondiale, certains groupes d'immigrants font aussi l'objet d'une chasse aux sorcières : après l'attaque de Pearl Harbor en 1941, plus de 22 000 Japonais et Canadiens d'origine japonaise seront déclarés ennemis de la nation, les États-Unis et le Canada ayant déclaré la guerre au Japon. Ils seront internés jusqu'à la fin de la guerre dans des camps militaires et verront leurs biens confisqués par l'État. Ce n'est qu'en 1988 que le gouvernement canadien présentera des excuses aux Canadiens d'origine japonaise et versera une compensation financière symbolique aux familles éprouvées.

La première moitié du XXᵉ siècle est donc marquée par une série de mesures plutôt xénophobes, comme en témoignent plus en détail les restrictions imposées aux Juifs et aux Indiens.

L'ARRIVÉE DES JUIFS

Ashkénazes Juifs qui proviennent de l'Allemagne et de pays de l'Europe de l'Est, particulièrement de la Pologne, de la Russie, de la Roumanie et de la Lituanie, et qui parlent le yiddish. Ils représentent la majorité de la diaspora juive.

Dès la fin du XIXᵉ siècle, une importante population juive vit au Québec. Entre 1896 et 1914, les voies de communication vers l'intérieur du continent se développent de même que les installations portuaires, et la ville de Montréal connaît une expansion fulgurante. « Les Juifs yiddishphones qui s'y installent ne mettent pas beaucoup de temps à réaliser le potentiel de cette ville et le climat favorable dans lequel baignent les entreprises » (Medresh, 1997). En 1931, on compte près de 60 000 Juifs à Montréal, pour la plupart des **Juifs ashkénazes**. Le yiddish est alors la troisième langue la plus utilisée dans la ville.

Des restrictions sévères sont imposées aux Juifs après la Première Guerre mondiale et au moment de la crise de 1929, alors que plusieurs se préparent à quitter la Russie, la Pologne, l'Autriche-Hongrie, la Roumanie et les pays baltes. Même avec la montée du nazisme et l'ascension de Hitler au milieu des années 1930, il devient très difficile pour eux de trouver refuge au Canada.

En 1939, le navire *Saint-Louis*, sur lequel se trouvent plus de 900 Juifs allemands fuyant la persécution nazie, longe la côte des États-Unis et de l'Amérique latine, cherchant une terre d'accueil. Le premier ministre canadien de l'époque, Mackenzie King, leur refuse l'entrée au Canada et le navire doit repartir vers l'Europe. Durant la guerre, de 1939 à 1945, le Canada n'accueille que 500 réfugiés juifs (gouvernement du Canada, 1998).

SAVIEZ-VOUS QUE...

Les Juifs du camp de concentration d'Auschwitz nommaient ironiquement « Canada » un entrepôt dans lequel se trouvaient leur nourriture, leurs vêtements et leurs bijoux. Cet édifice représentait le luxe et le salut, mais il était impossible d'y avoir accès (Lazar, Douglas, 1994).

L'ARRIVÉE DES INDIENS

Les premiers immigrants indiens, des sikhs du Penjab, se sont établis en Colombie-Britannique à la fin du XIXᵉ siècle et au début du XXᵉ siècle. En 1908, 2600 immigrants en provenance de l'Inde s'installent au Canada. L'année suivante, il n'y en a que six (Lazar, Douglas, 1994). L'explication de Mackenzie King, alors ministre du Travail : « Les Hindous ne peuvent s'adapter au climat du pays » (gouvernement du Canada, 1998).

Le *Kogomatu Maru*.

L'histoire du *Komogatu Maru* est un exemple éloquent du type de mesures mises en place au Canada pour refréner certains immigrants. En 1914, ce navire transporte à son bord 376 hommes originaires du Penjab, des sikhs pour la plupart. Un décret gouvernemental, adopté en 1908, exige alors que les ressortissants de l'Inde arrivent directement de leur pays, sans escale. À cette époque, aucun navire n'assure de liaison directe entre les deux pays. Quand le *Komogatu Maru* accoste à Vancouver, la plupart des passagers sont retenus à bord et doivent attendre pendant deux mois que les fonctionnaires de l'Immigration et les leaders de la communauté indienne du Canada négocient leur statut. Finalement, le navire est forcé de reprendre sa route avec tous ses passagers à bord.

Le tableau 2.2 présente les législations du XXᵉ siècle jusqu'à la Seconde Guerre mondiale et les motifs de déplacement des principales communautés immigrant au Canada.

Tableau 2.2 Du début du XXᵉ siècle à la Seconde Guerre mondiale.

Législations et événements marquants
▪ Plan Sifton (1896-1930) : crée une hiérarchie d'immigrants désirables et indésirables
▪ Série de mesures d'exclusion :   1906 : Exclusion des « faibles d'esprit, mendiants, prostituées, épileptiques, etc. »   1908 : Exclusion des Indiens   1910 : Exclusion des femmes dites « amorales »   1911 : Exclusion des Noirs
▪ 1923 : *Chinese Immigration Act*, législation qui interdit l'entrée des Chinois, des Japonais et des Africains
▪ 1942 : Confiscation des biens de 22 000 Japonais et Canadiens d'origine japonaise, et leur internement dans des camps de travail

Motifs d'immigration des principales communautés	
Groupes ethniques	**Motifs d'immigration**
Britanniques	Manque de travail
Juifs de l'Europe de l'Est : Russie, Pologne, Lituanie, Roumanie	Pauvreté et discrimination
Indiens	Pauvreté

De l'après-guerre aux années 1960

LE DÉBUT D'UN CONTRÔLE ACCRU DE L'ÉTAT

L'après-guerre est une période de prospérité économique, marquée par une grave pénurie de main-d'œuvre. L'immigration devient alors un instrument de développement économique et démographique très important. Dès 1950, on crée le ministère fédéral de l'Immigration et de la Citoyenneté. Déjà, en 1947, le gouvernement avait envoyé des équipes en Allemagne et en Autriche pour sélectionner des immigrants dans des camps de personnes déplacées mis sur pied par les Nations Unies et avait abrogé le *Chinese Immigration Act*.

Le Canada connaît alors une véritable vague d'immigration. On libéralise la *Loi sur l'immigration* en 1952 ; celle-ci définit de nouveaux critères de sélection relatifs à la capacité d'absorption économique et culturelle du Canada (critères relatifs à la nationalité, à l'ethnicité, à l'occupation et au style de vie des immigrants). La loi accorde une nette préférence aux immigrants provenant des îles Britanniques, des États-Unis, de la France, des pays d'Europe et d'Amérique latine, tout en demeurant discriminatoire envers les Noirs et les Asiatiques. Elle facilite cependant la réunification des familles : tout résident permanent peut « parrainer » un parent, c'est-à-dire le prendre en charge s'il fait partie de l'une des catégories de parents admissibles. On permet aussi l'entrée de quelques Indiens, de Pakistanais et de Ceylandais (Sri Lanka) pendant quelques années.

L'ARRIVÉE DES ITALIENS

Dès 1860, une cinquantaine de familles d'origine italienne s'établissent à Montréal. Ces gens, originaires principalement de l'Italie du Nord, sont pour la plupart des artisans et commerçants du marbre (Ramirez, 1984). Mais c'est au début du XXᵉ siècle que le Canada devient une destination privilégiée pour un nombre croissant d'Italiens, dont l'immigration se fait en plusieurs vagues. La première, surtout masculine et saisonnière, est formée de paysans fuyant les conditions économiques précaires du sud de l'Italie. Ils occupent des emplois demandant peu de compétences, et donc mal rémunérés, notamment dans la construction du chemin de fer et l'exploitation des matières premières (mines, forêts). Ces immigrants sont souvent assujettis à des contrats commerciaux avec des *padroni* qui les exploitent (Painchaud, Poulin, 1988). Ils travaillent dans le bâtiment, creusent des canaux et pavent les rues de Montréal. Puis, après la Première Guerre mondiale, plusieurs femmes et enfants viennent rejoindre leurs maris, leurs pères.

La plus importante vague d'immigration italienne se produit entre 1950 et 1968. Grâce au système de parrainage et de réunification des familles, des milliers d'Italiens provenant surtout de l'Italie du Sud (Molise, Calabre) viennent rejoindre leur famille durant cette période et consolident un réseau économique déjà bien implanté.

L'ARRIVÉE DES GRECS

Dès la moitié du XIXᵉ siècle, des marins d'origine grecque arrivent au Québec. C'est une immigration individuelle, puis familiale, de peu d'importance : par exemple, le recensement canadien de 1901 fait état de 66 Grecs. En 1934, on estime la population d'origine grecque à 2000 personnes.

C'est à partir des années 1950 que commence la deuxième vague d'immigration grecque, constituée principalement de « personnes provenant de régions montagnardes et rurales, ayant des caractéristiques communes : peu scolarisées,

Tableau 2.3 De l'après-guerre aux années 1960.

Législations et événements marquants

- 1947 : Abrogation du *Chinese Immigration Act*

- 1950 : Création du ministère fédéral de l'Immigration et de la Citoyenneté

- 1952 : Nouvelle loi sur l'immigration : préférence accordée à certains immigrants, discrimination des Noirs et des Asiatiques, création du parrainage pour réunifier les familles

Motifs d'immigration des principales communautés	
Groupes ethniques	**Motifs d'immigration**
Italiens	
Grecs	Pauvreté et manque de travail
Portugais	

ne parlant ni français ni anglais et ayant le rêve de retourner en Grèce » (Constantinidès, 1983). À ce groupe s'ajoutent des immigrants plus scolarisés et qualifiés qui viennent aussi de la diaspora grecque : de Turquie, d'Égypte, de Chypre et des Balkans. On compte également de jeunes gens issus de familles bourgeoises venus pour étudier et des travailleuses recrutées par des agences pour effectuer l'entretien domestique.

L'ARRIVÉE DES PORTUGAIS

Au XVIIᵉ siècle, des explorateurs et surtout des pêcheurs portugais viennent pêcher la morue à Terre-Neuve, et quelques-uns d'entre eux s'installent au Québec. Mais la véritable immigration portugaise commence à la fin des années 1950 et se poursuit jusqu'au début des années 1980. En effet, près de 80 % des immigrants portugais s'installeront au Québec entre 1961 et 1980. Ils viennent des Açores, du Portugal continental et de Madère, mais aussi du Mozambique et d'Angola, deux anciennes colonies portugaises d'Afrique.

La vague d'immigration portugaise s'est faite en deux temps. Les services canadiens de l'immigration ont d'abord recruté une main-d'œuvre essentiellement masculine, d'origine rurale et non qualifiée, pour travailler à la construction de lignes de chemin de fer ou comme ouvriers agricoles. Par la suite, les Portugais déjà établis au Québec ont fait venir leurs parents dans le cadre du programme de réunification familiale (Barrette, Gaudet, Lemay, 1996).

Le tableau 2.3 présente les législations de l'après-guerre aux années 1960 et les motifs de déplacement des principales communautés immigrant au Canada.

Des années 1960 aux années 1990

DES CRITÈRES ADMINISTRATIFS ET HUMANITAIRES

À partir de 1963, le Canada entre dans une période d'expansion économique qui durera jusqu'en 1970. L'adoption de la *Déclaration canadienne des droits de l'homme* en 1960, la pression internationale et le besoin de main-d'œuvre poussent le gouvernement canadien à abolir certaines mesures discriminatoires contenues dans la loi de 1952. C'est donc en 1962 que sont levés les restrictions quant à l'admission de certaines catégories d'immigrants et les privilèges accordés aux immigrants britanniques et français. En 1968, le gouvernement fédéral crée le ministère de l'Emploi et de l'Immigration et on met aussi en place un système de points pour l'admission des immigrants. Ce système, basé sur les compétences professionnelles et le niveau de scolarité des immigrants, est encore en vigueur, même s'il a subi quelques modifications.

À compter de 1970, le Canada connaît une nouvelle période de récession économique: inflation, chômage, stagnation de la production, etc. Il met donc en place des mesures destinées à mieux contrôler l'entrée d'immigrants sur son territoire: limite du visa d'entrée à trois mois, création du visa d'emploi, obligation pour les visiteurs de retourner dans leur pays pour faire une demande de résidence, restriction du droit d'appel à la suite d'une ordonnance d'expulsion. Une autre loi sur l'immigration, adoptée en avril 1978, resserre encore considérablement le contrôle économique, politique et administratif de l'immigration, en créant, par exemple, une catégorie de travailleurs temporaires et en établissant chaque année, de concert avec les provinces, les niveaux souhaitables d'immigration. Cette loi est telle que l'immigration est au service des besoins de l'économie canadienne, comme le programme des gens d'affaires mis en place dès 1978 pour les immigrants venant créer des entreprises ou investir de l'argent au Canada.

DES POUVOIRS ACCRUS POUR LE QUÉBEC

En 1968, le Québec entreprend des démarches pour se doter d'outils lui permettant d'agir sur le volume, la sélection et l'intégration de ses immigrants. Alors qu'il n'a dans les faits aucun pouvoir sur son immigration, le Québec se dote d'un ministère de l'Immigration. Ce ministère se donne pour priorités de sélectionner des immigrants répondant aux besoins de main-d'œuvre de l'époque et de veiller à ce qu'ils s'intègrent à la communauté francophone. Par la suite, quatre ententes fédérales-provinciales viennent confirmer les pouvoirs du Québec en matière d'immigration. La première, l'entente Cloutier–Lang en 1971, permet au Québec d'envoyer des agents d'orientation du ministère québécois dans les ambassades canadiennes afin de recruter plus d'immigrants francophones. En 1975, l'entente Andras–Bienvenue accorde aux agents d'immigration québécois la possibilité d'examiner et d'évaluer les demandes des immigrants voulant s'établir au Québec. En 1978, avec l'entente Couture–Cullen, le Québec peut sélectionner les immigrants qui veulent s'établir sur son territoire et administrer sa propre grille de sélection. Cette dernière est semblable à celle du Canada, sauf en ce qui concerne l'importance accordée à la connaissance des langues: le Québec accorde 15 points à la connaissance du français et 2 points à celle de l'anglais, alors que la grille canadienne accorde 5 points à la connaissance de l'une ou l'autre langue. Enfin, en 1991, l'entente McDougall–Gagnon-Tremblay confère au Québec l'entière responsabilité de sélectionner et d'intégrer les immigrants travailleurs et les immigrants d'affaires. De plus, le Québec se voit assurer le pouvoir de sélectionner 25 % de l'immigration canadienne en raison de son poids démographique à l'intérieur du Canada.

L'ADOPTION D'UNE POLITIQUE D'ASILE

Le Canada adhère à la Convention de Genève en 1969 et accueille quelques réfugiés durant les années 1970: des réfugiés de l'Ouganda en 1972, du Chili en 1976 et du Liban entre 1976 et 1979 (Helly, 1996). Une réelle politique à l'égard des réfugiés est adoptée dans le cadre de la *Loi sur l'immigration* de 1976, qui crée une catégorie distincte d'immigrants (réfugiés et personnes désignées).

Jusqu'en 1989, la loi garantissait le droit à tout voyageur arrivant aux frontières canadiennes de demander sur place le statut de réfugié. Une audition officielle de cette requête avait alors lieu devant une commission et, tant que ce n'était pas fait, les requérants de ce statut pouvaient rester au Canada. L'augmentation des demandes (de 100 en 1979 à 20 000 en 1989), les critiques de l'opinion publique face à l'afflux de demandeurs d'asile et quelques crises concernant l'arrivée de Tamouls, de Portugais et de Turcs ont amené le Canada à légiférer sur la question des réfugiés. En 1989 et en 1993, des lois rendent plus difficile l'admission des personnes demandant le statut de réfugié.

Pendant toute cette période, les nouvelles politiques canadiennes en matière de refuge et l'admission de gens plus scolarisés favoriseront la diversification de l'immigration. Le Canada accueillera alors des Marocains juifs et des Égyptiens chrétiens fuyant la guerre et la discrimination religieuse. Mais c'est l'arrivée des Haïtiens, des Vietnamiens et des Chiliens qui sera particulièrement marquante dans cette période de l'histoire au Québec.

L'ARRIVÉE DES HAÏTIENS

L'immigration en provenance d'Haïti se fait en quelques vagues importantes. D'abord, des Haïtiens de la petite bourgeoisie professionnelle arrivent au Québec entre 1968 et 1975. Ce sont des médecins, des infirmières, des professeurs et des ingénieurs qui fuient le régime dictatorial de Duvalier. Fortement scolarisés, ils répondent aux nouvelles exigences du Québec en matière de main-d'œuvre pendant la Révolution tranquille. Viennent ensuite (entre 1976 et 1985) des Haïtiens moins scolarisés et issus de catégories professionnelles moins spécialisées. Cette deuxième vague, la plus importante en nombre, entre au Québec sur la base de la réunification familiale et comprend beaucoup plus de femmes que d'hommes. Le Québec a alors besoin d'une main-d'œuvre non spécialisée, particulièrement dans le domaine du textile qui a été délaissé quelque peu par les Italiens et les Grecs. Les ouvriers haïtiens prennent la relève de cette main-d'œuvre (Dejean, 1990).

La dernière vague d'immigration haïtienne (entre 1985 et 1996) est constituée de parents venus rejoindre la famille d'immigrants économiques et d'un certain nombre de réfugiés. Depuis le début des années 1980, Haïti est l'un des dix principaux pays de naissance des immigrants qui entrent au Québec.

L'ARRIVÉE DES VIETNAMIENS

L'immigration vietnamienne se fait en quatre phases. Avant 1975, quelques centaines d'étudiants, issus de la classe bourgeoise, sont inscrits dans les universités québécoises. Certains retournent dans leur pays à la fin de leurs études, mais plusieurs s'installent au Québec.

La première vague d'immigration vietnamienne a lieu en 1975, avec l'arrivée d'un groupe de réfugiés à Montréal. Issus de la classe moyenne supérieure, ces Vietnamiens sont très scolarisés et parlent français et anglais.

À l'automne 1978, l'affaire du *Hai Hong* (ce navire infesté de rats, transportant 2500 personnes privées de nourriture, est bloqué en

Vietnamiens, réfugiés de la mer.

Malaisie) alerte l'opinion publique internationale. Le Canada et le Québec créent des programmes gouvernementaux de parrainage collectif dès le début de l'année 1979. Cette vague d'immigration vietnamienne compte de 30 % à 70 % de Hoas, des Vietnamiens d'origine chinoise. Ce sont pour la plupart des techniciens, des ouvriers plus ou moins spécialisés et des commerçants qui parlent majoritairement le vietnamien ou le chinois.

À compter de 1981, le flot d'immigrants est principalement constitué d'intellectuels venant des camps de rééducation et de personnes qui profitent du programme de réunification familiale. Ces dernières ont majoritairement un niveau de scolarité moyen (Méthot, 1995). Notons que d'autres immigrants arriveront aussi de la péninsule indochinoise durant cette période : les Cambodgiens et les Laotiens.

L'ARRIVÉE DES CHILIENS

Le 11 septembre 1973, un coup d'État, conduit par le général Pinochet, renverse le gouvernement de Salvador Allende élu démocratiquement au Chili trois ans auparavant. Assassinats, tortures, emprisonnements arbitraires et absence de libertés civiles se succèdent alors. À partir de cette même année, mais surtout de 1974 à 1978, quelques milliers de Chiliens cherchant asile s'installent au Québec. Cette immigration est essentiellement composée de réfugiés d'origine urbaine et très scolarisés (gouvernement du Québec, 1995).

Durant cette même période, d'autres personnes en provenance de l'Amérique Centrale et de l'Amérique du Sud viendront s'installer au Québec, fuyant dictatures, conflits armés, etc. (voir le chapitre 8).

L'ARRIVÉE DES LIBANAIS

Durant les années 1970, plusieurs jeunes Libanais quittent leur pays pour faire des études supérieures au Québec et nombre d'entre eux décideront par la suite de s'y installer. Mais c'est le déclenchement d'une guerre civile qui contraint de nombreux Libanais à quitter leur pays : en avril 1975, une fusillade éclate entre des militants chrétiens et des combattants palestiniens dans un quartier de Beyrouth et dégénère en affrontements armés. Cette guerre durera 15 ans, jusqu'en 1990.

Tableau 2.4 Des années 1960 à 1990.

Législations et événements marquants
▪ 1962 : Levée des restrictions relatives à l'entrée de certains immigrants
▪ 1968 : Mise en place d'un système de points basé sur la qualification professionnelle
▪ 1969 : Le Canada adhère à la Convention des Nations Unies sur les réfugiés (Genève)
▪ 1971, 1975, 1978 : Ententes fédérales-provinciales
▪ 1976, 1989 : Législations concernant le droit de refuge

Motifs d'immigration des principales communautés	
Groupes ethniques	**Motifs d'immigration**
Haïtiens	Dictature de Duvalier
Indochinois (Vietnamiens, Cambodgiens, Laotiens)	Pauvreté, guerre et violation des droits de la personne
Chiliens	Coup d'État au Chili et dictature de Pinochet
Libanais	Guerre civile

À la suite de son éclatement, plusieurs immigrants d'origine libanaise viennent au Québec, fuyant la violence et la violation des droits humains.

Cette vague d'immigration s'accentue à partir de la fin des années 1980. Durant ces années de guerre, le Canada annonce qu'il ouvre ses portes aux Libanais et installe même un bureau à Chypre, parallèlement à celui de Damas, pour faciliter l'octroi de visas d'immigration aux familles. La majorité des Libanais qui choisissent d'immigrer au Canada au cours de cette période sont des chrétiens de toutes les classes sociales. Les trois quarts d'entre eux s'installeront au Québec.

Le tableau 2.4 présente les législations des années 1960 aux années 1990 et les motifs de déplacement des principales communautés immigrant au Canada.

Depuis les années 1990

RÉFORME DE LA *LOI SUR L'IMMIGRATION*

En 1997, le groupe de travail chargé de revoir la législation et les politiques canadiennes en matière d'immigration remet son rapport. Intitulé *Au-delà des chiffres, l'immigration de demain au Canada*, ce rapport présente des recommandations sur la mise en œuvre de nouveaux critères de sélection des immigrants et sur le resserrement de critères déjà existants. Ce n'est cependant qu'en juin 2002 que la *Loi sur l'immigration et la protection des réfugiés du Canada* voit le jour (voir le chapitre 1). Plusieurs changements sont apportés à l'ancienne loi afin d'attirer des travailleurs compétents et polyvalents, d'accélérer la réunification des familles et d'assurer la sécurité des frontières.

En 2004, le gouvernement québécois propose un plan d'action qui ajuste l'*Énoncé politique en matière d'immigration et d'intégration* de 1990, en mettant l'accent sur l'accueil des immigrants et leur insertion dans le marché du travail.

Pendant cette dernière décennie du XXe siècle, l'immigration continue à se diversifier et suit les grands conflits ou événements au niveau international : la cession de Hong-Kong à la Chine communiste, les conflits de l'ex-Yougoslavie, le démantèlement du bloc soviétique, le terrorisme en Algérie, etc.

L'ARRIVÉE DES CHINOIS DE HONG-KONG

Après une première guerre de l'opium, la Chine est contrainte d'ouvrir son territoire au commerce international et de céder (en 1842) à la Grande-Bretagne un îlot alors presque désert : Hong-Kong. Une deuxième guerre de l'opium en 1898 consolide la victoire des Britanniques, et la Chine cède d'autres territoires près de Hong-Kong à la Grande-Bretagne pour une durée de 99 ans (Williams, 1998).

L'avènement d'un gouvernement communiste en Chine, en 1949, change brusquement le destin de Hong-Kong. Des paysans pauvres et illettrés, mais aussi des entrepreneurs, des gens instruits et anti-communistes fuient le continent chinois pour se réfugier à Hong-Kong. Ils contribuent à l'expansion économique de l'île qui, rapidement, devient une puissance

SAVIEZ-VOUS QUE...

Dès 1830, des négociants anglais importent des Indes une denrée cultivée à des fins médicinales, l'opium, qu'ils revendent à de grands commerçants chinois. En dépit de plusieurs lois interdisant l'usage extra-médical de cette drogue, les opiomanes se comptent bientôt par milliers. Dans les villes chinoises, le commerce de l'opium, en principe interdit et passible de peine de mort, s'exerce au grand jour. En 1839, l'empereur Daoguang fait saisir des milliers de caisses d'opium et les fait détruire sur la place publique. Les Anglais considèrent cet incident comme une insulte à leurs droits, et la reine Victoria dépêche 4000 soldats et six frégates en Chine. En 1842, un traité de paix garantit l'ouverture au commerce international de ports chinois stratégiques comme Canton et Shanghai.

économique mondiale. En 1984, la Grande-Bretagne signe un accord avec la Chine en vertu duquel l'ensemble du territoire sera rétrocédé à la Chine à la fin du bail de 99 ans, soit en 1997.

Même si la Chine s'engage à maintenir les systèmes socio-économiques propres à Hong-Kong pendant 50 ans après la cession de 1997, plusieurs Hongkongais, alarmés par ces changements, décident de quitter le territoire avant l'échéance de 1997. De 1990 à 2000, des milliers de Chinois commencent une nouvelle vie au Canada, la plupart comme investisseurs, entrepreneurs ou professionnels.

Depuis le début des années 2000, les Chinois de la Chine continentale immigrent en grand nombre au Québec. Ils constituent même, pour la période comprise entre 1999 et 2003, le plus important contingent d'immigrants au Québec avec presque 10 000 immigrants admis (gouvernement du Québec, 2004).

L'ARRIVÉE DES EX-YOUGOSLAVES

Créée en 1946, la fédération yougoslave comptait six républiques : la Slovénie, la Croatie, la Bosnie-Herzégovine, la Macédoine, le Monténégro ainsi que la Serbie et ses deux provinces autonomes, la Voïvodine et le Kosovo. Le maréchal Josip Broz, dit Tito, en a été le président jusqu'à sa mort en 1980. Dès lors, le pays fait face à différentes crises, en raison notamment de son endettement, de la disparité économique entre les républiques, de la disparité religieuse (Église orthodoxe, Église catholique et islam) et de la mosaïque ethnique (nationalités serbe, croate, slovène, albanaise, macédonienne, monténégrine, hongroise et bulgare, et des minorités comme les Tziganes, les Turcs, les Slovaques, les Roumains et les Bulgares) (Feron, 1996).

À partir de 1991, des conflits éclatent et dégénèrent en « épuration ethnique ». À la suite de la déclaration d'indépendance des républiques, les Croates sont expulsés des territoires contrôlés par les Serbes, les Croates et les musulmans en Bosnie-Herzégovine font l'objet de massacres et, en 1993, des conflits éclatent entre Croates et musulmans bosniaques. Les habitants de nombreuses villes sont victimes de massacres, de viols, de tortures, d'exécutions sommaires. Cette guerre se termine en 1995 avec les accords de Dayton, mais d'autres événements sanglants ont lieu au Kosovo jusqu'en 1999, alors que les forces serbes intensifient leurs opérations contre les Kosovars albanais (*Atlas du monde diplomatique*, 2003). Pendant ces conflits, le Québec accueille près de 3000 personnes en provenance des républiques de l'ex-Yougoslavie.

Arrivée de Kosovars au Canada, 1999.

L'ARRIVÉE DES RUSSES ET DES ROUMAINS

Après le démantèlement du bloc soviétique en 1989, la fédération russe, qui compte encore 21 républiques, doit affronter nombre de problèmes économiques et sociaux. Des réformes économiques capitalistes peut-être trop rapides et non contrôlées contribuent à l'essor des disparités sociales et à la déstabilisation des systèmes d'éducation et de santé. Les écarts de revenus, relativement réduits à l'époque soviétique, réapparaissent et produisent une société à deux vitesses : d'un côté, les nouveaux riches qui vivent de façon fastueuse et exportent illégalement des milliards de dollars ; de l'autre, une population marquée par la pauvreté, la mortalité infantile et même la réapparition de maladies comme la tuberculose (*Atlas du monde diplomatique*, 2003).

Au début des années 1990, des immigrants russes sont acceptés au Canada et au Québec comme travailleurs qualifiés. Ce sont entre autres des chercheurs, des scientifiques et des professionnels. Entre 1996 et 2000, quelque 8020 Russes sont admis au Québec, alors qu'il n'y en avait eu que 800 entre 1986 et 1991. Plusieurs sont acceptés comme réfugiés, fuyant maris violents, service militaire, antisémitisme, etc. (Proujanskaïa, 2002). Depuis, l'immigration russe a chuté ; ainsi, 2666 immigrants russes étaient admis au Québec entre 2000 et 2003 ; la Russie faisait alors toujours partie des 15 principaux pays de provenance de l'immigration (gouvernement du Québec, 2004).

La première vague d'immigration roumaine survient après la Seconde Guerre mondiale ; elle est constituée de gens fuyant le régime communiste. L'arrivée au pouvoir de Ceausescu en 1967 suscite aussi de nombreux départs (Cauchy, Claire-Andrée, 2003). Mais c'est surtout après la chute du régime de Ceausescu en 1989, alors que la situation économique et sociale se détériore, que l'inflation est galopante et que les chances de trouver un bon emploi sont réduites, que plusieurs Roumains décident de quitter leur pays. Si quelques réfugiés politiques avaient trouvé refuge au Québec avant 1991, c'est surtout depuis cette date que les Roumains scolarisés viennent s'établir au Québec comme immigrants économiques (plus de 10 000 entre 1991 et 2001). En 2002 et en 2003, la Roumanie faisait partie des cinq principaux pays de provenance de l'immigration (gouvernement du Québec, 2004).

L'ARRIVÉE DES ALGÉRIENS

Le 26 décembre 1991, au premier tour des élections, le FIS (Front islamique du salut) obtient 47 % des suffrages exprimés. Comme la probabilité d'une victoire des islamistes est évidente, un Haut Comité d'État (HCE) annule les élections, proclame l'état d'urgence dans tout le pays et, quelques mois plus tard, un tribunal d'Alger dissout le FIS. Le terrorisme islamique débute par un coup d'éclat lorsqu'une bombe éclate à l'aéroport d'Alger le 28 août 1992. Cet attentat sera suivi de plusieurs autres ; le peuple algérien est pris en otage entre les terroristes et les forces de l'ordre. Les terroristes s'en prennent à des journalistes, à des écrivains, à des intellectuels, à des professeurs, perpétrant des enlèvements et des exécutions. À partir de 1996, ils massacrent des civils, des femmes et des enfants dans les villages. Ce terrorisme ne prend fin qu'en 1999 avec l'élection de Abdelaziz Bouteflika qui entreprend un retour à la paix à l'intérieur d'une importante crise économique (Eveno, 1998). Pendant cette période mouvementée, près de 14 000 Algériens immigrent au Québec. L'Algérie fait encore partie des dix premiers pays de provenance de l'immigration en 2003.

Le tableau 2.5 présente les législations depuis les années 1990 et les motifs de déplacement des principales communautés immigrant au Canada.

Tableau 2.5 Des années 1990 à aujourd'hui.

Législations et événements marquants

- 1990 : *Énoncé politique en matière d'immigration et d'intégration* (Québec)
- 1991 : Entente fédérale-provinciale
- 1993 : Législation concernant le droit au refuge
- 2002 : Nouvelle *Loi sur l'immigration et la protection des réfugiés*
- 2004 : Plan d'action 2004-2007 concernant l'immigration (Québec)

Motifs d'immigration des principales communautés	
Groupes ethniques	**Motifs d'immigration**
Chinois de Hong-Kong	Cession de Hong-Kong à la Chine communiste
Chinois de la Chine continentale	Chômage, études
Ex-Yougoslaves	Guerre
Roumains / Russes	Démantèlement du bloc soviétique
Algériens	Terrorisme

Solution de la page 25.

Les Chinois de l'Est

Pendant environ un siècle, de 1840 à 1930, près d'un million de Canadiens-français émigrèrent en Nouvelle-Angleterre. Ils allaient travailler dans les filatures de Manchester, de Lowell, etc. On les appela Chinese of the East, *et ils furent victimes de discrimination. En 1881, le Massachussetts Bureau of Statistics of Labor remet son rapport annuel à la législature de cet État et critique les travailleurs canadiens-français qui y sont installés. On leur reproche de ne pas s'intégrer, de ne pas faire instruire leurs enfants et de retourner dans leur pays en empochant l'argent.*

CHAPITRE 3

L'immigration récente au Canada et au Québec

Nous traiterons dans ce chapitre des tendances récentes de l'immigration au Canada et au Québec, à l'aide de statistiques et de tableaux issus du recensement de 2001 et de quelques données de 2003. Nous présenterons d'abord des informations sur la diversité de la population canadienne, puis nous tracerons un portrait de la population immigrante de récente arrivée au Canada et au Québec. Enfin, nous nous intéresserons à l'immigration à Montréal avec la présentation de deux arrondissements pluriethniques.

La diversité de la population canadienne

Population immigrante
Personnes qui ne sont pas des citoyens canadiens de naissance, mais auxquelles les autorités canadiennes en matière d'immigration ont accordé le droit de vivre au Canada en permanence. La plupart de ces personnes ont obtenu la citoyenneté canadienne, mais d'autres n'en ont pas fait la demande.

Origines ethniques
Correspond à un ou plusieurs des groupes ethniques auxquels appartenaient les ancêtres du répondant; se rapporte aux racines ou aux origines ancestrales de la population et non au lieu de naissance, à la citoyenneté ou à la nationalité. Le recensement de 1996 a modifié de façon importante la formulation de la question sur l'origine ethnique en mentionnant pour la première fois l'origine « canadienne ». Ces modifications ont donc apporté des changements dans la façon dont les origines ont été déclarées, ce qui explique la baisse apparente de personnes se déclarant d'origines française et anglaise, et la hausse de personnes se déclarant d'origine canadienne.

Vers 1920, la **population immigrante** constituait 22 % de la population canadienne. Entre 1931 et 1951, cette proportion a diminué pour demeurer relativement stable par la suite. Au recensement de 2001, la population immigrante totalisait un peu plus de 5 millions de personnes et représentait 18,3 % de la population canadienne, un pourcentage légèrement supérieur à celui du recensement de 1996, qui était de 17,4 %. La figure 3.1 montre la proportion de la population immigrante au Canada depuis 1901.

LES ORIGINES ETHNIQUES

Au début du XIXe siècle, la population canadienne était composée principalement des groupes anglais (britannique) et français, qui représentaient respectivement 57 % et 31 % des **origines ethniques** (Guibert-Lantoine, 1992). Les proportions de ces deux groupes ont diminué au fur et à mesure que se sont installés de nouveaux arrivants et, en 2001, la proportion de personnes se déclarant d'origine anglaise était de 20,2 % tandis que 15,8 % se disaient d'origine française (gouvernement du Canada, 2003).

Le nombre de personnes se déclarant d'origine « canadienne » représentait 39,4 % de la population au recensement de 2001. Par ailleurs, la proportion de personnes se déclarant d'origines multiples est de plus en plus importante. Les familles établies au Canada depuis plusieurs générations et les mariages entre des personnes d'origines différentes expliquent en partie que de plus en plus de personnes se déclarent maintenant d'origines multiples.

Après les origines ethniques canadienne, anglaise et française, celles qui sont le plus souvent mentionnées sont l'écossaise et l'irlandaise (26,9 %). Les autres origines ethniques auxquelles le dernier recensement (2001) fait référence sont presque toutes européennes (allemande, italienne, ukrainienne) et chinoises. Enfin, plus d'un million de personnes ont déclaré une origine autochtone (3,4 % de la population).

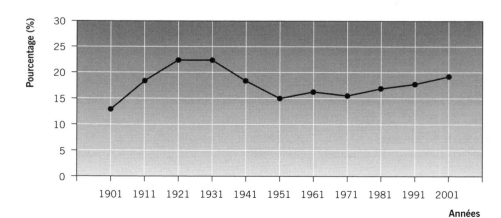

Source: d'après les données du gouvernement du Canada, *Statistiques sur l'immigration*, Citoyenneté et Immigration Canada, 2003. Adapté, en partie, du recensement de Statistique Canada, 2001.

Figure 3.1 Proportion de personnes nées à l'étranger au sein de la population canadienne, de 1901 à 2001.

LES RELIGIONS

Les deux groupes religieux les plus importants au Canada sont les catholiques romains et les protestants : près de 13 millions de catholiques romains (43,2 % de la population canadienne) et un peu plus de 8 millions de protestants (29,2 % de la population canadienne) s'identifient comme tels dans le recensement de 2001. On note une hausse du nombre de catholiques romains de 1991 à 2001 ; de fait, près du quart des 1,8 million d'immigrants venus au Canada pendant cette période étaient des catholiques romains. Chez les protestants, on note une baisse générale entre 1991 et 2001, sauf pour la confession baptiste qui a connu une augmentation de 10 % durant cette période. Le tableau 3.1 présente les effectifs des principales religions au Canada, en 1991 et en 2001.

Ce tableau fait voir une hausse des citoyens s'identifiant aux religions musulmane, hindoue, sikh et bouddhiste. Par exemple, les musulmans composent maintenant 2,0 % de la population canadienne (579 640 personnes), les hindous et les bouddhistes 1,0 % (297 200 et 300 345 personnes), et les sikhs 0,9 % (278 415 personnes).

Le Québec est la province canadienne qui compte la plus forte proportion de catholiques romains avec presque six millions de personnes, soit 83 % de la population ; parmi les autres confessions religieuses, on note la présence de protestants (4,7 % de la population) et de chrétiens orthodoxes (1,4 % de la population). Le recensement de 2001 fait état d'une augmentation du nombre de musulmans, l'islam devenant ainsi la troisième religion en importance (1,5 % de la population), suivie de près par la religion juive (1,0 % de la population).

L'Ontario, dont la population est majoritairement de confessions catholique et protestante, est la province qui regroupe le plus grand nombre de musulmans (3,1 % de sa population), d'hindous (1,9 % de sa population) et de Juifs (1,7 % de sa population). La Colombie-Britannique a la plus grande concentration de sikhs (3,5 %).

Tableau 3.1 Les principales religions en 1991 et en 2001 au Canada, en nombre et en pourcentage.

Confessions religieuses	1991		2001	
	Nombre	%	Nombre	%
Catholique romaine	12 203 625	45,2	12 793 125	43,2
Protestante	9 427 675	34,9	8 654 845	29,2
Chrétienne orthodoxe	387 395	1,4	479 620	1,6
Chrétienne (autres)	353 040	1,3	780 450	2,6
Musulmane	253 265	0,9	579 640	2,0
Juive	318 185	1,2	329 995	1,1
Bouddhiste	163 415	0,6	300 345	1,0
Hindoue	157 015	0,6	297 200	1,0
Sikh	147 440	0,5	278 415	0,9
Aucune religion	3 333 245	12,3	4 796 325	16,2

Source : Gouvernement du Canada, *Recensement de la population de 2001*, Citoyenneté et Immigration Canada, Statistique Canada, 2003. Adapté, en partie, du recensement de Statistique Canada, 2001.

> **À RETENIR**
>
> ❯ Les personnes d'origine canadienne, anglaise ou française, forment les groupes les plus nombreux au Canada.
>
> ❯ Les deux groupes religieux les plus importants au Canada sont les catholiques romains et les protestants.
>
> ❯ Les personnes qui s'identifient aux religions musulmane, hindoue, sikh et bouddhiste augmentent.

Portrait de l'immigration récente au Canada

Le nombre d'immigrants admis au Canada a connu une augmentation, puis une certaine stabilité durant les années 1990 (voir la figure 3.2).

LES PAYS D'ORIGINE DES IMMIGRANTS

Du début du XXᵉ siècle jusque dans les années 1970, c'est principalement de l'Europe (particulièrement du Royaume-Uni) et des États-Unis que provenaient la majorité des immigrants au Canada. Depuis, et surtout de 1991 à 2003, cette tendance s'est sensiblement modifiée avec l'arrivée d'immigrants provenant surtout de l'Asie (voir le tableau 3.2). En 2003, cette tendance se maintient avec des pays de provenance comme la Chine, l'Inde, le Pakistan, les Philippines, l'Iran et la Corée du Sud.

LA RÉPARTITION DES IMMIGRANTS AU PAYS

La répartition des immigrants n'est pas uniforme au sein du pays. En effet, de 1991 à 2001, la très grande majorité des immigrants (95 %) se sont établis dans quatre provinces canadiennes : l'Ontario (55,8 %), la Colombie-Britannique (20,2 %), le Québec (13,3 %) et l'Alberta (7 %). Les autres provinces du pays n'ont reçu qu'une infime proportion de la population immigrante ; par exemple, le Manitoba et la Saskatchewan n'ont accueilli que 1,7 % et 0,06 % de l'immigration canadienne. Traditionnellement, les immigrants, et particulièrement ceux qui sont arrivés durant la dernière décennie, se sont établis dans les grands centres urbains du Canada ; par exemple, en 2001, 75 % de l'ensemble de la population immigrante vivait dans une région métropolitaine de recensement. Les nouveaux arrivants sont principalement attirés par trois grands centres urbains : Toronto, Vancouver et Montréal.

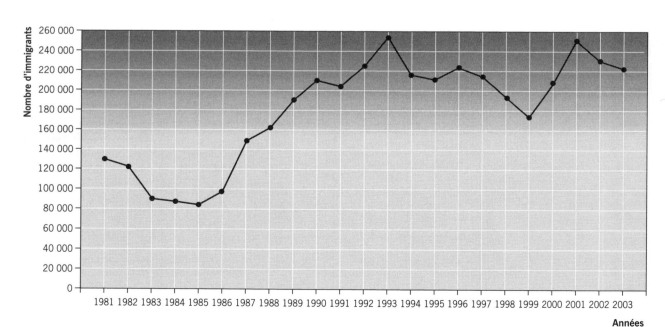

Source : Gouvernement du Canada, *Statistiques sur l'immigration*, Citoyenneté et Immigration Canada, 2003. Adapté, en partie, du recensement de Statistique Canada, 2001.

Figure 3.2 Nombre d'immigrants admis au Canada, de 1981 à 2003.

Tableau 3.2 Les dix principaux pays de provenance des immigrants admis au Canada : ceux arrivés avant 1961, ceux arrivés entre 1991 et 1996 et ceux arrivés en 2002.

Avant 1961		Entre 1991 et 1996		En 2002	
Pays de provenance	%	Pays de provenance	%	Pays de provenance	%
1. Royaume-Uni	25,2	1. Hong-Kong	10,5	1. Chine	14,5
2. Italie	15,3	2. Chine	8,5	2. Inde	12,5
3. Allemagne	10,2	3. Inde	6,9	3. Pakistan	6,1
4. Pays-Bas	8,4	4. Philippines	6,9	4. Philippines	4,8
5. Pologne	5,5	5. Sri Lanka	4,3	5. Iran	3,3
6. États-Unis	4,3	6. Pologne	3,6	6. Corée du Sud	3,2
7. Hongrie	3,1	7. Taïwan	3,1	7. Roumanie	2,4
8. Ukraine	2,6	8. Vietnam	3,1	8. États-Unis	2,3
9. Grèce	2,0	9. États-Unis	2,8	9. Sri Lanka	2,1
10. Chine	1,7	10. Royaume-Uni	2,4	10. Royaume-Uni	2,0

Sources : Gouvernement du Canada, *Recensement de la population de 1996, 2001*, Citoyenneté et Immigration Canada, Statistique Canada, 1998, 2003. Adapté, en partie, du recensement de Statistique Canada, 2001.

En 2002, 111 580 personnes, soit 48,7 % de tous les nouveaux arrivants, se sont établis à Toronto, comparativement à 14,4 % à Montréal et 13 % à Vancouver. Le tableau 3.3 montre la répartition des immigrants dans ces trois centres urbains en 2002 et précise de quelles régions du monde ils proviennent.

Les nouveaux arrivants s'installent surtout en Ontario et particulièrement dans la région métropolitaine de Toronto, qui constitue une destination de premier choix. Les pays d'origine des immigrants qui optent pour Toronto ont changé au cours des années. Avant 1961, le Royaume-Uni et des pays européens comme l'Italie et l'Allemagne arrivaient en tête de liste. Depuis les dix dernières années, Toronto est devenue une terre d'accueil pour des immigrants provenant majoritairement de la région Asie et Pacifique (59 % de l'immigration en 2002), particulièrement de l'Inde (16 %), de la Chine (15 %), du Pakistan (9 %), des Philippines (4 %) et de l'Iran (4 %).

Tableau 3.3 Profil des trois grands centres urbains du Canada (Toronto, Montréal et Vancouver), selon la région de provenance des immigrants, en 2002.

Régions de provenance	Toronto		Montréal		Vancouver	
	Nombre d'immigrants	%	Nombre d'immigrants	%	Nombre d'immigrants	%
Afrique et Moyen-Orient	20 120	18,3	10 972	33,2	3 167	7,6
Asie et Pacifique	65 920	59,1	8 032	24,3	22 099	73,8
Amérique du Sud et centrale	8 817	7,9	4 394	13,3	1 000	3,3
États-Unis	1 627	1,4	435	1,3	668	2,2
Europe et Royaume-Uni	14 914	13,3	9 089	27,5	2 898	9,6
Non déclarée	182	0,16	82	0,2	90	0,3
Total	111 580	100,0	33 004	100,0	29 922	100,0

Source : Gouvernement du Canada, *Recensement de la population de 2001*, Citoyenneté et Immigration Canada, Statistique Canada, 2003. Adapté, en partie, du recensement de Statistique Canada, 2001.

Jusqu'à tout récemment, Vancouver était le deuxième pôle d'attraction de l'immigration au Canada. Vancouver, qui avait attiré 44 615 immigrants en 1996, n'en a reçu que 29 922 en 2002. Même si le nombre d'immigrants y est à la baisse, il équivaut tout de même à 13 % de l'immigration totale canadienne, soit deux fois plus que la proportion des résidants de cette ville au sein du Canada (6 %). Sept nouveaux arrivants sur dix proviennent de l'Asie, principalement de la Chine, de l'Inde, des Philippines, de la Corée du Sud et de Taïwan (gouvernement du Canada, 2003).

Depuis 2002, c'est Montréal qui est le deuxième pôle d'attraction des nouveaux arrivants au pays, dont les pays d'origine diffèrent considérablement de ceux de Toronto ou de Vancouver. Le nombre d'immigrants provenant de pays européens a diminué depuis les années 1970, comme à Toronto ou à Vancouver, mais il représente encore une grande partie de l'immigration de Montréal (27,5 %), avec des pays d'origine comme la France et la Roumanie. Beaucoup d'immigrants proviennent aussi de pays du Moyen-Orient et d'Afrique (33,2 %) et d'Amérique centrale et du Sud (13,3 %). Les immigrants originaires de ces pays sont souvent des francophones ou ont une connaissance du français, comme les Haïtiens, les Libanais et les Marocains. Le continent asiatique fournit aussi un pourcentage important d'immigrants (24,3 %) provenant de pays comme la Chine, le Pakistan, l'Inde et le Sri Lanka.

LES MINORITÉS VISIBLES

Membres des minorités visibles Personnes, autres que les Autochtones, qui ne sont pas de race blanche ou qui n'ont pas la peau blanche (d'après la loi canadienne sur l'équité en matière d'emploi). La loi désigne les groupes suivants comme des minorités visibles : les Chinois, les Asiatiques (autres que les Chinois), les Noirs, les Arabes, les Philippins, les Latino-Américains, les Japonais, les Coréens et ceux provenant des Îles du Pacifique.

En 2001, le Canada comptait 3,9 millions de personnes **membres des minorités visibles**. Elles représentaient 13,4 % de la population totale du Canada, ce qui équivaut à une hausse importante par rapport aux dix années précédentes. En effet, les recensements de 1986, de 1991 et de 1996 affichaient respectivement 6,3 %, 9,4 % et 11,2 % de la population totale. La proportion des membres des minorités visibles diffère selon les provinces et les villes canadiennes (voir le tableau 3.4).

Les trois principaux groupes appartenant à des minorités visibles au Canada sont les Chinois, les personnes provenant du sud de l'Asie et les Noirs. Les Chinois forment le groupe le plus important avec 1 029 395 personnes et constituent 3,4 % de la population totale du Canada. Le deuxième groupe est composé de 917 075 personnes issues du sud de l'Asie (3,0 % de la population totale) ; ces deux groupes sont suivis de près par les 662 210 Noirs qui composent 2,2 % de la population canadienne.

Tableau 3.4 Population totale des membres des minorités visibles en nombre et en pourcentage, au Canada et dans quelques provinces canadiennes, 2001.

Canada et provinces	Population totale	Population totale des membres des minorités visibles	% des membres des minorités visibles
Canada	29 639 035	3 983 845	13,4
Colombie-Britannique	3 868 870	836 440	21,6
Ontario	11 285 550	2 153 045	19,0
Alberta	2 941 150	329 925	11,2
Québec	7 125 580	497 975	6,9
Manitoba	1 103 695	87 110	7,8

Source : Gouvernement du Canada, *Recensement de la population de 2001*, Citoyenneté et Immigration Canada, Statistique Canada, 2003. Adapté, en partie, du recensement de Statistique Canada, 2001.

Les membres des minorités visibles se répartissent différemment selon les provinces canadiennes : la Colombie-Britannique, avec 21,6 % de cette population, vient en tête de liste, suivie de près par l'Ontario avec 19,0 %. Le Québec arrive loin derrière avec 6,9 %.

Les membres des minorités visibles vivent surtout dans les grands centres urbains. Sept personnes issues des minorités visibles sur dix vivent dans trois régions métropolitaines de recensement : Toronto, Vancouver et Montréal. Dans la région métropolitaine de Toronto, on retrouve principalement des Chinois, des personnes provenant du sud de l'Asie et des Noirs. La majorité (49 %) de la population des minorités visibles de la région de Vancouver est composée d'Asiatiques, particulièrement de Chinois. À Montréal, les membres des minorités visibles les plus représentés sont les Noirs et les Arabes.

LA SCOLARITÉ ET LES SECTEURS D'ACTIVITÉ

En 2001, les immigrants admis au Canada étaient très scolarisés. En effet, 34 % étaient détenteurs d'un baccalauréat, 9,5 % d'une maîtrise et 1,8 % d'un doctorat.

En 2001, les immigrants, qui composent 18,3 % de la population canadienne, forment 20 % de la population active. Selon le secteur d'activité, on retrouve un nombre plus ou moins important de travailleurs immigrants. Par exemple, il y en a peu dans le secteur primaire de l'emploi (agriculture, mines) ; ils sont en plus grand nombre dans le secteur de la transformation et de la production (usine, assemblage, etc.). Dans le secteur des sciences naturelles et appliquées, c'est l'inverse qui se produit. Comme beaucoup d'immigrants sont très scolarisés, plusieurs occupent des emplois hautement qualifiés : par exemple, on estime qu'un grand nombre d'emplois d'ingénieur en aérospatiale sont occupés par des immigrants de récente arrivée.

Même s'ils sont plus scolarisés que leurs prédécesseurs, les nouveaux arrivants ont cependant plus de difficultés à s'insérer sur le marché du travail. Ainsi, à Toronto, le taux de chômage chez les immigrants est supérieur à celui chez les personnes nées au Canada. Par exemple, au sein de la communauté philippine, une des plus importantes de Toronto, où l'on retrouve 60 % de diplômés postsecondaires, le pourcentage des personnes sans emploi est de 16,5 %. À Montréal, le même phénomène se produit : en 2001, le taux de chômage chez les immigrants était de 13,4 %, alors qu'il était de 7 % chez les personnes nées au Canada. Par exemple, dans la communauté libanaise, où l'on trouve 51 % de diplômés postsecondaires, 19,5 % des personnes se déclarent sans emploi (Statistique Canada, Recensement 2001).

> **À RETENIR**
>
> › Le nombre d'immigrants admis au Canada est relativement stable depuis le début des années 1990.
>
> › Les pays d'origine des immigrants ont sensiblement changé depuis les dernières années.
>
> › Les immigrants s'installent surtout dans les grands centres urbains du Canada : Toronto, Montréal et Vancouver.
>
> › De plus en plus d'immigrants font partie des minorités visibles.
>
> › Les immigrants sont très scolarisés. Cependant, ils ont de la difficulté à se trouver des emplois liés à leur formation.

Portrait de l'immigration récente au Québec

Pour présenter les tendances récentes de l'immigration au Québec, nous nous baserons sur des études du ministère des Relations avec les citoyens et de l'Immigration qui, chaque année, fait une compilation spéciale. Les données que nous présenterons sont celles des années 1999 à 2003.

Selon le recensement de 2001, la population immigrante au Québec est de 706 965 personnes. La part de la population immigrée par rapport à la population totale du Québec a augmenté graduellement, passant de 5,6 % en 1951 à 8,2 % en 1981, puis à 9,4 % en 1996 et à 9,9 % en 2001.

LES PAYS D'ORIGINE DES IMMIGRANTS

Nous avons vu précédemment que les pays de naissance des immigrants variaient d'une province à l'autre et que les immigrants du Québec provenaient principalement de l'Europe, du Moyen-Orient et de l'Asie. Au début des années 1990, les principaux pays de naissance des immigrants qui se sont établis sur le territoire québécois étaient le Liban, Hong-Kong, Haïti et la France, puis à la fin des années 1990, la France, la Chine, l'Algérie, le Maroc et la Roumanie. Le tableau 3.5 présente les dix premiers pays de naissance des immigrants admis au Québec de 1999 à 2003 et en 2003.

Nous avons vu, dans le chapitre 2, que la *Loi canadienne de l'immigration et de la protection des réfugiés* distingue trois catégories dans l'admission des immigrants. Entre 1999 et 2003, le Québec a accueilli 176 394 personnes, dont 56,5 % ont été admises dans la catégorie de l'immigration économique, 23,4 % dans la catégorie du regroupement familial et 19,9 % dans la catégorie des réfugiés. Comme on le voit, une grande partie des immigrants sont admis au Québec par le biais de la catégorie de l'immigration économique (gouvernement du Québec, 2004).

LES LANGUES

Depuis le début des années 1970, on note de profonds changements en ce qui a trait à la connaissance des langues française et anglaise chez les immigrants admis au Québec. Par exemple, en 1971, 38,9 % des immigrants parlaient seulement l'anglais par rapport à 16,8 % en 2003. On note aussi une hausse graduelle du pourcentage de personnes ne parlant que le français (passant de 14,8 % en 1990 à 21,8 % en 2003) et de personnes ayant une connaissance des langues française et anglaise (13,8 % en 1971 par rapport à 29,1 % en 2003). Par contre,

Tableau 3.5 Immigrants admis au Québec selon les dix principaux pays de naissance, de 1999 à 2003 et en 2003.

De 1999 à 2003			2003		
Pays de naissance	Nombre d'immigrants	%	Pays de naissance	Nombre d'immigrants	%
1. Chine	16 250	9,2	1. Chine	3 947	10,0
2. France	14 962	8,5	2. Maroc	3 125	7,9
3. Maroc	14 001	7,9	3. France	3 048	7,7
4. Algérie	13 362	7,6	4. Algérie	2 882	7,3
5. Roumanie	9 655	5,5	5. Roumanie	2 841	7,2
6. Haïti	7 730	4,4	6. Colombie	1 765	4,5
7. Liban	5 319	3,0	7. Haïti	1 654	4,2
8. Inde	5 195	2,9	8. Liban	1 639	4,1
9. Colombie	4 972	2,8	9. Inde	1 072	2,7
10. Pakistan	4 741	2,7	10. Pakistan	909	2,3
Total 10 principaux pays	85 557	52,3	Total 10 principaux pays	21 757	57,8
Total tous pays	163 381	100,0	Total tous pays	37 619	100,0

Source des données : Gouvernement du Québec, *Tableaux sur l'immigration au Québec, 1999-2003*, ministère des Relations avec les citoyens et de l'Immigration, Direction de la population et de la recherche, mai 2004, 41 p. Reproduction autorisée par Les Publications du Québec.

Tableau 3.6 Répartition de la population immigrante au Québec selon la connaissance des langues française et anglaise, par année d'arrivée de 1994 à 2003, en pourcentage.

Langue parlée à l'arrivée	1994	1995	1996	1997	1998	1999	2000	2001	2002	2003
Français seulement	20,1	25,6	27,2	25,0	26,9	27,7	26,9	25,4	24,4	21,8
Anglais seulement	21,5	21,0	22,0	20,5	17,5	19,0	18,4	15,9	15,8	16,8
Français et anglais	11,1	11,6	11,5	10,7	13,3	15,2	18,4	21,6	24,7	29,1
Ni anglais ni français	47,2	41,6	39,0	43,8	40,3	38,1	36,3	37,1	35,1	32,3

Sources des données : Gouvernement du Québec, *Tableaux sur l'immigration au Québec, 1998-2002*, ministère des Relations avec les citoyens et de l'Immigration, Direction de la population et de la recherche, mai 2003, 41 p. ; *Tableaux sur l'immigration au Québec, 1999-2003*, ministère des Relations avec les citoyens et de l'Immigration, Direction de la population et de la recherche, mai 2004, 41 p. Reproduction autorisée par Les Publications du Québec.

le pourcentage des immigrants qui ne connaissent ni l'anglais ni le français est demeuré relativement stable (32,5 % en 1971 par rapport à 32,3 % en 2003).

Voyons à l'aide du tableau 3.6 le portrait des immigrants admis au Québec au cours des années 1994 à 2003 selon leur connaissance des langues française et anglaise à l'arrivée.

LA RÉPARTITION DES IMMIGRANTS DANS LES RÉGIONS DU QUÉBEC

Le Québec comprend six régions métropolitaines de recensement : Montréal, Québec, Sherbrooke, Trois-Rivières, Chicoutimi-Jonquière et Hull. Presque toute la population immigrante, soit 94 %, vit dans ces régions, alors que celles-ci ne regroupent que les deux tiers de la population totale du Québec.

La région de Montréal, comprenant l'île de Montréal et les régions de la Rive-Sud et de la Rive-Nord, demeure un pôle d'attraction pour les nouveaux arrivants. En effet, ceux-ci s'y installent dans une proportion de 88,3 %, puis dans les régions de Québec (2,6 %), de Hull (2,1 %), et enfin dans les régions de Sherbrooke, de Trois-Rivières et de Chicoutimi-Jonquière, qui reçoivent chacune moins de 1 % de l'immigration.

LA SCOLARITÉ

Depuis la fin des années 1960, le Québec a mis l'accent, par le moyen de sa grille de sélection, sur la formation et la scolarisation des immigrants. Les dernières statistiques confirment ce fait : les immigrants admis au Québec sont de plus en plus scolarisés. Le tableau 3.7 montre le très haut niveau de scolarité des immigrants admis au Québec au cours des dernières années (de 1999 à 2003).

Chez la population immigrante du Québec, notons que peu de personnes ne détiennent qu'un diplôme d'études primaires (pour la période comprise entre 1999 et 2003), alors que les diplômés universitaires de 1er cycle et de 2e cycle composent plus du tiers de cette population. On peut aussi observer quelques différences entre la scolarisation des hommes et des femmes : par exemple, un peu plus de femmes détiennent un diplôme de niveau collégial (12-13 années d'études) et de 1er cycle universitaire (14-16 années). Par contre, les hommes sont un peu plus nombreux à détenir un diplôme de 2e cycle ou un second diplôme (17 années et plus).

On notera également que les immigrants admis au Québec sont, en moyenne, plus scolarisés que l'ensemble de la population québécoise. En effet,

Tableau 3.7 Immigrants admis au Québec de 1999 à 2003, âgés de 15 ans et plus, selon leur nombre d'années de scolarité, en pourcentage.

Années	0-6 années			7-11 années			12-13 années			14-16 années			17 années et +		
	F %	H %	Moyenne H/F %	F %	H %	Moyenne H/F %	F %	H %	Moyenne H/F %	F %	H %	Moyenne H/F %	F %	H %	Moyenne H/F %
1999	5,5	3,4	4,4	23,2	22,2	22,7	22,3	17,8	20,0	27,0	26,3	26,7	17,6	27,8	22,8
2000	2,9	2,2	2,5	15,9	16,7	16,4	20,3	17,8	18,8	33,2	29,5	31,0	25,9	32,9	30,0
2001	4,9	2,9	3,8	20,9	18,1	19,5	19,2	15,6	17,3	29,7	29,5	29,6	20,9	31,6	26,5
2002	1,9	1,4	1,6	11,3	11,2	11,2	16,1	13,1	14,3	35,5	33,6	34,4	33,1	39,2	36,7
2003	3,6	2,7	3,2	16,2	14,5	15,3	16,3	12,8	14,8	32,1	30,1	31,1	26,2	37,0	31,6

Source : Gouvernement du Québec, *Tableaux sur l'immigration au Québec, 1999-2003*, ministère des Relations avec les citoyens et de l'Immigration, Direction de la population et de la recherche, mai 2004, 41 p. Reproduction autorisée par Les Publications du Québec.

> **À RETENIR**
>
> › De 1999 à 2003, la Chine, la France, le Maroc, l'Algérie et la Roumanie sont les cinq premiers pays de provenance des immigrants admis au Québec.
>
> › Pendant la même période, plus de cinq immigrants sur dix admis au Québec l'ont été dans la catégorie de l'immigration économique.
>
> › De plus en plus d'immigrants admis au Québec parlent le français à leur arrivée, mais le tiers d'entre eux ne parlent ni le français ni l'anglais.
>
> › Neuf immigrants sur dix s'installent dans la région de Montréal.
>
> › Les immigrants admis au Québec sont de plus en plus scolarisés.

en 2001, 15,1 % de la population québécoise âgée de 15 ans et plus détenait un diplôme d'études primaires (0-6 ans), 44,5 % un diplôme d'études secondaires (7-11 ans), 23,2 % un diplôme d'études postsecondaires et 17,2 % un diplôme d'études universitaires (Langlois, 2004).

Tendances récentes de l'immigration à Montréal

Dès qu'il y a plus de dix Noirs dans une zone, on appelle ça un ghetto. Dès qu'il y a plus de dix mille Blancs dans une zone, on appelle ça une ville.

DANY LAFERRIÈRE, 1994.

Au Québec, traditionnellement, les immigrants se sont surtout installés dans la région de Montréal. La rue Saint-Laurent a accueilli successivement des vagues d'immigrants juifs, italiens, portugais, grecs, etc. La population immigrante représente actuellement 28 % de la population totale de la ville de Montréal (Ville de Montréal, 2004). La carte 3, dans l'encart couleur, nous permet de voir le pourcentage d'immigrants dans chacun des 27 arrondissements de la ville[1].

Si la population dont le français est la langue maternelle est la plus représentée à Montréal (54 % de la population totale), les personnes qui ont comme langue maternelle l'anglais composent 17 % de la population, et plus de 29 % de la population a comme langue maternelle une langue non officielle. Parmi ces langues, l'italien et l'arabe sont les plus parlées, suivies de près par l'espagnol et le créole. Les pays d'origine des immigrants installés à Montréal sont principalement l'Italie, Haïti et la France. Cependant, plus de 100 000 immigrants arrivés entre 1996 et 2001 à Montréal provenaient principalement de l'Algérie et de la Chine. Les personnes faisant partie des minorités visibles comptent pour 21 % de la population de la ville ;

---

1. En 2004, il y a 27 arrondissements sur l'île de Montréal. Les données sont tirées de cette source.

le groupe des Noirs est le plus important, suivi des Arabes. Une majorité de la population (63 %) affirme appartenir à la religion catholique romaine, 5 % à la religion juive, 5 % à la religion musulmane et 2 % à la religion protestante.

Bien qu'elle se trouve dans tous les secteurs de recensement de la ville, la population immigrante se concentre particulièrement dans certains d'entre eux. Définissons un quartier ou un arrondissement multiethnique par les deux éléments suivants : un quartier ou un arrondissement dont le tiers de la population est immigrante et qui compte une grande diversité dans les origines ethnoculturelles de ses habitants (Germain, 1999). Plusieurs arrondissements de Montréal possèdent ces deux attributs ; nous en avons répertorié sept : Ahuntsic/Cartierville, Côte-des-Neiges/Notre-Dame-de-Grâce, Côte-Saint-Luc/Hampstead/Montréal-Ouest, Dollard-des-Ormeaux/Roxboro, Saint-Laurent, Saint-Léonard et Villeray/Saint-Michel/Parc-Extension. Le tableau 3.8 en présente le portrait à l'aide de quelques indicateurs sociaux reliés à l'immigration : les langues parlées officielles (français et anglais) et non officielles, les principaux lieux de naissance des immigrants, le pourcentage des nouveaux arrivants (ceux arrivés entre 1996 et 2001), le pourcentage de minorités visibles et les religions pratiquées.

Tableau 3.8 Portrait des arrondissements multiethniques de Montréal.

Indicateurs sociaux	Arrondissements						
	Ahuntsic/ Cartierville	Côte-des-Neiges/ Notre-Dame-de-Grâce	Côte-Saint-Luc/ Hampstead/ Montréal-Ouest	Dollard-des-Ormeaux/Roxboro	Saint-Laurent	Saint-Léonard	Villeray/ Saint-Michel/ Parc-Extension
Langue parlée (%)							
▪ **Français**	56,9	30	14,7	22,8	33,8	38,9	44,7
▪ **Anglais**	5,1	28	53,9	45,7	17,7	7,3	4,7
▪ **Autre langue**	38	41,6	31,4	22,8	48,5	53,8	50,7
Langues non officielles les plus parlées	Arabe, italien, grec, espagnol, arménien, créole, chinois	Arabe, tagalog, espagnol, russe, chinois	Yiddish, russe, italien, hongrois, arabe, polonais, roumain, persan (farsi)	Arabe, grec, italien, chinois, polonais, espagnol, pendjabi, arménien	Arabe, chinois, grec, arménien, vietnamien	Italien, espagnol, arabe, créole, portugais, polonais	Italien, espagnol, grec, créole, portugais, vietnamien
Lieux de naissance	Italie, Liban, Haïti, Grèce, Algérie, Égypte, France	Philippines, Maroc, Chine, Roumanie, France, Sri Lanka	Maroc, Pologne, Roumanie, États-Unis, Russie, Hongrie, Iran	Inde, Égypte, Liban, Philippines, Italie, Royaume-Uni	Liban, Égypte, Maroc, Chine, Vietnam, Grèce	Italie, Haïti, Algérie, Liban, Salvador, Vietnam	Haïti, Italie, Grèce, Vietnam, Portugal, Inde, Sri Lanka
Nouveaux arrivants 1996-2001 (%)	22,6	30,2	12,8	10,0	19,5	13,8	21,1
Minorités visibles (%)	24	37	10,5	25	38	21	38
Religions	Catholique romaine : 65 % Musulmane : 7 % Orthodoxe grecque : 4 % Orthodoxe autre : 3 %	Catholique romaine : 42 % Juive : 11 % Musulmane : 8 % Hindoue : 4 %	Juive : 62 % Catholique romaine : 16 % Musulmane : 4 % Anglicane : 2 %	Catholique romaine : 42 % Juive : 19 % Musulmane : 5 % Orthodoxe grecque : 4 %	Catholique romaine : 40 % Juive : 11 % Musulmane : 10 % Orthodoxe grecque : 6 %	Catholique romaine : 81 % Musulmane : 8 % Bouddhiste : 1 % Protestante : 1 %	Catholique romaine : 58 % Musulmane : 8 % Orthodoxe grecque : 5 % Bouddhiste : 4 %

Source : Ville de Montréal, *Profils socio-économiques*, Service du développement économique et du développement urbain, Observatoire économique et urbain, janvier 2004.

PORTRAIT DE DEUX ARRONDISSEMENTS MULTIETHNIQUES

Pour conclure cette partie du chapitre, nous nous attarderons à l'étude un peu plus poussée de deux arrondissements : Côte-des-Neiges/Notre-Dame-de-Grâce et Villeray/Saint-Michel/Parc-Extension.

Pour les nouveaux arrivants, ces deux arrondissements sont dans bien des cas une porte d'entrée au Québec. Ils s'y installent dès l'arrivée et, bien souvent, finissent par s'y enraciner en raison des coûts de loyer plus faibles qu'ailleurs, de l'accès facile au centre-ville, des nombreux services et commerces qu'on y trouve, et aussi, en général, parce que des membres de leur famille ou de leur communauté d'origine y résident. La population de ces deux arrondissements connaît un taux de chômage plus élevé que celui de l'ensemble de la ville de Montréal et a un revenu moyen moins élevé ; on y trouve aussi un pourcentage plus élevé de ménages vivant sous le seuil de faibles revenus.

L'arrondissement Côte-des-Neiges/Notre-Dame-de-Grâce compte pas moins de 45 % d'immigrants ; ceux-ci viennent principalement des Philippines, du Maroc, de la Chine, de la Roumanie, de la France, du Sri Lanka et du Vietnam. Le tiers de cette population immigrante est arrivé entre 1996 et 2001. De son côté, l'arrondissement Villeray/Saint-Michel/Parc-Extension compte 41 % d'immigrants qui viennent principalement d'Haïti, de l'Italie, de la Grèce, du Vietnam, du Portugal, de l'Inde et du Sri Lanka. Le cinquième de la population immigrante de cet arrondissement est arrivé entre 1996 et 2001.

Minorités visibles

Dans Côte-des-Neiges/Notre-Dame-de-Grâce, les personnes faisant partie des minorités visibles comptent pour 37 % de la population de l'arrondissement (le groupe des Noirs est le plus important, représentant le quart de ces minorités, et les personnes provenant du Sud-Est asiatique comptent pour 17 %). Dans Villeray/Saint-Michel/Parc-Extension, les membres des minorités visibles comptent pour 38 % de la population de l'arrondissement (le groupe des Noirs est le plus important, représentant le tiers de ces minorités, et les personnes provenant du Sud-Est asiatique comptent pour 23 %).

Langues

Dans l'arrondissement Côte-des-Neiges/Notre-Dame-de-Grâce, 30 % des répondants au recensement de 2001 ont déclaré avoir pour langue maternelle l'anglais et 28 % le français. La proportion des répondants dont la langue maternelle est non officielle s'élève à 41,6 %. Parmi les langues non officielles, les plus parlées sont, dans l'ordre, l'arabe, le tagalog, l'espagnol, le russe, le chinois, le tamoul, l'italien et le vietnamien. Dans Villeray/Saint-Michel/Parc-Extension, 44,7 % des répondants ont déclaré avoir pour langue maternelle le français et 4,7 % l'anglais. La proportion des répondants dont la langue maternelle est non officielle est de 50,7 %. Les langues non officielles les plus parlées sont, dans l'ordre, l'italien, l'espagnol, le grec, le créole, le portugais, le vietnamien, l'arabe et le pendjabi.

Religions

La population de Côte-des-Neiges/Notre-Dame-de-Grâce se définit comme appartenant à la religion catholique romaine dans une proportion de 42 %, à la religion juive dans une proportion de 11 %, à la religion musulmane dans une proportion de 8 % et à la religion hindoue dans une proportion de 4 % ;

> ## À RETENIR
>
> › La population immigrante représente actuellement 28 % de la population totale de la ville de Montréal.
>
> › À Montréal, après le français et l'anglais, ce sont les langues italienne et arabe qui sont les plus parlées, suivies de près par l'espagnol et le créole.
>
> › Les personnes faisant partie des minorités visibles comptent pour 21 % de la population de la ville ; le groupe des Noirs est le plus important suivi des Arabes.
>
> › Dans sept arrondissements de la ville de Montréal, la population immigrante compte pour plus de 30 %.

13 % des répondants déclarent n'appartenir à aucune religion et 22 % se rattachent à d'autres religions que celles précédemment énumérées.

La population de l'arrondissement Villeray/Saint-Michel/Parc-Extension se définit comme appartenant à la religion catholique romaine dans une proportion de 58 %, à la religion musulmane dans une proportion de 8 %, à la religion orthodoxe grecque dans une proportion de 5 % et à la religion bouddhiste dans une proportion de 4 % ; 8 % des répondants déclarent n'appartenir à aucune religion et 17 % se rattachent à d'autres religions que celles précédemment énumérées.

Les préjugés concernant l'immigration

Voici une liste des principaux préjugés concernant l'immigration. Pour chacun d'entre eux, trouvez un ou deux arguments permettant de les réfuter.

1. On reçoit beaucoup plus d'immigrants qu'avant. On est envahis par l'immigration.

2. Notre pays n'a aucun intérêt à accepter des immigrants.

3. Notre pays n'a pas le contrôle de ses frontières. Les immigrants y entrent facilement, on accepte n'importe qui.

4. Notre pays accepte des immigrants peu ou pas scolarisés.

5. Les immigrants sont des voleurs de jobs. Ils viennent prendre les emplois des personnes de la société d'accueil.

6. On ne pourra jamais intégrer tous ces immigrants. D'ailleurs, plusieurs ne le sont pas.

Quelques réponses à ces préjugés

1. *La période où le Canada et le Québec ont accepté le plus grand nombre d'immigrants est celle précédant la Première Guerre mondiale. Entre 1951 et 1960, le Québec a reçu une moyenne annuelle de 33 057 personnes. Les années 1980 ont été une période de très faible immigration avec une moyenne de 21 580 personnes par année. Les années 1990 ont attiré une plus forte immigration avec une moyenne de 34 900 personnes par année. Depuis les années 2000, le Québec a reçu une moyenne de 35 000 personnes par année. Depuis plusieurs années, le Québec cherche à attirer entre 50 000 et 60 000 personnes par année. On est donc encore très loin de cet objectif.*

2. *Les enjeux démographiques et économiques sont au cœur du débat sur l'immigration. Depuis le tournant des années 1970, le Québec vit une crise démographique importante marquée par une chute de la fécondité, le vieillissement de la population et, à moyen terme, la décroissance de la population. Pour contrer cette crise, le Québec cherche à attirer des immigrants scolarisés et qualifiés professionnellement.*

3. *Le Canada contrôle l'entrée d'immigrants sur son territoire au moyen de différents mécanismes. La première loi canadienne en matière d'immigration a vu le jour en 1869. Depuis, elle a été révisée plusieurs fois en fonction des besoins de main-d'œuvre du pays. La Loi sur l'immigration et la protection des réfugiés (2002) prévoit trois catégories d'admission : la catégorie de l'immigration économique (travailleurs et gens d'affaires), la catégorie du regroupement familial et la catégorie des réfugiés. Des critères de sélection s'appliquent pour chacune de ces catégories.*

4. *Les immigrants admis au Québec sont de plus en plus scolarisés. Par exemple, pour la période comprise entre 1999 et 2003, peu d'entre eux ne détiennent qu'un diplôme d'études primaires (3,2 %), alors que les diplômés universitaires de 1er cycle et de 2e cycle composent plus du tiers de la population immigrante.*

5. *Au cours des vingt dernières années, le Québec a misé beaucoup sur l'immigration économique : presque la moitié de tous les immigrants admis au Québec font partie de cette catégorie. À l'intérieur de cette catégorie, on retrouve des travailleurs sélectionnés et des gens d'affaires (investisseurs et entrepreneurs), c'est-à-dire des personnes qui créent leur propre emploi, investissent de l'argent au Québec ou créent des emplois dans des entreprises.*

6. *Depuis le début des années 1990, plusieurs mesures ont été prises pour favoriser une intégration des immigrants : francisation, mesures d'équité en emploi, etc. En 2004, un nouveau plan d'action du gouvernement du Québec a été mis en place. Ce plan d'action veut, entre autres, « favoriser l'amorce, dès l'étranger, du parcours d'intégration et la francisation » dans le but de « lever les obstacles à l'insertion rapide et réussie au marché du travail » (gouvernement du Québec, 2004).*

Adapté de l'ouvrage *Une pédagogie interculturelle pour une éducation à la citoyenneté*, de Louise LAFORTUNE et Édithe GAUDET, © ERPI 2000.

CHAPITRE 4

Les communautés européennes

Depuis longtemps, c'est majoritairement des pays européens que provient l'immigration du Canada (voir la figure 4.1). Arrivent d'abord les Irlandais au début du XIXe siècle, puis les Juifs de l'Europe de l'Est (principalement de la Pologne, de la Lituanie, de la Roumanie et de la Russie) à la fin de ce siècle. La première moitié du XXe siècle laisse place à une immigration italienne qui se confirme surtout après la Seconde Guerre mondiale. L'immigration grecque et portugaise prend place dans les années 1960 et 1970. Enfin, depuis les années 1990, une part importante de l'immigration provient de l'Europe de l'Est, à la suite d'événements politiques comme le démantèlement du bloc soviétique et les conflits de l'ex-Yougoslavie.

Dans ce chapitre, nous nous intéresserons d'abord à la communauté juive, l'une des plus anciennes du Québec. Puis nous décrirons trois communautés provenant de l'Europe du Sud qui ont marqué l'histoire du Québec : les communautés italienne, grecque et portugaise. Enfin, nous tracerons le portrait d'une communauté récemment arrivée, la communauté roumaine.

Figure 4.1 *Carte de l'Europe.*

La communauté juive

REPÈRES HISTORIQUES

Durant toute leur histoire, les Juifs ont vécu une suite presque ininterrompue de persécutions, de massacres et d'expulsions.

Étoile de David.

L'Holocauste est cependant le point culminant de cette discrimination. Dès l'arrivée au pouvoir du parti nazi en 1933 en Allemagne, avec à sa tête Adolf Hitler, des mesures sont prises contre les Juifs : on les accuse d'être des parasites, des éléments corrupteurs et de constituer un danger pour le peuple allemand. Cette même année, on commence à boycotter les entreprises juives. En 1935, les lois de Nuremberg privent les Juifs allemands de leur citoyenneté ; des affiches « Interdit aux Juifs » sont placardées, ceux-ci sont exclus de la vie publique. À la fin de 1941, les Allemands mettent en place le marquage des Juifs par une étoile de David en tissu jaune portant l'inscription « Juif ». Tout Juif âgé de plus de six ans est tenu de porter cette étoile.

En 1938 a lieu la fameuse Nuit de Cristal dans plusieurs villes allemandes, durant laquelle les commerces, les maisons et les synagogues des quartiers juifs sont mis à sac ; 30 000 Juifs sont alors déportés vers les camps de concentration ; il y a aussi des centaines de morts et des suicides. En 1939, l'armée allemande occupe la Pologne. On force les Juifs polonais à déménager dans des ghettos encerclés de murs et de barbelés. En 1941, des nazis mettent en place un plan d'extermination. On fait creuser des tranchées par les Juifs, on les fait s'aligner sur le bord de la fosse et on les mitraille. Puis des camps d'extermination comme Auschwitz, Wolzek, Buchenwald, Belsen voient le jour afin d'accélérer le processus d'élimination des Juifs. Dans tous les pays occupés d'Europe commencent des déportations : certaines victimes sont transportées par chemin de fer, d'autres sont contraintes à marcher vers leur mort. La majorité des déportés sont envoyés aux chambres à gaz et aux fours crématoires. Un nombre limité d'entre eux se retrouvent dans des camps de travail. On estime à six millions le nombre de Juifs tués dans les camps de concentration.

L'IDENTITÉ JUIVE

L'identité juive se définit d'abord par la *religion*, sur laquelle nous reviendrons à la section suivante, et s'inscrit dans l'observation de rituels : les célébrations liées à la majorité religieuse, aux mariages et aux décès, l'étude de la philosophie et de l'histoire juives.

L'identité juive se définit aussi par le *sentiment d'appartenance* à un groupe social ou à une nation. Les Juifs du Québec appartiennent à deux sous-groupes ethniques : les ashkénazes et les séfarades. Les ashkénazes (le nom signifie « Juifs de l'Allemagne ancienne ») proviennent de l'Allemagne et de l'Europe de l'Est (particulièrement de la Pologne, de la Russie et de la Lituanie) et parlent le yiddish. Ils représentent la majorité des Juifs dans le monde (95 % de la diaspora). Le second sous-groupe, les séfarades (du mot hébraïque *sefarad* qui signifie « Espagne »), est constitué de Juifs originaires d'Espagne disséminés un peu partout en Europe méridionale, en Asie mineure et en Afrique du Nord. Les groupes les plus importants qui se sont installés au Québec proviennent du Maroc, de la Tunisie et de l'Algérie. Ces Juifs possèdent leur langue propre, le ladino. Ils ont un bagage culturel différent des Juifs ashkénazes, tant par leur langue que par les influences islamique et arabe de leur culture (Anctil et Caldwell, 1984).

L'identité juive se définit enfin par une *culture juive*. Comme toutes les cultures, celle-ci se divise en deux parties : la culture de l'érudition, qui comprend la musique, la littérature, la science, les techniques, et la culture dite populaire, composée de modes de vie comme la façon de se nourrir, de se vêtir, le folklore, les usages. La culture juive se caractérise aussi par la priorité des valeurs intellectuelles et l'obligation collective de contribuer aux bonnes œuvres.

LES LANGUES JUIVES

La langue yiddish était parlée par plus de 11 millions de Juifs à la fin du XIXe siècle ; elle s'est affaiblie au cours du XXe siècle à cause du génocide perpétré pendant la Seconde Guerre mondiale qui a anéanti plus de la moitié de ses locuteurs et bouleversé les conditions de sa transmission. Le yiddish est toujours transmis en tant que langue maternelle au sein de communautés en Amérique du Nord et en Israël, et il demeure très répandu comme deuxième langue parmi les ashkénazes de tous les pays. De moins en moins parlé dans le quotidien, le yiddish conserve cependant un rôle symbolique important.

Cette langue est issue de l'allemand, auquel se sont greffés des éléments d'hébreu, d'arménien, d'ancien français et de toutes les langues des différents pays d'accueil des Juifs (Dominique et Lebdiri, 1998). Le yiddish s'écrit avec l'alphabet hébreu qui contient 22 lettres, dont 5 dites finales qui changent de forme quand elles se trouvent à la fin d'un mot (voir la figure 4.2).

La deuxième langue juive est l'hébreu, qui est la langue des Écritures et permet aux Juifs du monde entier de communiquer et de prier ensemble. C'est aussi une des langues officielles de l'État d'Israël.

Quant au ladino, langue judéo-espagnole des Juifs séfarades, il est parlé par 400 000 personnes dans le monde, dont 300 000 vivent maintenant en Israël.

Figure 4.2 Alphabet hébreu.

L'ARRIVÉE ET L'INSTALLATION DES JUIFS AU QUÉBEC

La présence juive au Québec se caractérise par des vagues d'immigrants qui viennent de divers pays, qui ont un bagage culturel et des motifs d'immigration différents.

Au XVIIIe siècle

Dès la seconde moitié du XVIIIe siècle, des familles juives s'établissent à Montréal, à Trois-Rivières et à Québec. Par exemple, les familles Hart, Joseph et David jettent les bases d'une petite communauté qui s'installe et s'organise. En 1768, Montréal a une première synagogue, la Spanish and Portuguese Synagogue, qui est la plus vieille du Canada.

Même si l'Acte de Québec (1774) reconnaît le droit à l'existence de communautés de langue, de tradition légale et de religion autres que celles du peuple anglais, les Juifs ne jouissent pas toujours des mêmes droits que l'ensemble des citoyens (Langlais et Rome, 1986).

SAVIEZ-VOUS QUE...

Le 11 avril 1807, Ezekiel Hart (un Juif séfarade) est élu député de Trois-Rivières. À cause de ses croyances religieuses, on conteste la validité du serment qu'il prête en portant la kippa et il est expulsé de la Chambre. Le 12 février 1808, il consent à prêter serment à nouveau, cette fois à la manière chrétienne (tête nue). On l'expulse une fois de plus et son siège de député est déclaré vacant. Réélu plus tard la même année, il est expulsé par la Chambre en 1809, toujours à cause de sa religion.

Il faudra plusieurs années pour que les Juifs obtiennent les mêmes droits que les Canadiens. Après le dépôt de pétitions, une loi, votée en 1832, confirme qu'ils ont les mêmes droits que tous les sujets britanniques.

Entre 1840 et 1920

C'est surtout entre 1840 et 1920 que l'on assiste à l'arrivée massive d'immigrants juifs en provenance de Russie, de Pologne, de Roumanie et de Lituanie. Fuyant l'antisémitisme, la persécution et la misère en Europe, ils arrivent par dizaines de milliers et font rapidement du yiddish la troisième langue la plus utilisée à Montréal (Lazar, Douglas, 1994). La communauté juive du Québec passe ainsi de 7000 à 60 000 membres de 1901 à 1931.

Ces gens qui, dans leurs pays, étaient surtout des paysans et des petits commerçants, mais aussi des travailleurs spécialisés, des musiciens, des écrivains et des peintres, se retrouvent colporteurs, charpentiers, ferblantiers. Le commerce des vêtements les attire aussi et ils réussissent à y faire reconnaître leur compétence. C'est ainsi que rapidement ces Juifs s'organisent et s'installent boulevard Saint-Laurent, à Montréal, et qu'on voit apparaître des librairies,

MIEUX CONNAÎTRE LA COMMUNAUTÉ JUIVE

Quelques mots en hébreu

L'hébreu s'écrit de droite à gauche. Voici quelques mots d'usage courant :

Bonjour	Bonsoir	Comment allez-vous?	Bien, merci	S'il vous plaît
שָׁלוֹם				
Shalom	Erev Tov	Ma Nishma?	Tov, toda	Bevakasha

Quelques adresses

❯ **Fédération des services communautaires juifs de Montréal :** 5151, chemin de la Côte-Sainte-Catherine, Montréal.

❯ **Bibliothèque publique juive :** 1, carré Cummings, Montréal.

❯ **Centre commémoratif de l'Holocauste :** 1, carré Cummings, Montréal.

❯ **Congrès juif canadien :** 1590, avenue Docteur-Penfield, Montréal.

❯ **Centre des arts Saidye-Bronfman :** 5170, chemin de la Côte-Sainte-Catherine, Montréal.

❯ **Communauté séfarade du Québec :** 1, carré Cummings, Montréal.

Cuisine

La cuisine juive a des saveurs venant de l'Europe de l'Est, de l'Afrique du Nord et des traditions religieuses juives. Par exemple, on mange tel aliment pendant le repas du sabbat, tel autre à une autre fête. Voici quelques plats typiques de la cuisine juive :

- Galettes aux pommes de terre.
- Strudel aux pommes.
- Farfel (pâte grumeleuse, rôtie à sec et cuite).
- Blintz (petites crêpes au fromage blanc).
- Bourrekas (pâte feuilletée farcie de fromage ou de pommes de terre).
- Challah (pain aux œufs consommé traditionnellement pendant le souper du sabbat).
- Bortsch (soupe à la betterave servie froide).
- Baguel (petit pain torsadé en couronne parsemé de graines de pavot ou de sésame).

des bibliothèques, des théâtres et des cliniques communautaires de langue yiddish, des restaurants et des épiceries cachère, des synagogues et des organismes d'entraide pour aider les nouveaux arrivants à s'intégrer à la vie québécoise. À cette époque, même si les lois prônent l'égalité des Juifs, la communauté est toujours victime de discrimination. Par exemple, l'Université McGill limite le nombre d'étudiants juifs, et les enfants juifs ne sont pas admis dans les écoles françaises catholiques (Lazar, Douglas, 1994).

Après la Seconde Guerre mondiale

La crise de 1929 freine toute l'immigration et particulièrement celle des Juifs. Pendant la Seconde Guerre mondiale, le Canada refuse aux Juifs le droit d'immigrer sur son territoire mais, à partir de 1948, on observe une autre vague d'immigration juive, celle des survivants de l'Holocauste et des victimes du nazisme. Le Québec reçoit des orphelins de guerre, des réfugiés et des personnes déplacées. En 1950, la communauté juive du Québec compte 80 000 personnes.

Affiche antisémite à Sainte-Agathe dans les années 1920.

Dans les années 1960 et 1970

Jusqu'au milieu des années 1950, les Juifs du Québec sont de tradition ashkénaze, mais de la fin des années 1950 aux années 1970, l'arrivée de Juifs séfarades crée une diversification dans cette communauté. Les séfarades sont des descendants d'exilés d'Espagne et du Portugal ; au XVe siècle, ceux-ci se sont installés en Afrique du Nord (Maroc, Tunisie et Algérie), dans les régions méditerranéennes et au Moyen-Orient. L'accession de certains de ces pays à l'indépendance (Maroc et Tunisie en 1956, Algérie en 1959), la montée du nationalisme islamo-arabe, la tension entre Israël et les États voisins forcent ces minorités juives à chercher refuge en Europe ou en Amérique. Ces Juifs sont souvent des francophones, de tradition culturelle arabo-musulmane ; ils ont donc des coutumes, des pratiques, un bagage linguistique et même des rites religieux différents de ceux des ashkénazes. Ce sont aussi des jeunes très scolarisés, issus de classes sociales professionnelles et urbaines.

Et depuis

L'immigration juive de la fin du XXe siècle (1971-2001) provient principalement de pays comme Israël, l'Irak, le Liban et la Russie. Cette immigration est jeune et scolarisée (gouvernement du Québec, 2004).

LA COMMUNAUTÉ JUIVE DU QUÉBEC

On estime actuellement à 82 450 personnes les membres de la communauté juive au Québec (gouvernement du Québec, 2004). Cette communauté est composée majoritairement de Juifs ashkénazes (80 %) et de Juifs séfarades (20 %). Les hassidiques, communauté ashkénaze particulière, forment environ 8 % de la communauté juive et ont immigré après la Seconde Guerre mondiale (Dominique, Lebdiri, 1998). Ils forment huit communautés principales : les Belz, les Bobov, les Klausenberg, les Lubavitch, les Satmar, les Skvira, les Tash et les Vichnitz.

PHYLLIS LAMBERT

Héritière de la famille Bronfman, elle crée le Centre canadien d'architecture en 1979. Elle est membre de l'Ordre du Canada depuis 1985.

HENRY MORGENTALER

Juif d'origine polonaise, il survit aux camps d'Auschwitz et de Dachau et arrive au Canada en 1950. Il se consacre à la planification familiale et est l'un des premiers médecins à prescrire la pilule anticonceptionnelle, à poser des stérilets et à faire des vasectomies. En 1969, il ouvre une clinique d'avortement et est presque aussitôt arrêté pour pratique illégale. Suivront 20 ans de démêlés avec la justice.

Alors qu'en 1931 tous les Juifs du Québec déclaraient avoir comme langue maternelle le yiddish, en 1996, ils n'étaient plus que 11 % à le parler. Les Juifs sont très scolarisés ; plus de la moitié des membres de la communauté juive ont une formation supérieure (niveaux collégial et universitaire). Les Juifs habitent surtout la grande région de Montréal, dans les arrondissements Côte-des-Neiges/Notre-Dame-de-Grâce, Côte Saint-Luc/Hampstead/Montréal Ouest, Saint-Laurent et Outremont. Une communauté hassidique s'est installée récemment dans la région de Boisbriand.

Les associations ou organismes créés par les Juifs sont aussi une façon d'exprimer leur identité collective. Le milieu juif jouit donc d'un très grand nombre d'institutions sociales dans des domaines tels que le bien-être, la santé, la vie sociale et culturelle, l'éducation, etc. Les Juifs ont doté Montréal de lieux publics importants, dont la Bibliothèque publique juive, les YMHA (Young Men's Hebrew Association), l'Hôpital juif de Montréal et le Centre canadien d'architecture.

La *ménorah*, ou le chandelier à sept branches, symbolise le chandelier qui se trouvait dans le temple de Jérusalem. La branche centrale représente le sabbat.

Le judaïsme

On dénombre actuellement près de 14,9 millions de fidèles du judaïsme dans le monde. On les retrouve surtout en Israël, en Europe et en Amérique du Nord. Le Canada compte 330 000 personnes de religion juive, dont 82 450 vivent au Québec.

LES ORIGINES DU JUDAÏSME

Le judaïsme est l'une des plus anciennes religions du monde. Il voit le jour en l'an 1300 avant Jésus-Christ. Il précède ainsi le christianisme et l'islam.

Moïse est considéré comme le fondateur du judaïsme. Ayant grandi à la cour du pharaon d'Égypte, il s'enfuit plus tard vers la région du Sinaï. C'est lors de son séjour sur le mont Sinaï qu'il voit Yahvé se révéler à lui. Yahvé lui confie la mission de sauver le peuple hébreu, alors sous le joug de l'esclavage, et de le conduire vers la Terre promise (Palestine).

Torah Texte fondamental du judaïsme.

Moïse reçoit la « Loi de Yahvé » sous la forme d'un décalogue (les dix commandements), qu'il rédige ensuite en cinq livres ou « rouleaux » (**Torah**). L'exode qui conduisit le peuple hébreu d'Égypte vers la Terre promise dura près de 40 ans ; Moïse mourut avant d'entrer en Palestine.

LES VALEURS FONDAMENTALES

Le judaïsme est une religion monothéiste fondée sur la croyance en un seul Dieu. Yahvé entretient une relation particulière avec un peuple, les Juifs, ou un pays, Israël, et leur donne la tâche d'être « la lumière des nations ». Les relations entre Yahvé et l'individu ne sont pas des rapports de soumission aveugle, de servilité, mais plutôt de partenariat égalitaire basé sur des obligations mutuelles.

Yahvé est le créateur et le maître absolu de l'univers. Il est omniprésent et omniscient. Il est le Dieu juste, celui qui récompense les bons et punit les méchants.

En obéissant à la loi divine de Yahvé, les individus seront témoins de sa miséricorde et de sa justice. La religion juive met l'accent sur la conduite morale des individus, et dans le cas des pratiquants orthodoxes, sur l'obéissance absolue aux rites religieux.

LES TEXTES SACRÉS

Parmi les principaux écrits canoniques de la Bible hébraïque, on trouve trois corpus de textes sacrés : la Torah, le Talmud et la Kabbale.

Le texte fondamental du judaïsme est la Torah, qui est constituée d'abord des cinq premiers livres de la Bible (Pentateuque). Une deuxième section de la Torah est consacrée aux prophètes (*Neviim*) et une troisième section comporte onze livres (les Écrits ou *Ketuvim*) qui forment un mélange de poésie, de prophétie, de sagesse et d'histoire.

Le Talmud constitue un autre palier du judaïsme ; c'est un recueil comprenant la Loi orale et les enseignements des grands rabbins. Ces règles à suivre concernent tous les aspects de la vie religieuse et civile des Juifs. Ceux-ci sont tenus de vivre dans le respect des 613 commandements liés à des prescriptions interdisant le blasphème, l'idolâtrie, l'inceste, l'adultère, le meurtre, le vol, la cruauté envers les animaux.

La Kabbale est une tradition mystique dont le livre de référence est le Zohar. Écrit entre 1280 et 1286, ce livre explique la mystique juive, le destin du peuple juif, la délivrance d'Israël et de l'humanité (Farrington, 1999).

LES RITUELS RELIGIEUX

La prière liturgique occupe une place importante dans la vie religieuse des fidèles du judaïsme. La synagogue est le principal lieu de prière et elle est généralement orientée vers la ville sainte de Jérusalem ; mais on peut aussi prier chez soi. Le rabbin, chef spirituel et politique de la communauté juive, préside la prière dans la synagogue. Les hommes pratiquants portent la **kippa** pour aller à la synagogue.

Le sabbat est le jour de repos et de prière que le Juif pratiquant doit observer du vendredi au coucher du soleil au samedi au coucher du soleil. C'est un jour de ressourcement religieux et de régénération morale pour permettre à l'individu de réfléchir à sa relation avec Dieu et avec son prochain. Le sabbat génère toute une série d'interdictions et d'obligations. Par exemple, toutes les activités liées à une production ou à un échange sont interdites (travailler, cuisiner, allumer la lumière [par contre, on peut avoir une minuterie automatique], conduire une auto). On a l'obligation de prier, de se reposer, de manger en famille (des repas confectionnés avant le sabbat).

La majorité religieuse des Juifs survient à 13 ans pour les garçons et à 12 ans pour les filles. C'est au cours de la cérémonie de la *bar mitsva* que le jeune garçon portera pour la première fois le **tefillin** et le **talith** ; de plus, il doit faire la lecture de la Torah à la synagogue. Pour la jeune fille, la cérémonie de la *bat mitsva* est plus informelle et plus simple. Elle prononce un discours à la synagogue sur un sujet qu'elle a choisi ; elle n'a pas à porter le tefillin ni le talith, mais elle doit soigner sa tenue vestimentaire et sa façon de parler aux garçons. Ces cérémonies sont suivies d'un repas au cours duquel les jeunes reçoivent des cadeaux de leur famille et d'amis de la famille.

Un des fondements du judaïsme se nomme Cacheroute ; ce terme désigne les lois alimentaires dictant dans le Talmud ce qui est permis et interdit. Par exemple, on interdit le mélange du lait et de la viande, ou d'aliments à base de lait avec des aliments à base de viande. Tout animal destiné à être consommé doit être abattu par une personne connaissant les lois de l'abattage rituel. Cette personne égorge les animaux avec un couteau spécial. Elle fait couler le sang qui n'est jamais consommé, car le sang symbolise la vie et l'âme de l'être vivant. Chaque morceau

SAVIEZ-VOUS QUE...

La *mezouzah* est un petit parchemin écrit à la main qui contient plusieurs passages de la Torah et que l'on fixe à toutes les portes principales de la maison, à droite en entrant. Elle possède un rôle symbolique de protection et de rappel. Elle doit être fixée par le propriétaire ou le locataire trente jours après son arrivée sur les lieux.

Kippa Calotte que portent les Juifs pratiquants en signe de piété et d'identification. C'est aussi un signe d'humilité de l'homme dans sa relation à Dieu. Elle peut être petite ou large, brodée, de couleur blanche, crème ou noire.

Tefillin Petites boîtes noires en cuir contenant un parchemin sur lequel sont inscrits des passages de la Bible. Ces petites boîtes sont fixées l'une au front et l'autre au bras gauche à l'aide de fines lanières de cuir. Les hommes les utilisent pour prier lors de l'office du matin les jours de semaine, mais non pendant le sabbat et les jours de fête.

Talith Châle de prière que les Juifs portent pendant la prière et lors de différentes cérémonies religieuses. Le talith est de couleur blanche et traversé par des rayures noires, bleues ou multicolores.

Symbole des produits cachère.

de viande est trempé dans l'eau, salé et rincé. On se lave ensuite les mains avec un ustensile qui se nomme *kéli*. Les boutiques et les restaurants où l'on vend des produits cachère sont inspectés par un conseil de la communauté juive et sont fermés pendant le sabbat et les fêtes juives. Ces produits sont habituellement marqués d'un K ou d'un U, et ces lettres sont encerclées.

LES JUIFS HASSIDIQUES

Le mouvement hassidique est né en Pologne au XVIIIe siècle, en réaction aux excès de pouvoir des dirigeants ashkénazes. Le hassidisme prône un enseignement orthodoxe et une observation plus rigide de la Kabbale. Les hassidim se regroupent autour d'un rabbin, qui est un dirigeant spirituel et souvent politique.

Les hassidim ont leurs propres institutions, leurs propres écoles, leurs magasins, leurs synagogues, leurs milieux de travail. Les raisons de ce regroupement sont multiples : ces pratiquants recherchent le voisinage de la synagogue, les épiceries cachère, veulent être à proximité d'une école de leur confession. La collectivité a besoin, pour survivre, d'institutions et de services. Les hassidim ont de nombreux enfants et s'astreignent à une vie simple et pieuse. Pour eux, le groupe est très important et tout se passe en communauté ; ils respectent fidèlement les fêtes et vont à la synagogue tous les jours.

Les hassidim ont gardé les habitudes vestimentaires du XVIIIe siècle. Les hommes portent un manteau noir et un chapeau à large bord nommé *shtraïmel*. Ils portent la barbe et des papillotes (*peys* en yiddish), car il y a une interdiction biblique d'utiliser des objets tranchants sur le visage. Chez les femmes, on insiste sur l'attitude pudique, on recommande le port d'un foulard (surtout chez les femmes originaires d'Afrique du Nord), d'une perruque (*shaïtel*, chez les femmes originaires d'Europe de l'Est), d'un béret ou d'un petit chapeau.

LE CALENDRIER JUIF

Selon le calendrier juif, la création du monde remonte à 3761 ans avant l'ère chrétienne. Pour passer du calendrier chrétien au calendrier juif, on additionne donc 3760. Par exemple, l'an 2000 est l'an 5760 de l'année juive. L'année juive est lunaire. Elle comporte 354 jours divisés en 12 mois de 29 ou 30 jours. Les mois de l'année juive se nomment tishri, hechvan, kislev, tévet, chavat, adar, nissan, iyar, sivane, tamouz, au, eloul. Chaque mois ou presque comporte un événement religieux, une fête, un jeûne, une commémoration.

Juifs hassidiques.

LES PRINCIPALES FÊTES JUIVES

> **Rosh Hashanah :** C'est le Nouvel An juif. Selon le calendrier juif, il est célébré les premier et deuxième jours du mois de tishri. Durant ces deux jours, on observe une liturgie particulière ayant pour thèmes la prière et le repentir.

> **Yom Kippour** (Grand Pardon) : Jour d'expiation et de pardon consacré à la prière et au jeûne qui a lieu dix jours après Rosh Hashanah. C'est le moment le plus solennel du calendrier juif et la fête la plus connue et la plus respectée par les Juifs du monde entier. Le jeûne débute au coucher du soleil et prend fin le lendemain au coucher du soleil. À la veille du jeûne, on donne de l'argent

ou de la nourriture aux pauvres (dans des boîtes appelées *tsédaka*). Cinq interdictions sont liées au jour de Kippour : manger et boire, se laver, s'oindre d'huiles parfumées, avoir des relations sexuelles, porter des chaussures à semelles de cuir (il ne faut pas rechercher le confort). Sont astreints au jeûne tous ceux qui ont atteint la majorité religieuse.

> **Pessah** (la Pâque) : Cette fête est célébrée au printemps en souvenir de la sortie d'Égypte du peuple hébreu. Elle commence le 15 du mois de nissan et dure entre sept et huit jours. La veille du premier jour de fête, les fidèles prennent part à un repas où l'on récite des passages de la Torah. On mange du pain sans levain que l'on nomme *matsah* et de l'agneau.

> **Hanoukkah :** Cette fête commémore la purification d'un temple en l'an 165 avant Jésus-Christ. Aussi appelée « fête des lumières », elle est célébrée à partir du 25 du mois de kislev ; le principal rituel consiste à allumer des chandelles, une de plus chaque jour, pendant huit jours.

> **Soukkot :** Célébrée à partir du 15 du mois de tishri, cinq jours après Yom Kippour, cette fête est aussi nommée « fête des cabanes » ou « fête des tentes », car on construit de petites huttes ou cabanes appelées *soukka*, dans lesquelles on prend ses repas pendant un peu plus d'une semaine. Cette fête rappelle les quarante années que les Juifs ont passé dans le désert après leur sortie d'Égypte.

LES LIEUX DE CULTE

Le principal lieu de culte des Juifs est la synagogue. À l'intérieur de la synagogue se trouvent une « arche sacrée » dans laquelle sont conservés un ou plusieurs livres de la Torah, ainsi qu'une chaire, d'où se font les lectures liturgiques, sous la présidence d'un rabbin.

Les tombes de patriarches à Hébron, à Bethléem et à Jérusalem sont des lieux de pèlerinage des communautés juives. Le plus célèbre lieu de pèlerinage est le mur des Lamentations, à Jérusalem.

C'est à Montréal que se trouve la plus ancienne synagogue du Canada : la Spanish and Portuguese Synagogue, située au 4894, avenue Saint-Kevin. Il y a plusieurs autres synagogues dans la région de Montréal. En voici quelques-unes : la Congrégation ashkénaze Shaar Hashomayim (traditionnelle), 450, avenue Kensington ; la synagogue Emanu-El-Beth Sholom (réformiste), 4100, rue Sherbrooke Ouest ; la Congrégation Yetev Lev Satmar (orthodoxe), 5555, rue Hutchison ; la Congrégation Beth-El (conservatrice), 1000, chemin Lucerne ; le Centre Merkhaz sépharade, 3917, avenue Van Horne ; le Rabbinat sépharade du Québec, 5850, avenue Victoria ; la Congrégation Adath Jeshurun, 5855, rue Lavoie.

La plus ancienne synagogue du Canada, à Montréal : la Spanish and Portuguese Synagogue.

À RETENIR SUR LE JUDAÏSME

> **Nombre de fidèles dans le monde :** 14,9 millions.

> **Fondateur :** Moïse.

> **Époque de la naissance du judaïsme :** 1300 avant Jésus-Christ.

> **Divinité :** Un seul Dieu, Yahvé.

> **Textes sacrés :** La Torah, le Talmud et la Kabbale.

> **Croyance :** Croyance en un seul Dieu (monothéisme), Yahvé, créateur et maître absolu de l'univers.

> **Clergé :** Le rabbin est le maître spirituel et souvent politique de la communauté juive. Il prend des décisions en vertu des lois juives. Les rabbins peuvent se marier et avoir des enfants. Le courant libéral du judaïsme accepte les femmes rabbins.

> **Rituels religieux :** La prière à la synagogue ou à la maison, le sabbat, les fêtes dont les plus importantes sont Rosh Hashanah, Yom Kippour et Pessah.

> **Lieux sacrés :** Les tombes des patriarches à Hébron, à Jérusalem et à Bethléem. Le lieu de pèlerinage le plus célèbre est le mur des Lamentations à Jérusalem.

La communauté italienne

L'Italie (voir la figure 4.1) compte environ 57 millions d'habitants répartis sur un territoire d'environ 301 225 km². L'italien en est la langue officielle, mais de nombreux dialectes sont parlés selon les régions, de même que d'autres langues comme l'allemand, le slovène, le ladin, le français, l'albanais et l'occitan. Les principales villes italiennes sont Rome, la capitale, Milan, Venise et Florence. Le régime politique de l'Italie est une démocratie parlementaire.

SAVIEZ-VOUS QUE...

En 1881, il y avait deux fabricants de spaghetti à Montréal, dont l'un était Mario Catelli, qui dominera ce secteur d'activité pendant de nombreuses années.

L'ARRIVÉE ET L'INSTALLATION DES ITALIENS AU QUÉBEC

Dès le XVIIᵉ siècle, quelques commerçants, des artisans et des peintres d'église s'installent au Québec.

Vers la fin des années 1860, une cinquantaine de familles d'origine italienne vivent à Montréal. Ce sont des Italiens aisés, provenant du nord de l'Italie. Des familles comme les Donegani, les Del Vecchio, les Bruchési constituent le premier noyau de la population italienne au Canada (Ramirez, 1984).

La première véritable vague d'immigration italienne a lieu au tournant du XXᵉ siècle. Ainsi, en 1908, Montréal compte de 3000 à 4000 immigrants d'origine italienne. Ils travaillent sur des chantiers de construction, à l'entretien des chemins de fer, creusent des tunnels et des canaux, pavent les rues de Montréal. On trouve aussi de nombreux ouvriers agricoles qui ont des contrats commerciaux avec des *padroni* (patrons, entrepreneurs) ; c'est une immigration essentiellement masculine et temporaire (Ramirez, 1984). Leur objectif est de faire de l'argent rapidement et de retourner au pays. À cette époque, la plupart des Italiens habitent entre le boulevard Saint-Laurent et la

Statue de Dante Alighieri, poète italien du XIVᵉ siècle, dans le parc Dante à Montréal.

rue Saint-Denis, à la hauteur du boulevard René-Lévesque. Ces immigrants temporaires occupent souvent des logements insalubres et surpeuplés. Cependant, comme le nombre d'immigrants italiens augmente et qu'ils commencent à s'établir de façon permanente, ils achètent des lopins de terre dans la campagne environnante (l'actuel quartier Mile-End) pour y faire la culture de légumes et de raisins.

Une deuxième vague d'immigration italienne se produit après la Première Guerre mondiale. De 1921 à 1941, le nombre d'immigrants italiens double. Cette vague est surtout composée de familles que des raisons économiques et politiques (montée du fascisme en Italie) poussent à quitter leur pays.

Une troisième et dernière vague d'immigration italienne, la plus importante en nombre, se produit de la fin de la Seconde Guerre mondiale jusqu'en 1968. La crise de l'agriculture et les déséquilibres économiques de l'après-guerre expliquent la recherche de meilleures conditions de vie. La majorité des immigrants qui entrent au pays à cette époque le font sur la base de la réunification familiale. Ils viennent de régions comme le Molise, la Calabre et la Sicile et s'insèrent dans une structure familiale et économique déjà constituée.

LA COMMUNAUTÉ ITALIENNE AUJOURD'HUI

Les Italiens du Québec forment le troisième groupe en importance au sein de la population, après les Québécois d'origine française et anglaise. La population italienne du Québec compte environ 249 000 personnes (gouvernement du Québec, 2004), réparties principalement dans la région de Montréal (95 %) : dans la ville de Montréal, à Saint-Léonard, à Laval, à Montréal-Nord et à Ville Lasalle. Dans la ville de Montréal, les Italiens sont surtout établis à Rivière-des-Prairies et à Pointe-aux-Trembles (25 %), et dans l'arrondissement Villeray/Saint-Michel/Parc-Extension. La langue maternelle des Italiens du Québec est très majoritairement l'italien (75 %), mais la plupart parlent le français et l'anglais (67 %).

On trouve les Italiens dans l'industrie manufacturière (25 %), dans le commerce de détail (15 %) et dans la construction (9 %) : entreprise générale, briqueterie, maçonnerie, marbrerie, électricité, plomberie, menuiserie. On note une présence de plus en plus importante de professionnels italiens : médecins, avocats, ingénieurs et architectes.

Les Italiens sont en général catholiques (95 %) ; il y a environ une vingtaine de paroisses italiennes catholiques dans la région de Montréal.

SAVIEZ-VOUS QUE...

On a longtemps utilisé un terme péjoratif pour désigner les Italiens : on les nommait les WOPS, ce qui signifie « workers on pavement ».

MARCO MICONE

Né en Italie, il immigre au Québec en 1958. Il est l'auteur de plusieurs pièces de théâtre, dont *Addolorata* (1984) et *Gens du silence* (1982), et d'un roman, *Le figuier enchanté* (1998).

PAUL TANA

Né en Italie, il immigre au Québec en 1958. Il a réalisé plusieurs films sur la question de l'immigration italienne. Ses principales réalisations sont *Caffè Italia* et *La Sarrasine*.

Les *padroni*

Au début du XXe siècle, Antonio Cordasco, l'un des plus célèbres *padroni* à Montréal, sert d'intermédiaire entre les grandes entreprises canadiennes et les travailleurs migrateurs italiens. Chaque travailleur lui verse 10 $ pour obtenir du travail. De leur côté, les entreprises canadiennes lui remettent 1 $ pour chaque homme recruté. En janvier 1904, 2000 travailleurs participent à une parade en l'honneur de Cordasco, le « roi de la main-d'œuvre italienne à Montréal ». Ce n'est que lorsque les besoins d'une main-d'œuvre transitoire diminuent, laissant des centaines de travailleurs italiens sans emploi et sans l'argent nécessaire pour regagner leur pays, que le gouvernement canadien mène une commission d'enquête sur la situation des travailleurs migrateurs. Cela met un terme aux activités de Cordasco et d'autres *padroni* (Lazar, Douglas, 1994).

MIEUX CONNAÎTRE LA COMMUNAUTÉ ITALIENNE

Quelques mots en italien

Voici quelques mots d'usage courant en italien :

Bonjour	Bonsoir	Comment allez-vous ?	Très bien merci
Buongiorno	*Buonasera*	*Come sta ?*	*Molto bene, grazie*

	S'il vous plaît	Oui	Non	
	Per favore	*Sì*	*No*	

Quelques adresses

> **PICAI (Patronat italo-canadien pour l'assistance aux immigrants) :** 6865, avenue Christophe-Colomb, Montréal. A pour mandat de préserver la culture italienne et de rendre service à la communauté italienne.

> **Casa d'Italia :** 505, rue Jean-talon Est, Montréal. Érigé en 1936, cet important centre communautaire regroupe plusieurs organismes et services sociaux, ainsi qu'une bibliothèque en langue italienne.

> **Des associations** représentent aussi plusieurs des régions de provenance des immigrants italiens. Par exemple, l'Association des immigrants du Latium, l'Association Molinarese, l'Association des familles Abruzzese.

> **Des journaux de la communauté :** *Corriere Italiano* ; *Il cittadino canadese*.

Cuisine

La cuisine italienne est reconnue dans le monde entier. Qui ne connaît pas les antipasti, ces petites bouchées de légumes marinés et de viandes fumées ; le gâteau *tartufo*, un fabuleux dessert au chocolat ; le *gelato*, une glace fameuse ? C'est aussi grâce à la communauté italienne que le *caffè con latte*, l'*espresso* et le *cappuccino* ont fait leur apparition au Québec.

Carte de la Petite Italie

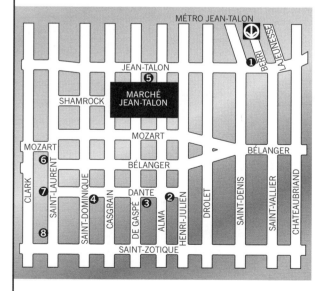

❶ Casa d'Italia.

❷ Église Notre-Dame-de-la-Défense : 6800, rue Henri-Julien.

❸ Statue de Dante Alighieri.

❹ Quincaillerie Dante Ferramenta : Ouverte depuis 1956 ; on y vend entre autres des machines à faire des pâtes...

❺ Marché Jean-Talon : Marché ouvert à l'année. À remarquer : les cours des maisons avoisinantes avec leurs vignes suspendues, leurs courges grimpantes, leurs tomates...

❻ Chez Milano : Épicerie où l'on trouve des antipasti, des pâtes fraîches, de l'huile d'olive...

❼ Caffè Italia : Café typique de la Petite Italie et sûrement le plus célèbre. A d'ailleurs prêté son nom à un film. Tables de billard et de soccer à l'arrière ; quartier général des amateurs de sports.

❽ Libreria Italiana : Livres, magazines, journaux, musique, vidéos...

Fêtes de la communauté

> 2 juin : Fête de la création de la République italienne.

> 13 juin : Fête de la Saint-Antoine (*Sant'Antonio*).

> 19 et 20 août : Fête de la Madonna di Pompei.

La communauté grecque

La Grèce (voir la figure 4.1) compte environ 10 millions d'habitants sur un territoire de 131 944 km². Le grec moderne en est la langue officielle, mais on y parle aussi le turc, l'albanais, le valaque et le bulgare. Le régime politique de la Grèce est une démocratie parlementaire. La capitale de la Grèce est Athènes.

REPÈRES HISTORIQUES

En 1967, un coup d'État militaire crée une situation politique catastrophique : des milliers de personnes sont déportées, plusieurs doivent immigrer. La dictature des colonels dure jusqu'en 1973, au moment où des étudiants de Polytechnique se barricadent à l'intérieur de l'Université d'Athènes et provoquent la chute de la junte militaire. Ce coup d'État a grandement touché la communauté grecque et créé des distances entre des personnes qui appuyaient la dictature et les exilés politiques qui arrivèrent au Québec à ce moment.

Le système de noms grec

Les noms de famille des Grecs se terminent souvent en « akis », « akos », « oudis », « poulos », « anos » et sont souvent révélateurs de la région d'origine de la personne. Par exemple, les Mitsotakis sont probablement originaires de la Crète ; les Papadopoulos, du Péloponnèse ; les Sakellariadis, de Thrace.

L'ARRIVÉE ET L'INSTALLATION DES GRECS AU QUÉBEC

Si l'on retrace la présence de quelques Grecs dès 1696, c'est au milieu du XIXᵉ siècle et au début du XXᵉ siècle que s'amorce la première véritable vague d'immigration des Grecs. Ceux qui arrivent à ce moment sont des travailleurs non spécialisés qui ne parlent souvent ni le français ni l'anglais et qui ne comptent que sur leur force de travail pour réussir. Ils travaillent principalement dans la restauration et la pâtisserie.

Ces premiers Grecs travaillent dur, plusieurs heures par jour, à des salaires souvent très bas, dans des conditions déplorables. Petit à petit, la communauté se forme et des organisations communautaires voient le jour ; par exemple, on crée, en 1907, la Communauté grecque orthodoxe, ou la *Koinotita*. Celle-ci se veut un lieu de rencontre et d'aide pour les nouveaux arrivants. Trois ans plus tard, en 1910, on érige une église grecque orthodoxe (consacrée à l'Annonciation de la Vierge) et une école grecque (école Platon), où les enfants peuvent apprendre la langue et l'histoire de leur pays d'origine. La communauté s'installe autour du boulevard Saint-Laurent et de la rue Sherbrooke.

Une deuxième vague d'immigration, beaucoup plus importante celle-là, a lieu après la Seconde Guerre mondiale. La Grèce se relève de la guerre, la pauvreté et le chômage y sévissent et plusieurs Grecs s'installent à Toronto et à Montréal. Ils proviennent surtout des régions rurales de la Grèce, mais aussi de la Turquie, de Chypre, de l'Égypte et des Balkans ; ils sont peu scolarisés et ne parlent ni le français ni l'anglais. Ces immigrants de la deuxième vague sont parrainés par des parents ou des amis. Ils utilisent tout un réseau de connaissances pour trouver un logement, un emploi (Constantinidès, 1983). Peu à peu, les Grecs se déplacent vers l'avenue du Parc dans le quartier Saint-Louis de Montréal.

DIMITRI DIMAKOPOULOS

Né à Athènes en 1929, il s'installe au Québec en 1948 et étudie l'architecture à l'Université McGill. Il a signé des réalisations architecturales importantes, dont la place Ville-Marie, la salle Wilfrid-Pelletier de la Place des Arts, la cathédrale grecque orthodoxe de Montréal, l'Université du Québec à Montréal. Ses travaux sont reconnus dans le monde entier. Il est membre de l'Ordre du Canada.

Ces immigrants développent une expertise dans de petites ou moyennes entreprises, telles que des épiceries, des boulangeries, des tabagies, des bijouteries et des restaurants. Certains travaillent dans l'industrie du textile et dans la construction immobilière.

Une dernière vague d'immigration a lieu entre 1967 et 1976. Cette immigration est composée de gens scolarisés et qualifiés qui arrivent à titre de réfugiés, fuyant la dictature. Après cette vague, on notera une baisse de l'immigration grecque.

LA COMMUNAUTÉ GRECQUE AUJOURD'HUI

On estime à environ 58 645 personnes les effectifs de la communauté grecque du Québec (gouvernement du Québec, 2004). La majorité des Grecs vivent dans la grande région de Montréal, particulièrement dans la ville de Montréal et à Laval. Ceux qui s'installent à Montréal vivent surtout dans l'arrondissement Villeray/Saint-Michel/Parc-Extension. On retrouve aussi des Grecs dans Ahuntsic/Cartierville et dans Côte-des-Neiges/Notre-Dame-de-Grâce.

Les Grecs du Québec sont surtout des chrétiens orthodoxes (95 %), mais on compte aussi des catholiques et des protestants.

La grande majorité se dit de langue maternelle grecque, mais 35 % parlent l'anglais et 52 % le français et l'anglais. Par contre, 11 % de la communauté, surtout des personnes âgées, ne parlent ni l'anglais ni le français. Le taux de préservation de la langue grecque est très élevé.

Les Grecs se sont surtout intégrés au groupe anglophone parce qu'à leur arrivée, leurs enfants (de religion orthodoxe) n'étaient pas admis dans les écoles françaises à cause de la structure confessionnelle des écoles du Québec.

La religion orthodoxe et ses lieux de culte à Montréal

Il y a environ 223 millions de chrétiens orthodoxes dans le monde. On en trouve surtout en Russie et dans quelques pays de l'Europe de l'Est (voir la carte 2 de l'encart couleur). On en trouve aussi plusieurs millions en Grèce, aux États-Unis et au Canada. Au Québec, près de 100 000 personnes s'identifient à la religion orthodoxe (gouvernement du Canada, 2003). La religion orthodoxe présente quelques différences par rapport à la religion catholique. Ainsi,

> elle met un accent particulier sur le culte des icônes et des reliques ;

> elle reconnaît la primauté honorifique du pape mais non pas son autorité hiérarchique (les Églises orthodoxes sont dirigées par des patriarches autonomes) ;

> elle permet aux hommes mariés de devenir prêtres, mais un prêtre célibataire ne peut pas se marier. Les moines et les évêques sont célibataires ;

> elle a des rituels particuliers : par exemple, on procède à une triple immersion pour le baptême et la messe chantée ne peut pas être accompagnée d'instruments de musique.

La communauté grecque possède plusieurs églises orthodoxes à Montréal, dont la cathédrale Saint-Georges, 2455, chemin de la Côte-Sainte-Catherine ; l'église Évangelismos Tis Theotokou, 777, rue Saint-Roch et l'église Koimisistis Throtokou, 7700, avenue de l'Épée.

Alphabet grec.

MIEUX CONNAÎTRE LA COMMUNAUTÉ GRECQUE

Quelques mots en grec

Plusieurs mots français ont des racines grecques. Voici quelques exemples : le mot *photographie* vient des mots grecs *photo*, qui signifie « lumière », et *grapho*, qui signifie « écrire » ; le mot *psychologue* vient des mots grecs *psyché*, qui signifie « âme », et *logos*, qui signifie « science, raison ».

Voici quelques mots d'usage courant en grec :

Bonjour	Bonsoir	Comment allez-vous ?	Merci beaucoup
Kaliméra	*Kalispéra*	*Ti kanete ?*	*Evkaristo poli*

	S'il vous plaît	Oui	Non
	Parakalo	*Né*	*Ochi*

Quelques adresses

> **Communauté hellénique de Montréal :** 5757, rue Wilderton, Montréal.

> **Association des travailleurs grecs :** 5359, avenue du Parc, Montréal.

> **Des journaux de la communauté :** *Le courrier grec : Ellinikos Tachydromos* ; *La Tribune grecque canadienne*.

Cuisine

La cuisine grecque est une cuisine méditerranéenne dont les aliments de base sont l'huile d'olive, les tomates, les oignons, le citron, l'ail et les fromages. Des poissons grillés citronnés, du fromage *feta*, des brochettes, des grillades sont au menu, en plus des spécialités comme les *dolmades* (feuilles de vigne ou de chou farcies), le *tzatziki* (yogourt battu avec de l'ail et du concombre) et la *moussaka* (plat de viande hachée avec des aubergines). L'*ouzo* est une boisson traditionnelle servie en apéritif.

Le repas traditionnel du dimanche de Pâques est composé d'une soupe *magiritsa* à base d'agneau, d'un *michoui* (rôti d'agneau), de pain de Pâques, de pâtisseries et d'œufs colorés en rouge.

Fête de la communauté

25 mars : Fête nationale grecque et fête de l'Indépendance contre le joug de l'Empire ottoman (1821). À cette fête s'ajoute une dimension religieuse puisque c'est aussi la célébration de l'Annonciation de la Vierge Marie. Une messe est célébrée en ce jour et clôturée par un message du consul général de Grèce. Un défilé est organisé dans les rues de Montréal.

Le parc Athéna, au coin de la rue Jean-Talon, entre les avenues Bloomfield et de l'Épée, a été nommé ainsi par la Ville de Montréal, en 1986, en hommage à la communauté grecque. La statue de la déesse Athéna a été offerte par la Grèce.

La communauté portugaise

Le Portugal est situé à l'extrême ouest de l'Europe (voir la figure 4.1) et son territoire est d'environ 92 080 km². Il compte près de 9,8 millions d'habitants. Sa capitale est Lisbonne et on y parle le portugais. Le régime politique est une démocratie parlementaire.

REPÈRES HISTORIQUES

Au début du xxᵉ siècle, plusieurs milliers de Portugais quittent leur pays pour s'installer en Afrique, au Brésil et aux États-Unis. Ils sont encore plus nombreux à quitter le Portugal sous la dictature de Salazar (à partir de 1932) et à immigrer en Europe, particulièrement en France.

Après plusieurs années de dictature, tentant de mater le mécontentement du peuple, l'armée occupe Lisbonne. Le 25 avril 1974 a lieu la révolution des Œillets. Contre toute attente, les gens offrent des œillets aux soldats, qui ne tirent pas dans la foule. Partout dans la ville des pancartes affichent : « O povo que mas ordure » (« C'est le peuple qui commande désormais »). On accroche des guirlandes aux canons des chars d'assaut. La dictature s'effondre et, en quelques mois, l'empire colonial portugais est liquidé : toutes les colonies voient leur indépendance reconnue (Guinée-Bissau, Mozambique, Cap-Vert, Angola) ; plusieurs Portugais qui vivaient dans les colonies reviennent sur le continent (Rudel, 1998).

L'ARRIVÉE ET L'INSTALLATION DES PORTUGAIS AU QUÉBEC

Au xviiᵉ siècle

La présence portugaise au Québec remonte au xviiᵉ siècle avec la venue d'explorateurs et de pêcheurs. Le premier Portugais qui s'y installe est Pedro da Silva, à qui l'on confie la mission de transporter le courrier du gouverneur entre Montréal et Québec. On peut dire qu'il fut le premier facteur au Québec. Quelques autres Portugais s'établissent en Nouvelle-France dès 1670 ; leurs descendants sont les Rodrigue, les Pire, les Dassylva, les Lepire (Marcil, 1980).

Entre 1955 et 1960

Durant le boom économique qui suit la Seconde Guerre mondiale, le gouvernement canadien recrute des milliers de Portugais qui viennent en majorité de l'archipel des Açores. Ce sont surtout des travailleurs agricoles qui obtiennent des emplois comme journaliers et comme travailleurs saisonniers. Pendant cette période, un programme spécial d'assistance aux sinistrés du volcan Dos Capelinos est aussi mis en place et le Québec reçoit alors quelques centaines d'autres Portugais.

Entre 1960 et 1974

De 1960 à 1974, le Québec accueille des immigrants portugais un peu plus scolarisés ; les hommes travaillent dans des commerces (par exemple, c'est un Portugais qui a ouvert à cette époque la plus grande poissonnerie de Montréal : Waldman), ils sont techniciens, ouvriers spécialisés ; les femmes travaillent dans l'industrie du vêtement (Labelle *et al.*, 1987). L'année 1974 marque la fin du régime dictatorial de Salazar et l'immigration portugaise ralentit.

MIEUX CONNAÎTRE LA COMMUNAUTÉ PORTUGAISE

Quelques mots en portugais

Voici quelques mots d'usage courant en portugais :

Bonjour	Bonsoir	Comment allez-vous ?	S'il vous plaît
Bom dia (bô dioe)	*Boa noite*	*Como esta ?* (komou ichta)	*Por favor*

Bien merci, et vous ?	Merci	Oui	Non
Muito bem, e você ? (mou tou boê, i vossé)	*Obrigado* (si c'est un homme qui le dit) ou *Obrigada* (si c'est une femme)	*Sim*	*Nâo* (noê)

Quelques adresses

> **Missão Portuguesa de Santa Cruz :** 60, rue Rachel Est, Montréal. Cette église détient une copie d'une statue importante, celle du *Senhor Cristo Dos Milagres* (Christ aux Miracles). Le cinquième dimanche après Pâques, on organise un défilé dans les rues avec cette statue.

> **Association portugaise du Canada :** 5307, chemin de la Côte-Sainte-Catherine, Montréal. Organisme d'aide communautaire pour la communauté portugaise.

> **Centre Português de Referëncia e Promoçao Social :** 4050, rue Saint-Urbain, Montréal. Cet organisme de défense des droits des travailleurs est aussi un centre d'information sur la communauté portugaise ; on y offre des projets d'alphabétisation, des cours de français.

> **Des journaux de la communauté :** *A voz de Portugal* (hebdomadaire) ; *Jornal do Emigrante*.

Cuisine

La base de la cuisine portugaise est le poisson. Les Portugais disent, par exemple, qu'il y a 365 façons d'apprêter la morue. Les sardines salées et grillées dans un four à bois sont également très populaires. On peut aussi manger la *caldo verde*, une soupe à base de pommes de terre, de saucisses et de fines lamelles de chou vert. Le *carne de porco a Alentejana*, autre plat typique, consiste en des cubes de porc cuits avec des palourdes, des tomates et des oignons. Enfin, on ne saurait oublier les portos, ces vins de la vallée du Douro.

Fêtes de la communauté

> 25 avril : La fête des Œillets commémore le retour à la liberté pour le Portugal (25 avril 1974).

> 3e dimanche de mai : Fête du Seigneur des Miracles (*O Senhor Santo Cristo*).

> 10 juin : Fête nationale portugaise (*Dio de Portugal*).

Les années 1990

Jusque dans les années 1990, le Québec reçoit une immigration urbaine qui vient principalement du Portugal continental. On accueille aussi bon nombre de Portugais originaires des anciennes colonies portugaises d'Angola et du Mozambique, qui sont forcés de sortir de ces pays. Ces pays devenus indépendants, les Portugais qui y vivent sont perçus comme les colonisateurs.

Par la suite, les immigrants portugais sont beaucoup moins nombreux à venir au Québec et au Canada.

LA COMMUNAUTÉ PORTUGAISE AUJOURD'HUI

On compte environ 40 000 Portugais au Québec (Courville, 2000), la plupart dans la région de Montréal et environ 2800 à Hull. À Montréal, les premiers Portugais se sont installés le long du boulevard Saint-Laurent et vers le nord de la ville. Ils sont donc nombreux dans le quartier Saint-Louis, autour de la rue de Bullion et de l'avenue de l'Hôtel-de-Ville. En moins de dix ans, de 1963 à 1970, les Portugais y achètent des maisons et les rénovent, retapant un quartier que beaucoup vouaient à la disparition. En 1975, la Société d'architecture de Montréal (SAM) décerne son prix annuel aux résidants de la communauté portugaise du quartier Saint-Louis. Les Portugais habitent maintenant plusieurs autres quartiers de Montréal, dont Rosemont et l'arrondissement Villeray/Saint-Michel/Parc-Extension. Ils sont aussi nombreux à Laval, à Lasalle, à Brossard, à Longueuil et à Blainville.

Les Portugais sont très majoritairement de religion catholique (96 %) et leur foi se manifeste par le grand nombre d'églises portugaises et les nombreuses fêtes religieuses qu'ils célèbrent (Perpétua, 2004).

La communauté roumaine

La Roumanie est un pays de l'Europe de l'Est (voir la figure 4.1) dont la population de 23 millions d'habitants est composée de 89 % de Roumains, 7 % de Hongrois, 1,8 % de Tziganes et 0,5 % d'Allemands. Les principales villes de la Roumanie sont Bucarest (la capitale), Constanta, Iasi, Timisoara et Galati. La religion orthodoxe y est la religion majoritaire ; il y a aussi des catholiques et des protestants. Les langues parlées en Roumanie sont le roumain, le hongrois et l'allemand.

REPÈRES HISTORIQUES

Chef du parti communiste à partir de 1965, Nicolae Ceaucescu devient le premier président de la République populaire de Roumanie en 1974 et impose sa dictature pendant un quart de siècle. Le 22 décembre 1989, la radio roumaine passe entre les mains des insurgés et le Conseil du Front de Salut national prend le pouvoir. En seulement quatre jours, du 21 au 25 décembre, s'effondrent 45 ans de régime communiste et 25 ans de régime Ceaucescu. Sa femme Elena et lui sont accusés de génocide (on les rend responsables de la mort et de la torture de plus de 60 000 personnes), de la destruction des biens publics et de l'économie nationale, et d'avoir tenté de fuir le pays en emportant plus d'un milliard de dollars déposés dans des banques étrangères (Durandin, 1990). Ils seront exécutés. En 1990 se tiennent les premières élections parlementaires et présidentielles libres.

L'ARRIVÉE ET L'INSTALLATION DES ROUMAINS AU QUÉBEC

À la fin du XIXᵉ siècle, quelques paysans et commerçants roumains immigrent au Québec ; au début du XXᵉ siècle, on assiste à une immigration roumaine en provenance de l'Ouest canadien.

Mais c'est surtout à partir des années 1970 que plusieurs Roumains, scolarisés et professionnels, viendront s'installer au Québec, fuyant le régime dictatorial de Nicolae Ceaucescu. Entre 1971 et 1980, les Roumains sont accueillis au Québec comme réfugiés politiques ; il s'agit d'une immigration urbaine et très scolarisée. Cependant, c'est surtout après la chute du régime dictatorial (1989) qu'une véritable immigration roumaine arrive au Québec ; elle est composée de jeunes professionnels qui, ne croyant plus aux réformes promises, rêvent d'une vie meilleure. On estime que plus de la moitié des Roumains admis au Québec sont arrivés entre 1991 et 2001 ; c'est donc une immigration très récente. En 2003, la Roumanie est l'un des dix premiers pays de provenance des immigrants au Québec (gouvernement du Québec, 2004).

LA COMMUNAUTÉ ROUMAINE AUJOURD'HUI

Il y a environ 19 500 personnes d'origine roumaine installées au Québec (gouvernement du Québec, 2004). Ces immigrants sont très scolarisés ; à leur arrivée, plus de 60 % ont fait des études postsecondaires et 50 % des études universitaires (gouvernement du Québec, 1995).

La très grande majorité des immigrants d'origine roumaine s'installent à Montréal et quelques-uns à Québec et à Hull. À Montréal, on les retrouve surtout dans l'arrondissement Côte-des-Neiges/Notre-Dame-de-Grâce, mais aussi dans l'arrondissement Ahuntsic/Cartierville (gouvernement du Québec, 2004). Ces immigrants exercent surtout des emplois dans des secteurs technologiques ou occupent des postes de direction, de gérance et d'administration (gouvernement du Québec, 1995). La Roumanie possède une longue tradition francophile ; les Roumains qui arrivent au Québec ont pour la plupart de bonnes connaissances de base en français et la majorité parlent le français et l'anglais (Cauchy, 2003).

Sur le plan religieux, les Roumains du Québec sont surtout orthodoxes (63 %) et catholiques (16 %).

IRINI EGLI

Née en Roumanie, l'auteure Irini Egli est installée au Québec depuis 1997. En 2001, elle a publié un roman intitulé *Sang mêlé*.

Témoignage de Mihaela

Je viens de Bucarest en Roumanie et je suis arrivée au Québec en 1992. J'avais 35 ans. Bucarest, c'est la capitale de la Roumanie et c'est là où j'ai grandi. On appelait cette ville le Petit Paris, parce que ça ressemblait un peu à Paris. Il y avait des rues élégantes, des vieux arbres, des parcs, de beaux édifices où on allait, par exemple, pour les concerts. Il y avait des cafés, mais le régime a fait fermer les cafés parce que ce n'était pas permis de se rassembler. Les parents qui avaient un peu d'argent envoyaient leurs enfants faire des études à Paris. À l'école, on étudiait le français. Presque tout le monde parlait couramment le français ou lisait en français. Bucarest, c'était une ville où il y avait beaucoup de culture même si les gens n'avaient pas beaucoup d'argent. Il y avait beaucoup de spectacles, des concerts, des festivals, une vie culturelle intéressante.

La dernière année du régime de Ceaucescu, alors qu'il avait coupé le chauffage dans les maisons et dans les grands édifices [...] les gens venaient quand même voir les spectacles avec leurs manteaux et des foulards. Je me rappelle, une fois, un pianiste a dû chauffer le clavier pour jouer. Au travail, j'étais supposée dessiner, alors j'avais mis des mitaines dont j'avais coupé les doigts. [...] Même s'il faisait froid, ça allait. Il faisait ça, Ceaucescu, comme on dit pour « serrer la vis » : si on serre la vis, les gens ne vont plus parler.

Faire la queue pour s'approvisionner et tout ça, c'est vrai. Tant de pain, tant de sucre, tant de farine, c'était très difficile de s'approvisionner même avec de l'argent. Tu as des rations par famille mais tu n'es même pas sûr d'en trouver ; c'était vraiment des conditions difficiles. Si je vous dis qu'il n'y a pas d'électricité, imaginez le reste.

La chute du système de Ceaucescu

J'ai participé à toutes les actions là-bas, à la Place de l'Université. J'ai participé à tous les changements parce que je me disais : « Voilà, la liberté est là ; on va gagner notre liberté ! » Je travaillais à ce moment-là comme ingénieure dans un institut de génie conseil, je faisais la conception de différentes installations. Dans mes temps libres, je participais aux manifestations. On faisait beaucoup de manifestations chaque jour sur la Place, et la nuit, des personnes gardaient la Place. Puis, celui qui avait remplacé Ceaucescu, Ion Iliescu, a appelé les mineurs qui travaillaient dans la montagne. Il leur a dit : « Les intellectuels vont détruire la société. » Alors ils sont venus et, avec les gens de la Sécurité, ils ont commencé à battre ceux qui étaient sur la Place. Alors quand j'ai vu cela, je me suis dit : « Je ne peux plus rien faire ici, c'est fini. »

À cette époque, en Roumanie, tu n'avais pas de passeport et c'était très difficile à obtenir, mais j'ai quand même réussi à en avoir un. J'ai décidé de venir au Québec. J'avais une tante qui était là depuis trois ou quatre ans, alors je suis venue ici et j'ai demandé mon statut de réfugiée. Là, j'ai encore été déçue car mon dossier a été refusé après un an et demi de procédures juridiques. Alors je me suis dit : « Qu'est-ce que je fais ? Je retourne en Roumanie ou quoi ? » J'ai finalement décidé de chercher quelqu'un pour me marier.

Le mariage, je n'y pensais pas vraiment avant, mais c'était la seule façon de rester. Alors, j'ai passé le message aux gens que je connaissais ici, mes tantes, des amis, et j'ai rencontré mon mari. Il est aussi d'origine roumaine, il vient de Bucarest comme moi, mais je ne le connaissais pas du tout. Lui, il avait le statut de réfugié, mais pas la résidence. Ça a été très long, toutes les sortes de procédures, mais il a eu la résidence. Après ça, pour moi, ça a pris à peu près un an pour avoir tous mes papiers, pas comme réfugiée, mais comme l'épouse d'un résident. Finalement, tout s'est bien passé : je suis entrée automatiquement dans son dossier et toutes les choses ont été traitées pour tous les deux. Nous avons maintenant un petit garçon de trois ans. Nous avons les passeports canadiens et roumains.

Je n'avais pas de permis de travail et, même si j'avais étudié le français, je ne comprenais pas parfaitement la langue. Alors je suis allée à l'école et j'ai pris des leçons de français. Maintenant je me rends compte que c'était l'accent et la vitesse que je ne comprenais pas. Quand tu vas dans les magasins, dans la rue, dans les autobus, ce n'est pas la même chose qu'à l'école. Je me suis inscrite dans une école de mon quartier, Côte-des-Neiges.

Ça a pris environ huit mois avant que le ministère me reconnaisse un bac en génie. Il faut aussi entrer dans l'association professionnelle, ça s'appelle l'Ordre des ingénieurs. Moi, j'ai commencé à faire des examens parce que je croyais que ça me donnerait des chances, mais je ne les ai pas terminés : j'en ai fait deux et il m'en reste deux à faire. J'ai essayé de travailler comme ingénieure, mais il n'y avait aucune ouverture, aucune. Je suis spécialisée en climatisation et ventilation.

J'ai essayé de trouver du travail mais c'était difficile ; j'étais un peu désorientée mais je savais que je voulais travailler parce que rester à la maison, ce n'est pas une solution. J'ai travaillé comme secrétaire juridique, ensuite dans un hôpital et pour une agence d'information. En cherchant, dans les journaux, les emplois divers, j'ai vu l'annonce d'un cours offert par un programme d'employabilité. J'ai été acceptée et j'ai suivi le cours pendant douze mois. Je suis maintenant monitrice dans une garderie.

(Propos recueillis par l'auteure et Johanne Gaudet.)

MIEUX CONNAÎTRE — LA COMMUNAUTÉ ROUMAINE

Quelques mots en roumain

Voici quelques mots d'usage courant en roumain :

Bonjour	Bonsoir	Comment allez-vous?	Bien, merci
Bunäziva	*Bunäsearo*	*Ce mai faceti ?*	*Bine, multumesc*

S'il vous plaît	Oui	Non
Poftim ou *Varog*	*Da*	*Nu*

Quelques adresses

> **Fédération des associations roumaines du Canada :** 1538, rue Sherbrooke Ouest, bureau 305, Montréal.

> **Centre culturel roumain :** 8060, avenue Christophe-Colomb, Montréal.

> **Église orthodoxe roumaine des Saints Archanges Michel et Gabriel :** 807, avenue Sainte-Croix, Montréal.

> **Église orthodoxe roumaine Saint-Jean-Baptiste :** 1841, rue Masson, Montréal.

Cuisine

Voici quelques spécialités roumaines :

- **Mamaliga** (sorte de bouillie de maïs qui accompagne un fromage blanc de brebis, le tout servi au déjeuner).
- **Sarmalés** (feuilles de vigne farcies de viande et de champignons).
- **Zacusca** (plat servi en apéritif composé d'un assortiment de légumes, d'herbes et de champignons hachés et conservés dans l'huile).
- **Cozonac** (gâteau brioché aux raisins de Corinthe, aux noix, au pavot).
- **Tuica** (alcool de prune servi en apéritif).

Fête de la communauté

> 1er décembre : Fête nationale de la Roumanie.

CHAPITRE 5

Les communautés noires

Au sein des minorités visibles, les Noirs[1] forment le groupe le plus important au Québec avec environ 132 000 personnes, dont 40 % sont nées ici.

Au Canada et au Québec, on peut distinguer plusieurs grandes périodes d'immigration des communautés noires : la période de l'esclavage en Nouvelle-France et l'arrivée des Noirs américains au XIXᵉ siècle, l'arrivée des Antillais anglophones (les Jamaïcains) et des Antillais francophones (les Haïtiens) dans les années 1960 et 1970 (voir la figure 5.1), puis l'arrivée des communautés africaines anglophones et francophones et de la communauté rwandaise à la fin du XXᵉ siècle (voir la figure 5.2).

Figure 5.2 L'Afrique noire.

Figure 5.1 Les Antilles.

---

1. Pour la première fois, le recensement de 1996 comportait une question sur les minorités visibles et demandait aux personnes si elles appartenaient à l'un des groupes ciblés, dont celui des Noirs (Africains, Haïtiens, Jamaïcains, Somaliens).

La période de l'esclavage et l'arrivée des Noirs américains

DES ESCLAVES EN NOUVELLE-FRANCE

L'esclavage apparaît en Nouvelle-France à partir de 1628. Le premier esclave se nomme Olivier le Jeune et est originaire de l'île de Madagascar (Williams, 1998).

Mais c'est véritablement l'année 1685 qui se révèle déterminante puisque Louis XIV accorde à ses sujets de Nouvelle-France le droit d'importer des esclaves africains par l'édiction du *Code noir* (voir la figure 5.3). Justification juridique de l'esclavage, le *Code noir* est un ensemble de dispositions concernant les esclaves noirs d'Afrique, déportés par millions. Par exemple, un des 60 articles de ce code stipule : « Défendons à nos sujets blancs de contracter mariage avec les Noirs. »

Au moment de sa conquête par l'Angleterre en 1760, la Nouvelle-France compte plus d'un millier d'esclaves. Ils appartiennent à de riches familles de Louisbourg, d'Halifax et de Montréal. Presque la moitié d'entre eux vivent à Montréal. Plusieurs sont établis dans les Cantons-de-l'Est, en particulier dans le village de Saint-Armand. D'ailleurs, un cimetière de ce village, que l'on a surnommé « Nigger Roch », contiendrait des restes d'esclaves noirs qui auraient été achetés en 1783 par Philip Luke, producteur de potasse.

Vers la fin du XVIIIe siècle, la vente d'esclaves peut se faire par l'entremise des journaux. La figure 5.4 présente une petite annonce parue dans un journal de Québec en 1783.

Parmi les esclaves de la Nouvelle-France, on retrouvait aussi des Amérindiens (appelés *panis*). Ils étaient employés pour les durs travaux et les tâches agricoles, alors que les esclaves noirs servaient surtout de domestiques dans les maisons des riches commerçants, des seigneurs, des hauts fonctionnaires et des membres du clergé (Williams, 1998). Même si ces esclaves semblent avoir été traités de façon plus humaine qu'aux États-Unis et que leurs châtiments étaient régis par plusieurs lois, il n'en reste pas moins qu'ils étaient des esclaves. La fin tragique de Marie-Joseph Angélique (voir l'encadré de la page suivante) illustre le type de châtiment qu'on pouvait imposer aux esclaves.

En 1793, Pierre-Louis Panet soumet au Parlement de Québec un premier projet de loi sur l'abolition de l'esclavage, mais il ne sera pas voté. Dans le Haut-Canada, on adopte en cette même année un projet de loi qui limite l'esclavage et prévoit l'émancipation progressive des esclaves. L'Ontario est donc la première province britannique à légiférer contre l'esclavage.

En 1799, Louis-Joseph Papineau dépose un projet visant à abolir l'esclavage. Ce projet sera aussi refusé, mais les juges acceptent dès lors de ne plus condamner les esclaves fugitifs. Ce n'est qu'en 1834 que l'esclavage sera aboli dans tout l'Empire britannique.

CODE NOIR,
OU
RECUEIL D'EDITS,
DÉCLARATIONS ET ARRETS
CONCERNANT
Les Esclaves Négres de l'Amérique,
AVEC
Un Recueil de Réglemens, concernant la police des Isles Françoises de l'Amérique & les Engagés.

A PARIS,
Chez les LIBRAIRES ASSOCIEZ.

M. DCC. XLIII.

Figure 5.3 Le *Code noir.*

A VENDRE,
UNE NEGRESSE agée d'environ 18 ans, qui est arrivée dernierement de la *Nouvelle York*, avec les Loïalistes ; elle a eu la Petite Verole : Cette Négresse s'est toujours très bien comportée, et elle n'est vendue que parceque le propriétaire n'en a aucunement besoin à présent.
On disposera également d'une belle JUMENT baie.
Pour plus amples informations il faut s'adresser à l'IMPRIMEUR.

Figure 5.4 Annonce parue dans *La Gazette de Québec*, 1783.

Marie-Joseph Angélique

Née en 1710, elle est l'esclave de madame de Francheville, mariée et mère de trois enfants. En 1734, elle initie une protestation publique contre l'esclavage. Apprenant que sa maîtresse veut la vendre, elle met le feu à la maison de celle-ci rue Saint-Paul, à Montréal. L'incendie se répand jusqu'à 40 bâtiments, dont l'Hôtel-Dieu. Marie-Joseph est arrêtée, emprisonnée et jugée par le tribunal de la ville.

Le 4 juin 1734, elle est condamnée à être promenée dans un tombereau à immondices, à devoir faire amende honorable devant l'église paroissiale, à avoir les poings coupés et à être brûlée vive. Marie-Joseph en appelle au Conseil supérieur de Québec ; le juge maintient la sentence mais, par générosité, ses poings ne seront pas coupés et on la pendra avant de la brûler.

Le 21 juin 1734, après avoir été torturée dans sa prison, Marie-Joseph Angélique avoue ses crimes, est exposée en public, pendue et brûlée.

L'ARRIVÉE DES NOIRS AMÉRICAINS

C'est à partir du XVIIIe siècle que des esclaves noirs américains fuient vers le Canada en empruntant le chemin de fer clandestin (pour de plus amples détails à ce sujet, voir le chapitre 2). Ils s'installent en Nouvelle-Écosse, en Ontario et au Québec (Gay, 2004).

À la fin du XIXe siècle, le réseau ferroviaire entre le Canada et les États du nord des États-Unis connaît un développement fulgurant et les compagnies de chemin de fer (Canadien national et Canadien Pacifique) engagent à bas prix des Noirs américains comme porteurs de bagages et préposés aux wagons-lits (Ledoyen, 1992). Ils s'installent près des gares (à Montréal, dans ce qu'on appelait le quartier Saint-Antoine).

Au début du XXe siècle, une nouvelle vague de Noirs issus de grandes villes américaines comme Chicago et New York émigrent vers Montréal, fuyant la prohibition et le racisme. Ils s'installent dans des quartiers comme Saint-Henri. Ils travaillent le jour et font du jazz la nuit. Les Montréalais voient bientôt s'ouvrir plusieurs boîtes de nuit où les clients se massent pour entendre du blues, du ragtime, du spiritual, etc. Oscar Peterson et Charlie Biddle sont deux grands pionniers du jazz montréalais.

Noir porteur de bagages.

La communauté jamaïcaine

La Jamaïque, l'une des plus grandes îles des Antilles, regroupe environ 2,5 millions de personnes sur un territoire de 10 990 km² (voir la figure 5.1). La langue officielle y est l'anglais, mais on y parle aussi un créole jamaïcain. Ses principales villes sont Kingston et Montego Bay. Le régime politique de la Jamaïque est une démocratie parlementaire. La majorité de la population est protestante, mais on y pratique aussi le catholicisme et le rastafarisme.

REPÈRES HISTORIQUES

Ce sont les Arawaks, des Indiens d'Amérique du Sud, qui, les premiers, sont arrivés en Jamaïque, il y a de cela près de 1500 ans. Conquis par les Espagnols en 1494, les Arawaks forment une main-d'œuvre à bon marché dans les plantations de coton, de cacao et de tabac ; à partir de 1517, les Espagnols font aussi venir des esclaves africains. En 1655, les Britanniques envahissent l'île de la Jamaïque et bon nombre d'esclaves profitent de la guerre entre les Espagnols et les Anglais pour s'enfuir dans les montagnes, où ils sont connus sous le nom de Maroons. Ils affrontent les Britanniques et deviennent très vite le symbole de la résistance des esclaves à travers les Amériques.

La traite des esclaves amène plus de 600 000 Africains en Jamaïque entre 1700 et 1810. Après l'abolition de l'esclavage en 1834, plusieurs anciens esclaves restent dans les plantations comme ouvriers salariés alors que d'autres s'établissent dans leur propre plantation. À la fin du XIXe siècle, la Jamaïque reçoit une immigration composée d'Allemands, de Libanais, de Syriens et de Juifs, ce qui en fait une société pluriethnique. La Jamaïque obtient son indépendance du Royaume-Uni en 1962.

Le rastafarisme

Le rastafarisme est un mouvement à la fois religieux et politique. Il fait référence non seulement au nationalisme noir, mais aussi à la lutte contre la misère et la discrimination. Au début du XXe siècle, Marcus Mosiah Garvey, un Jamaïcain nationaliste, crée l'Association universelle pour l'avancement des Noirs et encourage ses compatriotes à retourner en Afrique afin de retrouver la paix et la dignité perdues pendant les siècles d'esclavage. Il prédit également qu'un roi noir sera couronné en Afrique et qu'il accueillera toute la communauté noire dispersée à travers le monde. Comme Rastafari est nommé négus (roi) d'Éthiopie en 1928 et couronné empereur deux ans plus tard sous le nom d'Hailé Sélassié 1er, plusieurs nationalistes jamaïcains associent cet événement avec la prédiction de Garvey.

Mais celui que l'on considère comme le premier rastafari (ou rasta) est Leonard Percival Howell, né en 1898 en Jamaïque. Ayant parcouru le monde et en particulier l'Afrique, il revient dans son pays natal en 1931, y rencontre des hindous et fonde la communauté du Pinacle.

Le rastafarisme a adopté plusieurs rituels de l'hindouisme et du christianisme. Par exemple, de l'hindouisme, on a retenu la prière récitée dans la langue hindi, le recueillement et la méditation dans les ashrams, les préceptes végétariens, les cheveux longs des sages (Lee, 1997). Les adeptes du rastafarisme ont aussi adopté des rituels chrétiens comme la lecture et l'interprétation de passages de la Bible à chaque jour.

Les rastafaris se distinguent par leurs longues tresses qu'ils ne peignent et ne coupent jamais et leurs vêtements aux couleurs de l'Éthiopie (rouge, noir, vert et doré). Ils ne mangent pas de viande et pratiquent la *ganga*, un rituel religieux où les adeptes fument de la marijuana pour mieux communiquer avec les divinités.

Au début, le mouvement rasta n'avait pas de musique particulière, mais à la fin des années 1940, un groupe de jeunes rastas de l'est de Kingston récupère un vieux style de percussions africaines, le *burru*. Ce rythme est adopté par tous les rastas. En 1964, une nouvelle musique prend le nom de *ska*, puis devient le *reggae* en 1968.

BOB MARLEY

Bob Marley, l'un des rastas les plus célèbres, chante le retour de son peuple en Afrique. Surnommé première star du tiers-monde, il est devenu l'ambassadeur du reggae et a vendu plus de 30 millions de disques dans le monde.

L'ARRIVÉE ET L'INSTALLATION DES JAMAÏCAINS AU QUÉBEC

Le début du xxᵉ siècle annonce des changements dans la composition ethnique de la communauté noire du Québec, qui était jusqu'alors surtout constituée de descendants d'esclaves d'ici et des États-Unis. À partir de 1916, plusieurs femmes jamaïcaines sont accueillies comme domestiques et, en 1930, la moitié de la population noire de Montréal est composée de personnes originaires des Antilles anglaises. Entre 1955 et 1966, la loi canadienne de l'immigration (1952) limite l'entrée de personnes issues de pays non européens, mais un programme nommé West Indian Domestic Schema autorise le recrutement de femmes originaires des Antilles anglaises comme domestiques au sein des familles canadiennes (Williams, 1998). La communauté noire de Montréal s'organise et possède bientôt sa propre église, des cabarets et plusieurs centres communautaires. Ce sont des personnes issues de cette vague d'immigration qui jetteront les bases des premières organisations sociales au sein de la communauté noire de Montréal.

Après la libéralisation des critères d'admission en 1962, l'immigration provenant des Antilles prend de l'ampleur. Entre 1968 et 1977, plusieurs milliers d'Antillais anglophones venant de Trinidad, de la Barbade et surtout de la Jamaïque immigrent au Canada. Ainsi, au cours de la seule période de 1973 à 1974, 1500 personnes d'origine jamaïcaine s'installent au Québec (Williams, 1998). Ces immigrants appartiennent aux classes de gestionnaires et de professionnels. On associe d'ailleurs à une « fuite des cerveaux » l'émigration jamaïcaine de cette période, car elle est constituée d'émigrants hautement qualifiés. Plusieurs étudiants noirs anglophones, en provenance des Antilles, viennent également fréquenter les universités montréalaises. La communauté vit cependant de la discrimination : l'affaire Sir George Williams en est le point culminant. En février 1969, six étudiants déposent en effet une plainte interne de racisme contre un professeur de l'Université Sir George Williams (maintenant l'Université Concordia). Plusieurs étudiants les rejoignent dans leur lutte et occupent le centre informatique pendant plus de deux semaines. Ils saccagent ce centre et la police procède à l'arrestation de 97 personnes, dont 41 étudiants noirs. Après 1975, l'immigration jamaïcaine se fait surtout sur la base de la réunification familiale. La communauté se politise et entreprend de combattre la discrimination sous toutes ses formes.

> **NOËL ALEXANDER**
>
> Noël Alexander a participé à la fondation de plusieurs organismes, dont l'Association jamaïcaine de Montréal.

> **TREVOR W. PAYNE**
>
> Depuis plus de 20 ans, Trevor W. Payne dirige une chorale qui interprète de la musique gospel : le Montreal Jubilation Gospel Choir. Cette chorale s'est imposée comme l'une des meilleures en Amérique.

MIEUX CONNAÎTRE LA COMMUNAUTÉ JAMAÏCAINE

Quelques adresses

> **Association jamaïcaine de Montréal :** 4065, rue Jean-Talon Ouest, Montréal.

> **Union United Church :** 3007, rue Delisle, Montréal.

> **Institut Garvey de Montréal :** 840, chemin Côte-Vertu, Montréal.

Fête de la communauté

> **Fête nationale de la Jamaïque :** 18 juillet.

LA COMMUNAUTÉ JAMAÏCAINE AUJOURD'HUI

On estime à environ 13 000 personnes (Courville, 2000) la communauté jamaïcaine du Québec. La très grande majorité des Jamaïcains parlent surtout l'anglais, bien que plusieurs connaissent et l'anglais et le français. Ils sont majoritairement de religion protestante, mais certains sont catholiques. Près de la moitié détiennent un diplôme d'études secondaires (45 %) et plusieurs un diplôme d'études collégiales (25 %) et universitaires (16 %). Ils travaillent surtout dans les domaines de la santé et des services sociaux (26 %) et dans l'industrie manufacturière (21 %). Ils habitent très majoritairement Montréal (98 %), principalement l'arrondissement Côte-des-Neiges/Notre-Dame-de-Grâce (68 %) (voir la carte 3 de l'encart couleur).

La communauté haïtienne

Haïti est un État des Antilles (voir la figure 5.1) qui compte 8 millions d'habitants sur un territoire d'environ 27 750 km². C'est le plus ancien État indépendant du continent américain après les États-Unis et la première république noire à avoir été instituée (1804). Haïti est actuellement un des pays les plus pauvres de la planète ; presque la moitié de sa population est analphabète. Les langues officielles y sont le créole et le français et ses principales villes sont Port-au-Prince, Cap-Haïtien et Gonaïves. Plus d'un million d'Haïtiens vivent à l'extérieur de leur pays dans des villes comme Miami, New York et Montréal. Après plusieurs années de dictature, Haïti a aujourd'hui un régime démocratique de type présidentiel.

REPÈRES HISTORIQUES

STANLEY PEAN

Né en Haïti, il a grandi au Québec où ses parents ont immigré l'année de sa naissance. Il est chroniqueur littéraire à la radio et à la télévision, et il a signé plusieurs romans, dont des romans pour adolescents. Citons les plus récents : *L'emprise de la nuit* (1993), *Noirs désirs* (1999) et *Zombie blues* (1999).

DANY LAFERRIÈRE

Né à Port-au-Prince, il immigre au Québec en 1976. Depuis, il a publié de nombreux romans, dont *Comment faire l'amour avec un nègre sans se fatiguer* (1985), *Le goût des jeunes filles* (1992), *L'odeur du café* (1994) et *Le cri des oiseaux* (2000).

Découverte par Christophe Colomb le 5 décembre 1492, l'île d'Hispaniola (qui rassemble aujourd'hui Haïti et la République dominicaine) est la première des colonies espagnoles en Amérique latine. En 1697, l'île est partagée entre l'Espagne et la France. Les Français s'installent en Haïti et en font une colonie prospère en faisant venir d'Afrique des dizaines de milliers d'esclaves pour les faire travailler dans les plantations de canne à sucre, de coton et de café. En 1791 éclate la révolte des Noirs, dirigée par Toussaint Louverture, un esclave noir alphabétisé. Quelques années plus tard (1798), Toussaint Louverture, nommé général en chef, se lance à la conquête de la partie orientale de l'île, chasse les Britanniques qui s'y trouvent, abolit l'esclavage et se proclame gouverneur de l'île réunifiée. En 1802, Napoléon Bonaparte rétablit l'esclavage en Haïti et envoie une armée y restaurer la souveraineté française. On réussit à faire prisonnier Toussaint Louverture et on le transfère en France où il meurt en 1803. Un an après sa mort, deux de ses compagnons, Jean-Jacques Dessalines et Henri Christophe, prennent la tête d'une insurrection et proclament l'indépendance de la partie occidentale de l'île.

Les luttes politiques et les révoltes se succèdent et, après un siècle d'indépendance précaire, les Américains interviennent en 1915 et s'emparent de Port-au-Prince. Sous la pression des États-Unis, une nouvelle constitution est proclamée, autorisant la possession de terres par des étrangers (Soulet, Guinle-Lorinet, 1999).

En 1957, François Duvalier (« Papa Doc ») prend le pouvoir en Haïti et met en place un régime de terreur sans précédent. À partir de 1964, il proclame une nouvelle constitution le désignant « président à vie ». Les incidences de ce régime sur les masses populaires se font durement sentir : surveillance policière (« tontons macoutes »), censure, assassinats politiques, torture, emprisonnements sans jugement et corruption généralisée. À la mort de Duvalier en 1971, son fils Jean-Claude (« Bébé Doc ») lui succède ; rapidement, le déficit économique se creuse, les mouvements de protestation reprennent et des émeutes éclatent. En 1985, Jean-Claude Duvalier est forcé de s'enfuir en France.

LES RELIGIONS

En Haïti, trois systèmes religieux s'enchevêtrent : le catholicisme, qui est la religion officielle et du pouvoir ; les sectes protestantes apparues sous l'occupation américaine, qui regroupent environ 10 % de la population ; et le vaudou, qui est un mélange de pratiques magiques, de sorcellerie et d'éléments chrétiens (Sabatier, Tourigny, 1990).

Le vaudou

Le vaudou est une religion née en Afrique (au Bénin et au Togo) et qui est entrée en Haïti avec les migrations d'esclaves. Le mot *vaudou*, ou *vodum* en créole, signifie « puissance supérieure ou invisible que les hommes essaient de se concilier, individuellement ou collectivement, pour s'assurer une vie heureuse » (Najman, Honorine, 1998).

Le vaudou s'est développé dans la clandestinité. Les colons français ont tout mis en œuvre pour que les esclaves venus d'Afrique perdent leur culture, entre autres en leur imposant la religion chrétienne et en leur interdisant de parler leur langue. Dépossédés, les esclaves ont réussi à riposter à cette agression. La création d'une langue commune (le créole) et d'une religion (le vaudou) est ainsi devenue un ferment de cohésion culturelle et de résistance politique. Face au christianisme imposé par les maîtres, la tactique des esclaves a consisté à s'adapter aux rites et aux symboles de l'Église, c'est-à-dire à les intégrer dans leur système.

Le vaudou est une religion complexe caractérisée par la possession des fidèles par les esprits (que l'on nomme *loas*) (Sabatier, Tourigny, 1990).

Sans doctrine ni clergé, le vaudou haïtien se veut chrétien. Il y a un seul Dieu créateur, un Christ, la Vierge Marie et les saints. Les prières sont très présentes, surtout dans les rituels mortuaires. Le vaudou est une religion des masses populaires. Les cérémonies comprennent des prières, des chants, des processions et des sacrifices. Le vaudou haïtien adapte son calendrier à celui de l'Église catholique et administre les mêmes sacrements. Par exemple, dès la naissance, après le baptême catholique, l'enfant est placé sous la protection d'un esprit.

Voici les principaux personnages du vaudou :

> Houngan et le Mambo : À la fois prêtres, guérisseurs, voyants et gardiens de la tradition vaudoue.

> Baron Samedi : Maître des ténèbres et des cimetières. Il possède le pouvoir de ressusciter les morts qu'il métamorphose en zombis. On le représente vêtu d'une vieille redingote noire et d'une chemise à jabot et couvert d'un haut-de-forme.

> Legba : Assure le lien entre le monde matériel et celui des esprits.

> Agwé : Protecteur de la mer et des pêcheurs.

> Erzulie : Déesse de l'amour.

Déesse Erzulie.

LES LANGUES

Il y a deux langues officielles en Haïti : le français et le créole. Près de 90 % de la population ne parle que le créole, qui est la langue de tous les jours, sans égard à la classe sociale. Le français est la langue de l'éducation, des journaux, de la justice et des documents officiels. En 1979, une législation a permis d'enseigner le créole à l'école et les Constitutions de 1983 et de 1987 ont garanti au créole un statut de langue officielle.

Il y a plusieurs langues créoles utilisées dans le monde. Le créole haïtien est un mélange de vocabulaire français et de grammaire d'origine africaine parlé par les marins et les pirates portugais et français des XVe et XVIe siècles. Le créole haïtien a 10 voyelles, 3 semi-voyelles et 17 consonnes.

Le système de noms haïtien

Très souvent les noms de famille haïtiens sont des prénoms : on dira monsieur Pierre, monsieur Paul, monsieur Louis. Cela s'explique par le fait que, pendant la période de l'esclavage, on donnait le prénom du maître comme nom à l'esclave. Les prénoms, eux, sont souvent d'origine chrétienne ou font référence à un événement survenu lors de la naissance de l'enfant ; par exemple, on donnera un prénom comme Dieudonné ou Dieuquifait, pour remercier Dieu d'avoir eu cet enfant.

L'ARRIVÉE ET L'INSTALLATION DES HAÏTIENS AU QUÉBEC

On peut distinguer cinq périodes d'immigration des Haïtiens au Québec.

Avant 1967, on compte quelques centaines d'étudiants haïtiens venus étudier dans les universités québécoises. Certains s'installent au Québec après leurs études.

Entre 1968 et 1975 immigrent des Haïtiens issus de la petite bourgeoisie professionnelle qui fuient le régime de Duvalier. Ils sont jeunes, scolarisés et ils parlent le français ; ce sont des médecins, des infirmières, des professeurs et des ingénieurs. Environ 10 000 Haïtiens viennent au Québec durant cette période.

De 1976 à 1985 arrivent plus de 15 000 Haïtiens un peu moins scolarisés que ceux de la vague précédente. Principalement composée de femmes, cette vague d'immigrants qui parlent surtout le créole fait son entrée sur la base de la réunification familiale. Ces Haïtiens viennent travailler dans le domaine du textile comme main-d'œuvre non spécialisée.

De 1985 à 1996, c'est sur la base du regroupement familial et de l'immigration économique que s'installent plus de 17 000 Haïtiens. Quelques-uns sont admis en tant que réfugiés. Cette période de forte immigration a les caractéristiques de la précédente.

Depuis 1997, on assiste à une diminution importante de l'immigration haïtienne, avec un peu plus de 5000 nouveaux arrivants dans la période comprise entre 1997 et 2002.

LA COMMUNAUTÉ HAÏTIENNE AUJOURD'HUI

La communauté haïtienne du Québec compte plus de 90 000 personnes (Courville, 2000 ; gouvernement du Québec, 2003). Une grande proportion d'Haïtiens parlent le français (64 %) et l'anglais (32 %), surtout parmi les plus scolarisés ; beaucoup d'entre eux parlent le créole (55 %). Les principales religions pratiquées par les Haïtiens du Québec sont le catholicisme (65 %) et le protestantisme (30 %). Le niveau de scolarité des Haïtiens varie selon leur période d'arrivée. De façon générale, ils sont soit peu scolarisés (20 % n'ont qu'un diplôme de niveau primaire), soit très scolarisés (45 % ont un diplôme post-secondaire). Cela explique que plusieurs Haïtiens travaillent dans l'industrie manufacturière, tandis que d'autres occupent des postes dans les domaines de la santé et de l'éducation.

Les Haïtiens sont surtout établis à Montréal et vivent principalement dans l'arrondissement Villeray/Saint-Michel/Parc-Extension, mais aussi à Rivière-des-Prairies et à Pointe-aux-Trembles (Ville de Montréal, 2004).

MIEUX CONNAÎTRE LA COMMUNAUTÉ HAÏTIENNE

Quelques mots en créole

Bonjour monsieur, madame	Comment allez-vous ?	Comment vous appelez-vous ?
Bonjou mesye, madam	*Kouman* ou *Ye ?*	*Kijan* ou *Rele ?*

Je m'appelle Joseph	Très bien, mon ami	Au revoir
Mwen rele Jozèf	*Trè byen monnami*	*Orevwa*

S'il te plaît	Excuse-moi	Merci	Oui	Non
Sople	*Eskize*	*Mèsi*	*Wi*	*Non*

Quelques adresses

> **Maison d'Haïti :** 8833, boulevard Saint-Michel, 2e étage, Montréal.

> **Bureau de la communauté chrétienne des Haïtiens de Montréal :** 6970, rue Marquette, Montréal.

> **Mission catholique Notre-Dame-d'Haïti de Montréal :** 6396, rue Saint-Denis, Montréal.

> **Église évangéliste baptiste Ében-Ézer :** 2526, rue Charland, Montréal.

Cuisine

La base de la cuisine haïtienne est le riz, souvent servi avec des fèves. La banane plantain est aussi très populaire ; bouillie ou frite, cette banane se mange comme un légume. Le griot est un plat de porc grillé fort prisé des Haïtiens. Comme alcool, on boit du rhum.

Fêtes de la communauté

> **Fête de l'indépendance en Haïti :** 1er janvier.

> **Découverte d'Haïti :** 5 décembre.

Quelques communautés africaines

Les Africains forment le plus récent groupe au sein de la communauté noire du Québec, leur arrivée remontant surtout à la fin des années 1970. On peut distinguer deux sous-groupes : ceux qui viennent de l'Afrique francophone, de pays comme le Cameroun, la Côte-d'Ivoire, le Rwanda et le Zaïre (actuellement République démocratique du Congo), et ceux qui viennent de l'Afrique anglophone, de pays comme la Somalie, la Tanzanie, le Kenya et l'Ouganda (voir la figure 5.2). On estime qu'environ 15 000 personnes sont originaires de pays africains autres que les pays du Maghreb.

REPÈRES HISTORIQUES

Au début des années 1970, quelques centaines d'étudiants africains viennent poursuivre des études dans les universités du Québec. Par la suite, des troubles politiques, des guerres civiles, des massacres amènent notamment des Ougandais, des Zaïrois et des Somaliens à immigrer au Canada et au Québec.

Les Ougandais   De jeunes Ougandais, boursiers pour la plupart, viennent au Québec dans les années 1960, mais c'est à partir de 1972, à la suite d'une ordonnance d'expulsion du dictateur Idi Amin Dada qui veut africaniser le pays, que des Ougandais d'origine asiatique arrivent au Canada comme réfugiés.

Les Zaïrois   Après plusieurs années de colonisation par la Belgique, le Congo belge accède à l'indépendance en juin 1960. Celle-ci sera suivie de troubles politiques et d'événements sanglants. Par exemple, après l'assassinat du président Patrice Lumumba, le général Mobutu prend le pouvoir en 1965. Il change le nom du pays en Zaïre et instaure un régime de terreur politique fait de nationalisme africain. En 1997, Laurent-Désiré Kabila dirige le pays et en change à son tour le nom pour République démocratique du Congo. Il sera assassiné en 2001. Tous ces événements pousseront de jeunes Zaïrois à venir s'établir au Québec à partir de 1971.

Les Somaliens   Entre 1969 et 1991, un régime politique corrompu et répressif et des guerres entre les Soviétiques, les Cubains et les Somaliens créent près d'un million de réfugiés en Somalie. Le Canada accueillera à partir de 1989 quelques milliers de Somaliens.

LES LANGUES

Plusieurs langues sont parlées en Afrique noire. Le français au Rwanda, l'anglais en Ouganda, au Kenya et en Tanzanie, l'arabe en Érythrée, le portugais au Guinée-Bissau et au Cap-Vert, le tamachaq (touareg) au Mali, le lingala au Congo, le peul au Sénégal, le bassa au Libéria, etc.

La langue la plus parlée dans cette partie du continent est le swahili. Elle est utilisée comme langue maternelle ou langue seconde par 40 à 50 millions de personnes dans des pays comme le Kenya, la Tanzanie, l'Ouganda, le Rwanda, le Burundi, le Malawi, la Zambie et le Mozambique. C'est un mélange de langue bantoue et de vocabulaire arabe.

LES PRINCIPALES RELIGIONS AFRICAINES

On retrouve plusieurs religions en Afrique, dont l'islam, le catholicisme, le protestantisme, l'orthodoxie, le judaïsme. Certains Africains pratiquent aussi des religions indigènes basées sur l'animisme.

MAKA KOTTO

Maka Kotto est un comédien d'origine camerounaise qui est arrivé au Québec en 1990. Le 28 juin 2004, il a été élu député du Bloc québécois dans Saint-Lambert, sur la rive sud de Montréal.

MIEUX CONNAÎTRE LES COMMUNAUTÉS AFRICAINES

Quelques mots en swahili

Bonjour	Comment allez-vous ?	Ça va bien	Au revoir
Yambu ou *Yambo* (se prononce « jambo »)	*Habali gani ?*	*Muzuri saama*	*Kwaheri*
Bienvenue	Merci beaucoup	Oui	Non
Karibu	*Aksamti saama*	*Ndiyo*	*Hapana*

Quelques adresses

> **Communauté noire africaine de Montréal :** 1477, rue MacDonald, Montréal.

> **Centre Afrika :** 1644, rue Saint-Hubert, Montréal.

L'animisme

En Afrique, hormis les religions traditionnelles, plusieurs sociétés pratiquent l'animisme (voir la carte 2 de l'encart couleur). Cette croyance, qui repose sur l'existence d'esprits et d'êtres spirituels, attribue une âme aux personnes, mais également aux objets, aux animaux et aux plantes. La croyance aussi en la post-existence de l'âme a donné lieu au culte des morts et des ancêtres. L'animisme apporte des explications sur la fécondité, la santé, les cultures, les pluies, etc.

La communauté rwandaise

Le Rwanda (voir la figure 5.2) compte environ 8 millions d'habitants sur un territoire de 26 000 km². Le kinyarwanda, parlé par 98 % de la population, est la langue officielle du pays, mais on y parle aussi le français, le swahili et l'anglais. Les principales villes sont Kigali (la capitale), Butare et Rubengeri. Les religions les plus pratiquées sont le catholicisme, le protestantisme, l'islam et l'animisme. Les Hutus (environ 90 % de la population), les Tutsis (9 %) et les Twas (1 %) forment les principales ethnies.

MICHEL MPAMBARA

Né au Rwanda, il est arrivé au Québec à l'âge de 17 ans. Sa carrière d'humoriste est maintenant bien lancée au Québec.

REPÈRES HISTORIQUES

D'abord colonie allemande (1891), le Rwanda est sous tutelle belge de 1924 à 1962, année de l'indépendance de la République du Rwanda. Cette « révolution sociale » débute en 1959 par une révolte sanglante des Hutus, qui entraîne le massacre de 20 000 Tutsis et l'exode de milliers d'autres vers le Burundi et l'Ouganda. On instaure alors un régime ethniste hutu à Kigali.

En 1990, le Front patriotique rwandais (FPR) à majorité tutsie lance une offensive contre le régime du général Juvénal Habyarimana (hutu), qui est au pouvoir depuis 1973. La Belgique, le Zaïre et la France interviennent et, en 1993, un accord est signé à Arusha (Tanzanie). Cet accord prévoit un partage du pouvoir avec le

LÉO KALINDA

Né au Rwanda en 1949, il y a travaillé comme reporter jusqu'à ce qu'il soit expulsé en 1973. Il immigre alors au Québec et travaille depuis comme journaliste à Radio-Canada. Son travail journalistique pendant le génocide rwandais l'a fait connaître.

Des réfugiés rwandais.

FPR, mais le président rwandais et ses alliés ne le reconnaissent pas. L'ONU envoie une force internationale de paix. En 1994, le président Habyarimana est assassiné. Cet événement enclenche un génocide contre les Tutsis et les Hutus modérés. Ce génocide fait plus d'un million de morts, en majorité des Tutsis, et plus de deux millions de réfugiés.

Chronique d'un génocide

> **Août 1993 :** Début des émissions de la Radio-Télévision libre des Mille Collines incitant au massacre.

> **6 avril 1994 :** Attentat meurtrier contre l'avion ramenant les présidents du Rwanda et du Burundi, Juvénal Habyarimana et Cyprien Ntaryamira.

> **7 avril 1994 :** Les massacres commencent à Kigali et, en quelques semaines, un million de Tutsis et de Hutus modérés sont massacrés et deux millions s'enfuient vers les pays limitrophes.

> **8 novembre 1994 :** Le Conseil de sécurité des Nations Unies crée le Tribunal pénal international pour le Rwanda dont le mandat est de juger les responsables des actes de génocide et d'autres violations du droit international. Ce tribunal siège à Arusha, en Tanzanie.

> **Été 1999 :** Un accord est signé à Lusaka entre les États impliqués au Rwanda et une partie des groupes armés, mais les combats reprennent de manière sporadique.

RWANDA

MIEUX CONNAÎTRE LA COMMUNAUTÉ RWANDAISE

Quelques mots en kinyarwanda

À quelqu'un que l'on vouvoie :	Bonjour	Bonsoir
	Mwaramutsé	*Mwiriwé*
À des gens plus intimes :	Bonjour	Bonsoir
	Waramutsé	*Wiriwé*

Cuisine

Parmi les spécialités rwandaises, on trouve l'isombé, une purée de manioc mélangée avec du poisson et de la viande, servie lors des fêtes et des mariages. Il y a aussi du vin de banane, les bananes plantains et la bière de sorgho (céréale).

Fête de la communauté

> **Fête nationale du Rwanda :** 1er juillet.

Les ethnies tutsie et hutue

Les Hutus, un peuple issu de l'ethnie bantoue et venant du centre et du sud de l'Afrique, sont surtout des agriculteurs. Les Tutsis, eux, viennent du nord-est de l'Afrique. En 1885, à la conférence de Berlin, l'Allemagne reçoit le Rwanda et le Burundi, qui seront placés sous tutelle belge en 1916. Les Belges donnent un peu arbitrairement aux Tutsis une éducation occidentale et les forment à l'administration coloniale. Cette protection belge intensifie l'animosité entre les deux peuples.

Le système de noms rwandais

Au Rwanda, le prénom et le nom de l'enfant sont choisis pour illustrer les hauts faits d'un grand-père chasseur, d'un oncle ou d'un ami de la famille qui s'est illustré par son courage et son honnêteté. On ajoute souvent Ymana, qui signifie « Dieu », au nom de famille. Il arrive très souvent qu'on donne des noms de famille différents à ses enfants. Ainsi, une femme peut se nommer Fetnat Nyrabizeyimana et ses frères, Jean-Marie Mulenzi et Jean-Pierre Nkongoli.

L'ARRIVÉE ET L'INSTALLATION DES RWANDAIS AU QUÉBEC

Avant 1991, il n'y a que quelques centaines de Rwandais qui étudient dans les universités québécoises. De 1995 (après le génocide de 1994) à 1999, environ 700 Rwandais s'installent au Québec, surtout comme réfugiés. Ces immigrants sont très jeunes et très scolarisés : près de la moitié ont entre 25 et 44 ans et plus de la moitié ont l'équivalent d'un diplôme universitaire. Ils habitent principalement la ville de Montréal, dans les arrondissements Côte-des-Neiges/Notre-Dame-de-Grâce, Saint-Laurent et Ahuntsic/Cartierville.

MIEUX CONNAÎTRE LA COMMUNAUTÉ NOIRE

Quelques événements culturels

> **Journées du cinéma créole et africain :** Le festival Vues d'Afrique présente pendant plusieurs jours des films venant de plusieurs pays africains et d'Haïti.

> **Tam-tams du mont Royal :** Grande fête de percussions ouverte à tous, qui a lieu sur le flanc du mont Royal, tous les dimanches de l'été.

> **Mois de l'histoire des Noirs :** Le mois de février rend hommage à l'apport culturel, social, économique et politique des Noirs dans l'histoire et dans le monde. Cet événement, instauré en 1925 par l'historien américain Carter Woodson, s'est répandu dans toute l'Amérique du Nord. En 1991, la Ville de Montréal a intégré dans son calendrier officiel des manifestations soulignant les réalisations des communautés noires au Québec.

> **Carifiesta :** Se déroule pendant l'été. C'est la fête des Caraïbes. Un grand défilé haut en couleur clôture cette fête.

Quelques adresses

> **Ligue des Noirs du Québec :** 5201, boulevard Décarie, Montréal.

> **Black Studies Centre :** 1968, boulevard de Maisonneuve Ouest, Montréal.

> **CIDIHCA (Centre international de documentation et d'information haïtiennes, caraïbéennes et afro-canadiennes) :** 67, rue Sainte-Catherine Ouest, 2e étage, Montréal.

Témoignage d'Emmanuel

Je suis né en 1959 au Rwanda, et je suis tutsi. Au début des années 60, mes parents ont été forcés de s'exiler au Burundi, à cause des troubles politiques au Rwanda. Toute la famille s'est retrouvée dans un camp de réfugiés géré par le Haut Commissariat pour les Réfugiés (HCR). J'avais alors un an. Le HCR a installé une école primaire dans le camp. Ma mère ne savait ni lire ni écrire, mais elle voulait que je le sache pour « pouvoir lire les pancartes ». Si elle me voyait maintenant boulevard Taschereau, avec toutes ces pancartes… elle serait bien fière. À l'école, on apprenait tout par cœur et on avait un seul cahier.

À partir du secondaire, j'ai eu des parrains belges qui envoyaient de l'argent pour que je puisse continuer d'étudier et j'ai eu une bourse du Haut Commissariat pour les Réfugiés. À l'université, les Burundais avaient droit à une bourse d'études, les Rwandais non. J'ai étudié en pédagogie à l'université de Bujumbura. Je travaillais en même temps que j'étudiais : j'ai vendu des boucles d'oreilles, j'ai fait du travail de rembourrage, j'ai travaillé dans une usine de souliers. J'étais président de l'Association des étudiants rwandais du Burundi. En 1987, j'ai obtenu mon diplôme en psychopédagogie et j'ai ouvert une école avec des amis ; je suis devenu directeur de l'école. Mais je n'étais pas chez moi au Burundi. À cette même époque, le Burundi a demandé que certains Rwandais dérangeants soient expulsés. Je faisais partie de ceux-là. On nous a mis en prison et on nous a offert quatre possibilités : l'Australie, le Canada, les États-Unis ou la Suède.

Moi, j'avais des amis du CECI (Centre d'études et de coopération internationale) au Québec qui m'ont conseillé de venir ici. Le 10 mai 1991, j'ai reçu mon visa canadien ainsi que celui de ma conjointe et de mes deux enfants. Je suis arrivé à l'aéroport de Mirabel le 29 mai 1991 avec mes enfants de quatre ans et demi et de 18 mois. Ma compagne avait accouché de notre troisième enfant la veille de notre départ et elle n'est venue me rejoindre que trois mois plus tard.

Ces mois ont été très pénibles pour moi. Il y avait le choc du nouveau pays, mais aussi le fait que j'avais à m'occuper seul de deux enfants en bas âge. La préparation des repas, l'odeur dans les restaurants, la grande ville, le métro… Chez nous, ce qui est sous la terre, c'est la mort. Donc prendre le métro, c'était pour moi semblable à la mort. De plus, quand je suis arrivé, ma voisine de palier m'a dit de faire attention aux enfants dans le métro, car ils pourraient se faire électrocuter. Ça m'a pris des mois avant de prendre le métro ; je marchais avec deux enfants sous le bras, je prenais l'autobus, même si c'était plus long. Je m'ennuyais, je téléphonais à ma femme, à mes amis et à mes parents restés là-bas. Un jour, j'ai parlé avec 27 personnes en Afrique. Vous vous imaginez le compte de téléphone !

(Propos recueillis par l'auteure.)

CHAPITRE 6

Les communautés arabophones

Ce qu'on appelle le monde arabe s'étend du golfe Persique à l'est jusqu'à l'océan Atlantique à l'ouest, en passant par l'Afrique du Nord. C'est plus de 12 millions de kilomètres carrés que se partagent les 22 pays de la Ligue arabe[1] (voir la figure 6.1). Les États arabes sont divisés en deux grands groupes : le Maghreb et le Machrek. Le Maghreb est composé du Maroc, de la Mauritanie, de l'Algérie, de la Libye et de la Tunisie. Le Machrek comprend l'Arabie saoudite, le Bahreïn, Djibouti, l'Égypte, les Émirats arabes unis, les îles Comores, l'Irak, la Jordanie, le Koweït, le Liban, Oman, la Palestine, le Qatar, la Somalie, le Soudan, la Syrie et le Yémen.

Dans ce chapitre, nous verrons dans un premier temps ce qui définit le monde arabe, pour ensuite nous attarder plus précisément à la communauté libanaise, puis à la religion islamique.

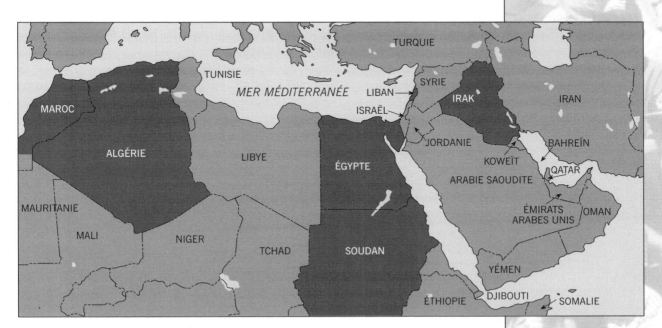

Figure 6.1 Carte du monde arabe.

---

1. La Ligue arabe a été fondée en 1945 et regroupe actuellement 22 États membres. Elle siège au Caire.

Le monde arabe

Le monde arabe n'est pas un tout uniforme. Ce qui le définit est certes la langue parlée qui est majoritairement l'arabe, mais les peuples qui forment cette civilisation ont plusieurs autres points communs, comme la religion musulmane qui est majoritaire, l'histoire, le patrimoine et l'identité arabe. Par contre, les systèmes politiques, les modes de vie, les minorités ethniques varient selon les pays.

REPÈRES CULTURELS ET RELIGIEUX

Les religions

L'islam est la religion de la majorité dans le monde arabe. En effet, près de 90 % des 300 millions de personnes habitant des pays arabes sont des musulmans. Ainsi, les Arabes ne sont pas tous musulmans, mais, surtout, les musulmans ne sont pas tous arabes. En effet, il y a un peu plus d'un milliard de musulmans dans le monde, qui sont répartis sur tous les continents (voir la carte 2 de l'encart couleur). D'autres religions, minoritaires, sont pratiquées dans les pays arabes ; par exemple, il y a des juifs au Maroc et en Tunisie, des chrétiens maronites au Liban et des chrétiens coptes en Égypte.

Les minorités ethniques

Il existe quelques minorités ethniques dans le monde arabe. Pensons par exemple aux Kurdes dispersés en Turquie, en Iran, en Irak, en Syrie et au Liban, et aux quelque 25 millions de Berbères présents dans les pays du Maghreb et de l'Afrique subsaharienne ; pas moins de 30 % de la population algérienne et la moitié de la population marocaine sont de souche et de langue berbères.

Les systèmes politiques

Plusieurs systèmes politiques se côtoient dans le monde arabe : des démocraties, des monarchies et des dictatures. Plusieurs pays, dont l'Arabie saoudite, sont des monarchies absolues, d'autres, comme la Jordanie, sont des monarchies à régime politique constitutionnel. Des pays comme l'Égypte composent avec un régime démocratique de type présidentiel, alors que d'autres, comme l'Irak, ont été des républiques dirigées par un régime de nature autoritaire.

Les langues parlées

La langue arabe est l'élément rassembleur du monde arabe. Elle est la langue officielle dans tous les pays arabes, bien que plusieurs d'entre eux aient aussi d'autres langues officielles ou d'autres langues d'usage. Par exemple, en Irak, les langues officielles sont l'arabe, le kurde et le syriaque, mais on y parle aussi le persan, le turkmène et le sabéen. Dans les pays du Maghreb comme le Maroc ou l'Algérie, qui ont été colonisés par la France, on parle le français et aussi le berbère. Au Liban, on parle le français ; en Jordanie, l'anglais.

L'arabe classique est la langue du Coran, dont la rédaction remonte au VIIᵉ siècle après Jésus-Christ. Au cours des siècles, il s'est modifié et l'arabe parlé diffère d'un pays à l'autre.

L'arabe écrit classique ne comporte que des consonnes et s'écrit de droite à gauche. Les mots se déclinent au féminin ou au masculin suivant la personne à qui l'on s'adresse.

SAVIEZ-VOUS QUE...

Les noms *matelas*, *café*, *tasse*, *sofa* et *divan* sont tous d'origine arabe. Il en va de même pour *cotonnade*, *mousseline*, *mohair*, *safran*, *muscade*, *cumin* et *estragon*.

La figure 6.2 présente les 28 caractères qui constituent l'alphabet arabe. À l'écrit, le caractère varie en fonction de sa position dans le mot (initiale, médiane, finale et isolée).

Le système de noms dans les pays musulmans

Un nom musulman peut comprendre plusieurs éléments : le prénom, le nom de paternité précédé de Abû (père de) ou le nom de maternité précédé de Umm (mère de), le nom de filiation introduit par Ibn (fils de) ou Bint (fille de) et le nom du lieu ou du groupe d'origine.

Par exemple, le nom complet de Mahomet est Abû l-Qâsim Muhammad Ibn Abd-Allâh' Abd al-Muttalib al-Hâshimi (Reeber, 1995).

L'héritage du monde arabe

La civilisation arabe s'est constituée depuis des millénaires et elle a eu une grande influence sur la culture d'autres civilisations. La littérature et la poésie constituent l'un des apports culturels du monde arabe. Les contes poétiques et les gestes qui les accompagnent ont marqué l'imaginaire de nombreux peuples. Songeons seulement à l'impact culturel d'une œuvre comme les contes des *Mille et Une Nuits…*

La calligraphie et l'enluminure sont au cœur de l'art arabomusulman. Selon la tradition islamique, l'arabe est la langue du message de Dieu transmis par Mahomet. Son écriture a donc été valorisée et les calligraphes ont eu un statut social très élevé. Afin de ne pas tomber dans l'idolâtrie, le Coran ne représente pas Dieu sous une forme humaine. Il n'y a donc pas de statues, ni d'icônes, ni de peintures représentant Dieu ou ses prophètes. On se sert de la calligraphie et des arabesques pour orner les mosquées du nom de Dieu ou de ses paroles.

Les mathématiques sont aussi importantes dans l'histoire et le patrimoine culturel arabes. En effet, ce sont des Arabes qui ont fait connaître le zéro (0) aux Occidentaux, et l'histoire des mathématiques regorge d'inventions arabes. Par exemple, le mot *algorithme* vient du nom du grand mathématicien arabe Al Khwarizmi qui a inventé l'algèbre.

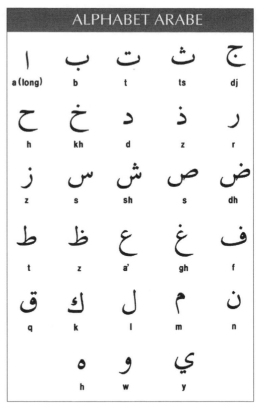

Figure 6.2 Alphabet arabe.

L'ARRIVÉE ET L'INSTALLATION DE QUELQUES COMMUNAUTÉS ARABES AU QUÉBEC

L'immigration arabe au Canada et au Québec date de plus d'un siècle et est très diversifiée tant sur les plans ethnique que religieux ou culturel. On estime la population arabe du Québec à environ 100 000 personnes (gouvernement du Canada, 2003). Les communautés arabes sont arrivées ici à différents moments de l'histoire, venant de divers pays avec des bagages culturels, des religions, des motifs d'immigration variés.

Nous présentons ci-dessous quelques communautés qui se sont installées au Québec et qui font, depuis, partie intégrante du paysage québécois.

Les Syro-Libanais

Les premières vagues d'immigration provenant de pays arabes ont eu lieu à la fin du XIXe siècle avec l'arrivée des Syro-Libanais. À cette époque, la Syrie

ÉDOUARD LOCK

Né au Maroc en 1954, dans la ville de Casablanca, il immigre au Québec à l'âge de trois ans. À 21 ans, il crée ses premières œuvres chorégraphiques en danse moderne pour le groupe Nouvelle Aire. En 1980, il fonde sa propre troupe, LaLaLa Human Steps, qui est maintenant reconnue à travers le monde. En 1989, il est directeur artistique et coconcepteur de la tournée mondiale de David Bowie.

**GEORGES FARAH
DIT LAJOIE**

Georges Farah dit Lajoie est le premier policier d'origine arabe à Montréal. Immigrant syrien, il arrive à Montréal vers 1900. Il devient agent au service de police de la ville en 1906. Très rapidement promu détective, il résout de nombreuses affaires criminelles et devient un personnage connu. Plusieurs de ses exploits sont couverts par la presse francophone et anglophone qui le décrit comme l'un des meilleurs policiers de la ville. En 1922, on lui confie un dossier complexe qui lui apporte la notoriété : l'affaire du meurtre de Raoul Delorme (Aboud, 2003).

Révolution tranquille
Période de l'histoire du Québec, de 1960 à 1975, marquée par de grandes réformes dans les domaines de l'éducation, de la santé, de la fonction publique et de la gestion des ressources naturelles.

correspondait aux territoires actuels de la Syrie, du Liban, de la Jordanie, de la Cisjordanie, d'Israël et de la bande de Gaza (voir la figure 6.1). En quête d'une vie meilleure, ces immigrants fuient les conflits religieux et politiques de leur pays. Au début du XXe siècle, le gouvernement leur impose d'avoir en leur possession 50 $ pour pouvoir entrer au pays, puis 200 $ (après 1908). À partir de 1908, ils seront soumis aux mêmes restrictions que les Asiatiques. Les Syriens continuent néanmoins d'entrer au Canada, mais en plus petit nombre. Selon le recensement de 1921, 1500 personnes d'origine syrienne vivent à Montréal. Elles deviennent rapidement propriétaires de commerces, colporteurs, livreurs, manœuvres. Certains Syriens sont des professionnels, des médecins, des avocats. Quelques-uns ouvriront des salles de cinéma, des magasins à rayons (les magasins Rossy).

Entre 1964 et 1975 : les Marocains et les Égyptiens

Même si l'immigration arabe s'est amorcée à la fin du XIXe siècle et au début du XXe siècle, c'est surtout après 1962 que la très grande majorité de la communauté arabe arrive, une fois que la discrimination inscrite dans les lois sur l'immigration est levée.

L'indépendance du Maroc en 1956 et l'arabisation progressive du pays rendent les Juifs marocains de plus en plus inquiets. Plusieurs choisissent de partir vers l'État d'Israël récemment créé, d'autres émigrent en France et quelques-uns au Canada.

Entre 1964 et 1975, on assiste à une vague d'immigration arabe composée de gens très scolarisés, de médecins, d'ingénieurs, d'enseignants, de comptables qui viennent répondre aux besoins en main-d'œuvre que la **Révolution tranquille** a créés au Québec. Ces immigrants, pour la plupart d'origine urbaine, proviennent principalement du Maroc et de l'Égypte et connaissent bien la langue française.

Quant à l'immigration égyptienne, elle commence en 1956 lorsque la nationalisation du canal de Suez par l'Égypte provoque une deuxième guerre israélo-arabe. Elle connaît cependant une plus grande effervescence après la guerre des Six jours en 1967. De nombreux Égyptiens chrétiens fuient le pays et s'installent au Canada et au Québec au cours des années 1970. Depuis, le Québec en a reçu très peu. On estime qu'il y a environ 15 000 Égyptiens au Québec (gouvernement du Québec, 2004).

Depuis 1975 : plusieurs communautés

Une nouvelle vague d'immigration libanaise a lieu après 1975, constituée surtout de personnes fuyant la guerre civile qui déchire leur pays. Dans la prochaine section de ce chapitre, nous donnerons plus d'information sur cette communauté, qui est la plus importante en nombre.

Après 1990, quelques Soudanais, Irakiens et Somaliens se réfugient au Canada et au Québec à cause de situations politiques difficiles, de la montée de la violence et des intégrismes, de la détérioration des droits politiques et sociaux dans leur pays.

Depuis les dernières années (1990 à 2000), de plus en plus d'immigrants viennent du monde arabe, surtout du Maroc et de l'Algérie.

On estime à environ 35 000 personnes (Courville, 2000 ; gouvernement du Québec, 2003) les membres de la

SAVIEZ-VOUS QUE...

À la fin du XIXe siècle, des colporteurs syro-libanais se promènent de village en village et vendent toutes sortes de menus articles comme des boutons, de la dentelle, des crayons, des objets religieux. Plusieurs s'installeront dans des villes comme Mont-Joli, Trois-Rivières, La Pocatière, Rouyn ou Joliette (Aboud, 2003).

MIEUX CONNAÎTRE LES COMMUNAUTÉS ARABES

Quelques mots en arabe

Voici quelques mots d'usage courant en arabe :

Bonjour	Bonsoir	Comment ça va ?	Merci
سلام !			٤ ـ شكراً !
Sabaah al-khéir	*Masaa al-khéir*	*Kayfal-ahwâl?*	*Chukraan*

S'il te plaît	Oui	Non
Min fadlik	*Nàam laywa*	*Pâ*

Les musulmans se saluent de cette façon :

As-salâm'alaykum (Que la paix soit sur vous !)

À quoi l'on répond :

Wa'alaykum as-salâm (Et sur vous, soit la paix !)

Quelques adresses

> **Centre maghrébin de recherches et d'information :** 5757, rue Decelles, bureau 303, Montréal.

> **Librairie du Moyen-Orient :** 877, boulevard Décarie, Montréal.

> **Centre culturel algérien :** 3702, rue Jean-Talon Est, bureau 101, Montréal.

> **Regroupement des Marocains au Canada :** 12 253, boulevard Laurentien, Montréal.

Fêtes des communautés

> **3 mars :** Fête nationale du Maroc.

> **5 juin :** Fête de l'indépendance de l'Algérie.

> **23 juillet :** Fête nationale de l'Égypte.

> **1er novembre :** Fête nationale de l'Algérie.

> **18 novembre :** Fête de l'indépendance du Maroc.

> **Festival du monde arabe :** À Montréal, journées culturelles, de cinéma, d'arts visuels et de musique visant la reconnaissance des multiples apports culturels et artistiques des immigrants des pays arabes.

---

communauté marocaine du Québec. Comme nous l'avons vu, l'immigration marocaine commence à la fin des années 1960 avec l'arrivée des Juifs séfarades. Elle prend un peu plus d'ampleur durant les années 1980, mais c'est après 1996 que s'installe plus de la moitié de la communauté marocaine du Québec. Ceux et celles qui se sont établis au Québec au cours de ces années parlent l'arabe, le français et souvent l'anglais, et sont majoritairement de religion musulmane. Ils vivent surtout dans la région de Montréal, dans les arrondissements Côte-des-Neiges/Notre-Dame-de-Grâce et Ahuntsic/Cartierville.

On estime à environ 30 000 les membres de la communauté algérienne du Québec (gouvernement du Québec, 2003). Les deux tiers de ces immigrants sont arrivés après 1996, fuyant le terrorisme et les massacres en Algérie. Plusieurs ont été admis comme réfugiés, mais la majorité l'ont été sur la base de l'immigration économique. Ce sont pour la plupart des gens scolarisés et des travailleurs qualifiés installés dans la région de Montréal, principalement dans les arrondissements Villeray/Saint-Michel/Parc-Extension, Saint-Léonard, Côte-des-Neiges/Notre-Dame-de-Grâce et Saint-Laurent (Fines, 2002).

WAJDI MOUAWAD

Né au Liban, il s'installe au Québec en 1977. Comédien, dramaturge et metteur en scène, il est maintenant directeur du Théâtre de Quat'Sous, à Montréal. Il a écrit et mis en scène des pièces de théâtre prestigieuses, comme *Cabaret Neiges Noires* et *Don Quichotte*. En novembre 2000, il a reçu le prix du gouverneur général pour la pièce *Littoral*.

Questions-réponses sur le monde arabe

1. Quelle est la différence entre un Arabe et un musulman?

Un Arabe est une personne qui habite l'un des 22 États arabes, qui parle l'arabe et se définit comme un Arabe. Un musulman est une personne qui pratique la religion islamique. Il y a environ 1,2 milliard de musulmans à travers le monde, dont un peu plus de 20% sont issus des pays arabes.

On confond l'Arabe avec le musulman parce que Mahomet, le fondateur de l'islam, était arabe et que le Coran est écrit et doit être lu en arabe par tous les musulmans. Ainsi, un musulman pakistanais dont la langue est l'ourdou et un musulman français dont la langue est le français réciteront le Coran en arabe.

2. Est-il vrai que toutes les femmes musulmanes sont voilées?

Il faut d'abord faire la différence entre le hidjab, un foulard qui recouvre les cheveux, et le tchador, un vêtement qui recouvre tout le corps. Il y a aussi la burka, sorte de manteau qui recouvre entièrement le corps des femmes et qui cache le regard derrière une grille d'étoffe.

Différents types de voile islamique.

Le Coran atteste l'égalité de tous devant Dieu. La seule restriction pour les femmes concerne la pureté rituelle: les menstruations empêchent temporairement les femmes de faire leurs pratiques religieuses. Le Coran n'édicte pas l'obligation, pour les femmes, de porter le voile. Il recommande aux hommes et aux femmes la modestie vestimentaire et la pudeur. C'est sur cette base que les fondamentalistes musulmans concluent que le voile est obligatoire pour les femmes et la barbe pour les hommes (se raser est associé à la coquetterie). Des passages des Hadiths recommandent aux femmes de se couvrir la tête ou les bras dans certaines circonstances (Amiri-Afrit, 1999).

Ô Prophète! Dis à tes épouses, à tes filles et aux femmes des croyants de serrer sur elles leurs voiles. Cela sera le meilleur moyen de se faire connaître et de ne pas être offensées.

(Coran, sourate 33, verset 59.)

La communauté libanaise

Le Liban fait partie d'une région appelée le Croissant fertile et est au carrefour de l'Orient et de l'Occident (voir la figure 6.1). C'est un petit pays par sa taille (10 400 km²) et par sa population (trois millions d'habitants).

Jadis surnommé la « perle de l'Orient » ou la « Suisse du Moyen-Orient », le Liban émerge d'une guerre qui a duré plus de 15 ans (1975-1991). La très grande majorité de sa population (88 %) vit dans les villes et principalement à Beyrouth, la capitale. Celle-ci compte un million d'habitants. Elle est aujourd'hui un chantier à ciel ouvert : un plan de grande envergure, Horizon 2000, a été mis en place afin de reconstruire la ville, et cette reconstruction devrait s'échelonner jusqu'en 2007 (Civard-Racinais, 1997). D'autres villes sont aussi importantes : Tripoli, Byblos et Tyr.

L'arabe est la langue officielle du Liban, mais on y parle aussi le français. Le régime politique libanais est une démocratie parlementaire.

REPÈRES HISTORIQUES

Le Liban passe sous mandat français en 1920 et est proclamé république en 1926. Ce n'est toutefois qu'en 1941 qu'il acquiert véritablement son indépendance. La France a laissé son empreinte au Liban par la langue, les infrastructures et le système d'enseignement (Civard-Racinais, 1997).

Au début de l'année 1975, les raids israéliens s'intensifient contre le Liban et, le 13 avril, quatre chrétiens sont mitraillés devant une église dans la banlieue de Beyrouth. En représailles, des tirs sont déclenchés contre un bus palestinien. Cet incident est considéré comme le début de la guerre civile au Liban. À partir de ce moment, le Liban devient la cible de sanglants combats et d'assassinats, et on assiste à l'entrée dans le pays de troupes syriennes et de l'armée israélienne. Le siège de Beyrouth par l'armée israélienne commence le 12 juin 1982 et se termine trois mois plus tard, le 17 septembre. De violents combats se déroulent jusqu'en 1991. La guerre prend fin officiellement le 22 mai 1991 par un traité signé à Damas (Syrie). Ce traité consacre juridiquement l'hégémonie de la Syrie sur le Liban (Civard-Racinais, 1997).

La pluriethnicité du Liban

Le Liban est composé de plusieurs communautés ethniques dont les Libanais, les Palestiniens, les Arméniens, les Syriens et les Kurdes. La Constitution du Liban reconnaît 17 communautés religieuses, dont des communautés chrétiennes (maronite, grecque catholique, arménienne catholique, syrienne catholique, chaldéennes catholique et latine), des communautés musulmanes (sunnite, chiite, druze, alaouite, ismaëlienne) et la communauté juive.

Depuis 1943, le Liban répartit sur une base confessionnelle les charges de l'État à l'Assemblée nationale. Selon ce pacte, le président de la République est un chrétien maronite, le président du Conseil un musulman sunnite et le président de l'Assemblée nationale un musulman chiite.

L'ARRIVÉE ET L'INSTALLATION DES LIBANAIS AU QUÉBEC

Comme nous l'avons vu, la première vague d'immigration libanaise a lieu à la fin du XIXe siècle et au début du XXe siècle et elle est constituée majoritairement de Syro-Libanais qui fuient les Turcs de l'Empire ottoman. Ces gens, souvent d'origine paysanne, se font colporteurs à Montréal et partout dans le Québec. Chrétiens pour la plupart, ils se partagent à peu près également entre catholiques et orthodoxes. Deux églises orthodoxes de Montréal sont d'ailleurs liées à cette première vague d'immigration : l'église d'Antioche Saint-Nicolas, rue de Castelneau, et l'église Saint-Georges, rue Jean-Talon Est.

Mais c'est surtout à partir de 1975, et particulièrement après 1986, que l'immigration libanaise s'intensifie. Des milliers de Libanais viennent s'installer au Québec pour fuir la guerre civile et l'effondrement économique qui suivra.

Depuis 1991, le Liban fait partie des dix premiers pays de provenance des nouveaux arrivants. En 2003, même si leur immigration est moindre qu'au cours des années 1990, les Libanais constituent encore 4,5 % de toute l'immigration admise au Québec.

LA COMMUNAUTÉ LIBANAISE AUJOURD'HUI

On compte environ 60 000 Libanais au Québec (Courville, 2000 ; gouvernement du Québec, 2003) ; 90 % d'entre eux vivent à Montréal et près de 6 % dans la région de Hull. Dans la région de Montréal, les Libanais habitent principalement la ville de Montréal, dans les arrondissements Ahuntsic/Cartierville, Côte-des-Neiges/Notre-Dame-de-Grâce, Saint-Laurent et Saint-Léonard. Plusieurs habitent Laval (gouvernement du Québec, 1995).

L'arabe est la langue maternelle des immigrants libanais et, pour la majorité d'entre eux, elle est aussi la langue d'usage à la maison. Toutefois, le quart des Libanais qui ont immigré au Québec connaissent aussi le français, et la majorité d'entre eux connaissent le français et l'anglais.

Ce sont des gens très scolarisés qui sont entrés au Canada comme réfugiés mais aussi comme entrepreneurs ou investisseurs. On estime que près de la moitié des Libanais de plus de 15 ans au Québec détiennent un diplôme universitaire. Au Québec, 24 % des Libanais travaillent dans le secteur du commerce de détail ; 19 % sont employés de bureau et 19 % occupent des emplois de direction, de gérance et d'administration (gouvernement du Québec, 1995). Plusieurs immigrants libanais continuent de faire des affaires au Liban et font la navette entre le Québec et leur pays d'origine.

Le profil socioéconomique de cette communauté est très divers : aux premiers commerçants du début du XXe siècle succèdent des entrepreneurs qui investissent dans des domaines comme la restauration ou la lunetterie. Les professionnels qui arrivent durant la Révolution tranquille s'intègrent rapidement dans les secteurs de la santé, de l'enseignement et de la fonction publique. Les immigrants arrivés plus récemment vivent des problèmes d'intégration économique plus importants. Ils subissent souvent une déqualification de leurs diplômes, arrivent dans un contexte économique plus précaire (Kattan, 1998).

Le Liban étant une mosaïque de communautés religieuses, les Libanais d'ici reflètent cette diversité. Une très grande majorité de Libanais du Québec sont des chrétiens (42 % de catholiques, 26 % d'orthodoxes et 8 % de protestants) et des musulmans (21 %).

Témoignage de Khalil

Je suis arrivé au Québec le 10 août 1992, avec mes deux frères et mes parents. J'avais 17 ans. Je ne sais pas précisément pourquoi on a émigré, mais je crois que c'est pour l'éducation. Ce n'est pas que l'éducation au Liban n'est pas bonne, mais ici, elle est plus reconnue et permet de travailler partout dans le monde. Nous autres, les Libanais, on est un peuple migrateur. J'ai des parents un peu partout, aux États-Unis, en Italie, en France. Il me reste encore de la famille au Liban, dont mon grand-père paternel, des cousins de mon père et des sœurs de ma mère.

Un ami de mon père, qui était venu au Québec, lui avait suggéré de s'établir ici. Mon père a fait une demande et il a été accepté. Mon frère plus âgé avait déjà fini son bac [équivalent du diplôme collégial], il pouvait donc entrer à l'université ; pour le petit, ce n'était rien de venir ici. Moi, j'ai perdu mes amis ; pendant près de deux mois, le téléphone n'a pas sonné ; je n'avais rien à faire.

Mon père est un homme d'affaires. Au Liban, il était ingénieur physique et il enseignait. Il a ensuite acheté une usine qui fabrique des moteurs et une pharmacie. Ici, il a acheté deux dépanneurs. Ma mère, elle, était enseignante au Liban. À son arrivée ici, elle a étudié en économie, à l'université.

Mon père fait à peu près quatre voyages par année au Liban ; il continue à gérer ses affaires là-bas. Ma mère, elle, s'est reconstitué un groupe dans l'immeuble où l'on vit. Au Liban, chaque matin, toutes les femmes de l'immeuble se rencontrent et boivent un café. Ici, c'est la même chose : avant de partir travailler, elles se voient.

J'ai vécu toute la guerre dans mon pays. Ça a commencé en 1975, je suis né durant la plus grosse bataille que la région a vécue. J'aimais ça parce qu'il y avait congé d'école... Il faut dire que je n'étais pas touché personnellement par la guerre et que personne de la famille n'est mort à cause d'elle. Les Libanais, ils arrivent à passer par-dessus tout ça, ils continuent à vivre : quand la bataille est finie, tout le monde retourne dans les rues, tout le monde se remet à travailler. On ne peut pas retrouver ça dans d'autres pays. Les Libanais sont étranges.

Le grand Beyrouth, c'est grand comme Montréal à peu près. Je me rappelle avoir entendu tirer dans le parking voisin de la maison pendant que je dormais et je disais : « Chut ! chut ! je veux dormir. » Ma mère s'énervait et criait quand elle entendait quelque chose. Je me souviens qu'une fois elle est montée sur une colline ; un sniper aurait pu la tirer, mais il ne l'a pas fait ; c'est un miracle. Quand nous sommes partis, la guerre était finie.

Ma vie ici, je ne voulais pas l'imaginer ; je n'y ai jamais pensé sauf quand je suis arrivé à Mirabel. Je n'avais pas d'images négatives, mais je ne voulais rien savoir. Maintenant, j'ai décidé de rester ici ; mon frère aussi et il cherche un emploi pour acquérir de l'expérience.

Les Libanais sont très disciplinés dans la famille mais très désordonnés dans la société : les lois de la société, non ! Ils sont reconnus pour être anarchiques. Au Liban, si quelqu'un veut entrer sur l'autoroute, c'est moi qui dois céder ; les limites de vitesse, il n'y en a pas. Là-bas, le code vestimentaire est important : les cheveux rouges, on n'a jamais vu ça. Ici, un gars qui a les cheveux jaunes peut être le premier de sa classe mais là-bas, un gars avec ce *look*, c'est certain qu'il est *out* de l'école.

(Propos recueillis par l'auteure et Johanne Gaudet.)

MIEUX CONNAÎTRE LA COMMUNAUTÉ LIBANAISE

Cuisine

Voici quelques aliments libanais typiques :

> **Labneh :** Yaourt salé et égoutté dans une étamine, qui a la consistance du fromage.

> **Pita :** Sorte de galette de blé plate et molle.

> **Falafel :** Petite boulette de pois chiches et de fèves frite.

> **Tabbouleh :** Salade de persil haché et de blé concassé.

> **Hoummos :** Purée à base de pois chiches.

> **Tahini :** Sauce à base de graines de sésame.

Quelques adresses

> **Association canadienne Liban-Syrie du Québec :** 40, rue Jean-Talon Est, Montréal.

> **Cathédrale Saint-Sauveur :** 12 325, place de la Minerve, Montréal.

Fêtes de la communauté

> **22 novembre :** Fête nationale du Liban.

> **9 février :** La Saint-Maron.

L'islam

Le comportement parfait est que tu adores Dieu, comme si tu le voyais, car si tu ne le vois pas, lui te voit. (Hadiths)

L'islam, qui signifie « soumission à Dieu », vient dans l'histoire après le judaïsme et le christianisme. C'est une religion monothéiste. La religion musulmane compte plus de 1,12 milliard de fidèles dans le monde. Contrairement à ce que l'on pense, les musulmans ne sont pas tous arabes ; les musulmans arabes ne constituent en fait qu'un peu plus de 20 % des adeptes de l'islam. En effet, on trouve des musulmans en Asie (803 millions), en Afrique (306 millions), en Europe (31 millions) et en Amérique (5,5 millions).

LA NAISSANCE DE L'ISLAM

C'est en 572 de notre ère que Mahomet (Muhammad ibn Abdullah) naît dans la ville de La Mecque. Le jeune Mahomet réussit dans le commerce. À l'âge de 25 ans, il épouse une riche veuve, Khadîdja. Ses succès en affaires et le matérialisme qui l'entoure le troublent profondément et il prend l'habitude d'aller méditer dans une grotte du mont Hira, près de La Mecque. Au cours d'une de ces retraites, vers 612, il entend une voix, celle de l'archange Gabriel qui lui dit : « Prêche la parole ! Prêche au nom du Créateur qui a fait l'homme d'un caillot de sang. Prêche ! » (Coran 96 : 1-3.) Mahomet, qui ne sait ni lire ni écrire, déchiffre le parchemin que lui tend l'archange Gabriel. Il décide de consacrer sa vie

SAVIEZ-VOUS QUE...

On dénombre 580 000 musulmans au Canada, dont environ 108 000 au Québec (gouvernement du Canada, 2003). Ces musulmans viennent de plus de 70 pays : Liban, Maroc, Égypte, Syrie, Irak, Iran, Turquie, Ouganda, Pakistan...

à répandre la parole d'Allah. Une communauté se forme bientôt et Mahomet et ses compagnons, en raison de leur influence croissante, doivent quitter La Mecque pour rejoindre Médine. Mahomet s'imposera peu à peu comme chef religieux, politique et militaire. Fondé sur la manière de vivre du prophète Mahomet rapportée par la tradition (la sunna), l'islam est religion, foi, morale, style de vie, culture et civilisation. Le prophète meurt en 632.

LES VALEURS FONDAMENTALES

Les valeurs fondamentales de l'islam s'articulent autour de quatre points importants. Tout d'abord, il n'y a qu'un seul Dieu (Allah) et Mahomet est son prophète. Deuxièmement, Dieu existe de toute éternité et il a 99 attributs (miséricordieux, omniprésent,...). Troisièmement, il faut se soumettre à Dieu et lui obéir. Quatrièmement, le Jugement dernier récompensera les bons et punira cruellement les méchants.

La religion musulmane est une religion de paix : elle prêche l'amour, l'entraide et la réconciliation entre tous les êtres humains, et la miséricorde de Dieu.

LES CROYANCES FONDAMENTALES

Il y a six croyances fondamentales dans l'islam : la croyance en un seul Dieu (Allah) ; la croyance en l'existence des anges qui ont pour tâche d'obéir à Dieu ; la croyance en cinq prophètes : Noé, Abraham, Moïse, Jésus et Mahomet, qui est le dernier d'entre eux ; la croyance au caractère sacré des quatre livres révélés : la Torah, les Psaumes, l'Évangile et le Coran ; la croyance en la résurrection de tous les humains devant Dieu à la fin des temps ; et, enfin, la croyance que l'homme sera jugé sur ses actes dont il est le seul responsable.

LES PRINCIPALES BRANCHES

Le monde musulman est divisé en trois branches : le sunnisme, le chiisme et le kharidjisme. Les sunnites sont ceux qui respectent la sunna, c'est-à-dire l'ensemble des paroles et des actes du prophète et de la tradition. Ils sont généralement considérés comme les musulmans orthodoxes et représentent près de 80 % des musulmans dans le monde.

Les chiites ont rompu avec le courant islamique peu après la mort de Mahomet. Ils soutenaient que seul un descendant d'Ali, qui était le gendre de Mahomet, pouvait le remplacer à la tête de l'islam. On trouve des chiites surtout en Iran, en Irak, en Afghanistan, au Yémen du Nord et au Liban.

Les adeptes du kharidjisme ont une interprétation littérale du Coran et ne constituent qu'un pourcentage infime des musulmans. Seul le sultanat d'Oman a comme religion officielle le kharidjisme.

LES TEXTES SACRÉS

Le **Coran** est le livre de référence de la foi musulmane et le guide de prière des musulmans. Il représente la parole de Dieu, transmise par l'archange Gabriel au dernier prophète Mahomet.

Une page du Coran.

La seule version officielle du Coran est écrite en arabe et elle doit être lue en arabe. Elle comporte 114 chapitres (sourates) et 6236 versets.

Les **Hadiths** contiennent les enseignements et le récit des actions de Mahomet. Ils regroupent des faits, des propos et des pratiques religieuses attribués au prophète.

La **Chariah** définit les rapports de l'individu à Dieu et des individus entre eux dans le cadre plus strict de la vie quotidienne. Elle s'inspire de quelque 200 versets du Coran qui contiennent des règles religieuses, mais aussi des Hadiths. C'est dans la Chariah, par exemple, que sont répertoriés les actes obligatoires (l'aumône), blâmables (la consommation d'alcool ou de viande de porc) et interdits (le meurtre).

LES CINQ PILIERS DE LA FOI MUSULMANE

Les croyants musulmans ont cinq grandes obligations à remplir : la profession de foi, la prière, le jeûne, l'aumône et le pèlerinage. On considère qu'elles sont les piliers de l'islam.

La profession de foi

La profession de foi (*chahada*) en un seul Dieu, Allah, et en son prophète, Mahomet, doit être récitée quotidiennement.

La prière

La prière (*salat*) doit être récitée à cinq moments de la journée : à l'aube, à midi, en milieu d'après-midi, au coucher du soleil et le soir. Ces prières sont précédées d'ablutions rituelles de purification, puis récitées en direction de La Mecque. Le musulman pratiquant peut prier seul, mais aussi en groupe à la mosquée, surtout le vendredi, jour du Seigneur. Dans les pays musulmans, le muezzin est chargé de faire l'appel à la prière à partir de la mosquée, à ces différents moments de la journée.

Le tapis de prière   Pour le musulman, la prière peut être prononcée n'importe où, pourvu que le lieu soit propre et calme. Le tapis de prière lui permet de recréer un espace sacré, mais il n'est pas absolument nécessaire. Il doit être orienté vers La Mecque.

Les ablutions   Le musulman ne peut prier que s'il est en état de pureté rituelle. Pour avoir cette pureté, il doit pratiquer des ablutions. Après avoir prononcé la formule *Bismillah* (« au nom de Dieu »), le fidèle se lave trois fois la bouche, le nez, le visage, les mains jusqu'aux coudes. Il fait couler de l'eau sur sa tête, lave ses oreilles et ses pieds.

Les gestes dans la prière   Le fidèle est orienté vers La Mecque. Il lève les mains à hauteur de ses oreilles et dit *Allah Akbar* (« Dieu est le plus grand »). Il récite ensuite le premier chapitre du Coran (la fatiha) qui est composé de sept versets. Puis il s'incline jusqu'à ce que son dos soit à l'horizontale. Il se redresse et se prosterne à nouveau. Cette prosternation se fait plusieurs fois accompagnée de formules célébrant la transcendance de Dieu.

La mosquée (ou *masdjid*)   Seules les personnes en état de pureté rituelle peuvent venir prier à la mosquée. Il faut aussi se déchausser. L'imam est celui qui conduit la prière, surtout celle du vendredi (que l'on nomme *djoumouâ*).

Le jeûne

Le jeûne (*sawn*) est obligatoire pour tout musulman pubère pendant le mois du ramadan (30 jours). De l'aube au coucher du soleil, il est interdit au croyant de manger, de boire, d'avoir des relations sexuelles et de fumer. Seuls les personnes malades, les voyageurs, les femmes enceintes et les enfants peuvent manger. On peut aussi reporter le jeûne à une autre période. Il est recommandé de lire le Coran tous les jours du ramadan. À la fin du ramadan, il y a la fête de la rupture du jeûne, ou Aid El Fitr.

L'aumône

L'aumône (*zakât*) est un impôt religieux payé par les riches pour être réparti entre les pauvres. C'est à la fois un acte de charité et de solidarité envers les plus pauvres. L'aumône purifie le donateur.

Le pèlerinage

Le pèlerinage (*hadj*) à La Mecque est une obligation pour le musulman qui en a la force et les moyens, au moins une fois dans sa vie. Le pèlerin accomplit divers rites : il touche la pierre noire de Kaaba, tourne trois fois autour, boit et médite sur le mont Arafat aux environs de la ville, lapide sept fois une stèle symbolisant le diable. Le pèlerinage est complété par une visite à Médine (450 km au nord) où se trouve le tombeau du prophète.

Pierre de Kaaba (La Mecque).

LES LIEUX SACRÉS

Les musulmans se réunissent pour prier Dieu dans une mosquée (*masdjid* en arabe signifie « lieu de prosternation »). Il n'y a pas de peintures, ni d'icônes, ni de statues dans une mosquée, car l'univers du Coran n'est pas représenté sous une forme terrestre. Les mosquées partagent cependant un certain nombre de caractéristiques : un hall entouré d'une enceinte, où les musulmans pratiquent la prière, une niche intérieure, d'où est prononcé le sermon, et souvent un minaret extérieur. Les trois villes sacrées de l'islam sont La Mecque, Médine et Jérusalem.

La première mosquée canadienne a été érigée en 1938 à Edmonton, suivie par Toronto en 1956 et Montréal en 1965. Voici quelques associations et lieux de culte musulmans à Montréal :

La mosquée Assuna-Annabawiyah, à Montréal.

> Communauté musulmane du Québec : 7445, avenue Chester, Montréal.
> Mosquée Makkah-Al-Muka Ramah : 11 900, boulevard Gouin Ouest, Montréal.
> Centre culturel islamique et mosquée Salahouddine : 6691, avenue du Parc, Montréal.
> Mosquée Assuna-Annabawiyah : 7220, rue Hutchison, Montréal.
> Centre islamique du Québec : 2520, rue Laval, Montréal.
> Centre d'information sur l'islam : 7220, rue Hutchison, Montréal.

LES INTERDITS

Les interdits majeurs de l'islam sont le meurtre, le suicide, le vol, le mensonge, la corruption, la consommation de certains aliments et boissons, l'adultère, la diffamation, l'usure, le faux témoignage, la sorcellerie et l'irrespect des parents.

Les musulmans ne doivent pas boire d'alcool et ne consomment pas de porc, car il est considéré comme un animal impur.

LES FÊTES MUSULMANES

Dans les pays musulmans, on utilise deux calendriers : le calendrier grégorien, dont on se sert pour les activités courantes, et le calendrier musulman, qui est lunaire. L'année musulmane comprend de 354 à 355 jours, répartis en 12 mois de 29 ou 30 jours. Le premier mois est le *muharram* (nouvel an) ; il y a aussi le *safar*, le *ramadan*, le *dhou al-ga'da* (le mois du repos), le *dhou al-hijja* (le mois du pèlerinage). L'ère musulmane a commencé le 24 septembre 622.

Il y a trois fêtes majeures :

❯ Le ramadan : Durant tous les 29 ou 30 jours que dure le ramadan, les musulmans doivent s'abstenir de manger, de boire, de fumer et d'avoir des relations sexuelles entre le lever et le coucher du soleil. Le ramadan se déroule à partir du début du neuvième mois du calendrier lunaire musulman.

❯ Aid El Fitr : Cette fête marque la fin du jeûne du ramadan.

❯ Aid El Adha : C'est la fête du sacrifice, rappelant le bélier que Dieu donna à Abraham pour remplacer son fils sur l'autel du sacrifice. C'est à cette période de l'année que de nombreux musulmans font le pèlerinage vers La Mecque .

D'autres fêtes sont moins importantes :

❯ Muharram : L'année islamique commence le jour de l'hégire (ère des musulmans), qui marque l'exil de Mahomet de La Mecque à Médine en 622.

❯ Al Moulid Annabawi : Cette fête célèbre la naissance du prophète Mahomet.

❯ Laylat Al Qadr : Commération de la première révélation du prophète.

À RETENIR SUR L'ISLAM

❯ **Nombre de fidèles dans le monde :** 1,12 milliard.

❯ **Fondateur :** Mahomet (Muhammad ibn Abdullah).

❯ **Naissance de l'islam :** 600 après Jésus-Christ.

❯ **Divinité :** Un seul Dieu, Allah.

❯ **Textes sacrés :** Le Coran (reconnu par tous les musulmans), les Hadiths et la Chariah.

❯ **Croyances :** Un seul Dieu, les anges, les prophètes, le caractère sacré des livres révélés, la résurrection de tous les humains devant Dieu à la fin des temps et la responsabilité de l'humain à l'égard de tous ses actes.

❯ **Clergé :** L'imam, « celui qui se tient en avant », préside la prière, mais sans occuper de rang hiérarchique.

❯ **Rituels religieux :** Profession de foi, prières, jeûne, aumône, pèlerinage.

❯ **Lieux sacrés :** La mosquée est un lieu sacré et le lieu de pèlerinage le plus important est La Mecque.

Le port du voile islamique dans les écoles

La Commission des droits de la personne du Québec

La Commission des droits de la personne du Québec publie un avis juridique sur le port du foulard islamique dans les écoles du Québec. La conclusion de cet avis est claire : l'interdiction du foulard islamique est une atteinte directe à la liberté religieuse des élèves.

La Commission propose aussi aux écoles québécoises d'offrir du soutien aux jeunes filles éventuellement contraintes par leur entourage de porter le hidjab. Par la voix de son conseiller juridique (et coauteur du document de réflexion incluant l'avis juridique), M. Robert Bosset, la Commission des droits de la personne du Québec invite en somme l'école québécoise à adopter une attitude de respect, de tolérance et de compréhension à l'égard des différentes pratiques religieuses de ses élèves.

Source : Yakabuski, *Le Devoir*, 15 février 1995.

Le Conseil du statut de la femme

Le Conseil du statut de la femme a une position nuancée sur la question délicate du port du foulard islamique dans les écoles du Québec : sans cautionner cette pratique religieuse, le Conseil affirme que l'exclusion de l'école des adolescentes qui portent le foulard islamique les isolerait davantage, les privant d'une éducation susceptible de favoriser leur intégration sociale et leur émancipation personnelle.

Mme Marie Lavigne, présidente du Conseil du statut de la femme, est consciente de la charge symbolique que représente le foulard islamique. Par ailleurs, affirme-t-elle, « on ne peut pas présumer que les femmes voilées sont soumises et contraintes ». Son organisme milite donc en faveur de l'intégration sociale la plus réussie possible pour les jeunes filles de confession islamique.

Source : Yakabuski, *Le Devoir*, 19 mai 1995.

Le débat sur le port du voile et de tout autre signe religieux en France

En France, plusieurs débats ont conduit le gouvernement à adopter un projet de loi encadrant l'application du principe de la laïcité ainsi que le port de signes ou de tenues manifestant une appartenance religieuse dans les écoles, collèges ou lycées publics (adopté le 3 mars 2004 par le Sénat français).

Inscrit à l'article premier de la Constitution française, le principe de la laïcité, qui exprime les valeurs de respect, de dialogue et de tolérance, est au cœur de l'identité républicaine de la France.

Le texte du projet de loi sur la laïcité que le gouvernement français a transmis au Conseil d'État le 5 février 2004 stipule que les signes et tenues qui manifestent ostensiblement l'appartenance religieuse des élèves (on cite ici le voile islamique, la kippa, une croix de dimension excessive) sont interdits dans ces établissements.

CHAPITRE 7

Les communautés asiatiques

Saviez-vous que plus de 40 % de l'immigration canadienne et québécoise provient du continent asiatique? Saviez-vous qu'au Canada le mandarin est la troisième langue la plus parlée? Des événements comme le drame des *boat people* après la chute de Saigon en 1975 et l'exode des Hong-Kongais avec la rétrocession de Hong-Kong à la Chine continentale en 1997 ont marqué l'histoire du xxᵉ siècle. Les Asiatiques du Canada et du Québec viennent de pays de la péninsule indochinoise comme le Viêt-nam, le Cambodge et le Laos, de pays d'Asie du Sud comme l'Inde et le Sri Lanka, et de pays d'Asie orientale comme la Chine et les Philippines (voir la figure 7.1). Ils sont différents par leur langue, leur histoire, leur culture et les motifs de leur immigration.

Nous présentons ici trois communautés asiatiques qui ont marqué l'histoire de l'immigration au Québec : la communauté chinoise, la communauté vietnamienne et la communauté indienne. Nous réserverons une place toute particulière à la vie spirituelle de ces communautés et nous nous attarderons à trois religions : le bouddhisme, l'hindouisme et le sikhisme.

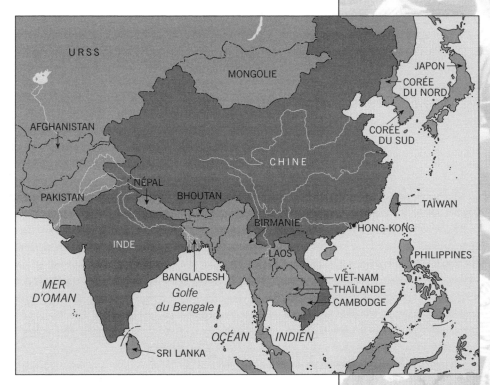

Figure 7.1   Carte de l'Asie.

La communauté chinoise

La République populaire de Chine est le troisième plus grand pays du monde avec une superficie de 9 596 961 km². C'est aussi le pays le plus peuplé de la planète avec 1,2 milliard d'habitants. L'ethnie des Han représente 93 % de la population chinoise, mais la Chine est composée de 55 ethnies minoritaires dont certaines comptent plus d'un million d'individus. Parmi celles-ci, mentionnons les Zhuangs, les Mongols, les Ouigours et les Miaos. Le mandarin est la langue nationale, mais chaque minorité parle sa propre langue ou son propre dialecte comme le cantonais, le min, le yue, le wiang ou le hakka. Cependant, tous ces dialectes partagent le même système d'écriture.

Les principales villes chinoises sont Beijing et Shanghai. Le régime politique de la Chine est une démocratie populaire à parti unique.

REPÈRES HISTORIQUES

Une histoire très ancienne : les dynasties

De grandes dynasties ont gouverné la Chine pendant des millénaires : les dynasties Xia (XXIᵉ-XVIᵉ siècles av. J.-C.), Shang (XVIᵉ-XIIᵉ siècles av. J.-C.), Zhou (1122-221 av. J.-C.), Qin (221-206 av. J.-C.), Han (206 av. J.-C.-220 apr. J.-C.) et, plus près de nous, les dynasties Yuan (1279-1368), Ming (1368-1644) et Qing (1644-1911). L'arrivée des Européens précipita la chute de la dynastie Qing et contribua à façonner la Chine d'aujourd'hui.

L'intrusion des Européens

Plusieurs pays européens (le Portugal, l'Angleterre, l'Espagne et la Hollande) établissent au XVIᵉ siècle des comptoirs en Chine, à Macao puis à Guangzhou. Au XVIIIᵉ siècle, les Anglais se mettent à importer de l'opium en contrebande malgré les efforts du gouvernement chinois pour contrer ce trafic. Après deux guerres, les Chinois sont vaincus et signent un traité qui concède aux Anglais le territoire de Hong-Kong (jusqu'en 1997) et la reprise du commerce de l'opium.

L'effondrement de la dynastie Qing

La dynastie Qing s'effondre avec la mort de l'impératrice Tseuhi et l'accession au trône d'un enfant de deux ans qui est contraint d'abdiquer en février 1912 à la suite d'une insurrection orchestrée par Sun Yat-sen en 1911. Des représentants de 17 provinces établissent alors un gouvernement provisoire de la République de Chine. Malheureusement, ce gouvernement s'effondre ; des intellectuels et des étudiants manifestent et exigent la modernisation du pays. En 1921, le Parti communiste de Chine (PCC) voit le jour. Suit une longue série de luttes, de massacres ; un leader anti-communiste, Chiang Kai-shek, fait régner la terreur.

Naissance de la République populaire de Chine

Le 1ᵉʳ octobre 1949, Mao Zedong proclame la naissance de la République populaire de Chine, et Chiang Kai-shek s'enfuit à Taïwan en emportant avec lui les réserves d'or du pays. Les années 1949 à 1952 sont consacrées à la remise sur pied de l'économie et des institutions. De 1953 à 1957, on procède à la mise en place de communautés agricoles, de gigantesques projets d'irrigation et d'un contrôle de l'eau. Mis à l'écart en 1959, Mao Zedong lance en 1962 un mouvement destiné à ranimer l'esprit révolutionnaire des masses. L'armée est érigée en modèle et son chef diffuse le *Petit livre rouge*, recueil des pensées de Mao. À la fin de 1965, la Révolution culturelle est lancée. Cette révolution (1966-1969) vise à mettre en place des structures socialistes. Mao s'en prend aux intellectuels qui l'avaient critiqué et fait appel aux étudiants constitués en Gardes rouges pour lutter contre l'embourgeoisement et le révisionnisme. Ces derniers s'en prennent aux politiciens, aux intellectuels, aux artistes et à d'anciens bourgeois. Le pays sombre dans l'anarchie ; des centaines de milliers de personnes meurent. On ferme les universités et les écoles secondaires ; on freine la vie artistique ; des intellectuels, des écrivains, des artistes sont tués, persécutés ou soumis aux travaux forcés dans les campagnes. La publication de périodiques littéraires et artistiques est interrompue. Mao meurt en 1976 et ses successeurs tentent une reconstruction économique de la Chine, tout en renforçant le pouvoir politique du parti.

Les événements de la place Tian'anmen

En 1989, d'avril à la mi-mai, près d'un million de manifestants se regroupent sur la place Tian'anmen à Beijing. Des manifestations s'organisent dans plusieurs autres villes. Trois mille étudiants chinois entament une grève de la faim, réclamant la démocratie, la liberté de la presse et la fin de la corruption. Pendant plusieurs jours, un courant de sympathie pour les protestataires de la place Tian'anmen se développe en Chine et dans la communauté internationale. Mais la loi martiale est instaurée et le 2 juin 350 000 soldats sont envoyés autour de Beijing. Le 4 juin, les blindés foncent sur les barricades et les soldats mitraillent les foules massées dans les rues. Résultat : des milliers de morts, de blessés, de gens emprisonnés et exilés.

L'ÉCRITURE CHINOISE

Le mandarin s'écrit avec des signes (idéogrammes). Il existe 50 000 signes, mais seulement 8000 sont utilisés dans la vie courante. Par exemple, pour lire un journal, il faut en connaître de 2000 à 3000. On écrit en colonnes, de haut en bas et de droite à gauche.

Il y a six modes de formation des caractères chinois. De façon générale, les signes simples (pictogrammes) correspondent à un mot. On peut les reconnaître en interprétant leur forme. Les signes composés (idéogrammes) sont formés d'une association de pictogrammes. De l'interprétation de cette association naît une idée. Par exemple, la combinaison du mot *wei* (qui veut dire « dangereux ») et du mot *ji* (qui signifie « occasion ») donne le mot *weiji* qui signifie « crise ». L'accent tonique est aussi important. Le mandarin en possède quatre : haut, montant, tombant-montant et tombant.

Certains caractères sont des pictogrammes :

竹   马   人
Bambou   Cheval   Homme

Certains sont des idéogrammes (combinaisons de pictogrammes) :

明   日   月

Le mot *brillant* est une combinaison du mot *soleil* et du mot *lune.*

Le système de noms en Chine

On dit que les Chinois furent les premiers dans l'histoire à utiliser un nom de famille, sous le règne de l'empereur Fuxi, en 2852 avant Jésus-Christ. Les Chinois placent le nom de famille devant le prénom. Près de 96 % de la population chinoise se partagent une centaine de noms. Parmi les plus populaires, on retrouve les Li, les Wang et les Zhang. Traditionnellement, les prénoms féminins font référence à des fleurs (*Hua*), à des oiseaux (*Geng*), à des bijoux (*Huan*). Les prénoms masculins font référence aux ancêtres ou ont une connotation virile : *Shaozu* (« hommage à vos ancêtres »), *Zhijiang* (« esprit ferme »).

L'ARRIVÉE ET L'INSTALLATION DES CHINOIS AU QUÉBEC

Rappelons certains faits concernant l'arrivée des Chinois au Canada. La présence chinoise au Canada et au Québec remonte au XIXe siècle. Les premiers immigrants chinois viennent de la Californie et montent vers le Nord, en Colombie-Britannique, vers 1858. D'autres Chinois arrivent directement de la Chine dans les années qui suivent. La plupart travaillent dans les mines du nord de la Colombie-Britannique ou à la construction du chemin de fer canadien. À la fin du XIXe siècle, lorsqu'un courant de racisme anti-asiatique souffle sur cette province, les Chinois adoptent des stratégies d'évitement (Helly, 1987). Parce qu'on leur interdit la pratique de certains métiers, ils deviennent leurs propres patrons et ouvrent des boutiques, des restaurants, des cordonneries, des ateliers de tailleurs, des blanchisseries. D'autres quittent la Colombie-Britannique et s'en vont vers l'est du pays.

Au Québec, les immigrants chinois s'installent à Montréal, rue Saint-Laurent ; ils y ouvrent des blanchisseries à la main, un type de commerce qui exige beaucoup de temps mais peu d'investissement financier. C'est un certain Jo Song Long qui ouvre la première blanchisserie chinoise à Montréal, en 1877. Plusieurs autres immigrants chinois l'imiteront, effectuant une percée remarquable dans ce secteur. Ainsi, en 1911, la ville de Montréal compte 2254 employés blanchisseurs, dont 919 sont des Chinois (Helly, 1987). C'est en 1902 que l'expression « quartier chinois » apparaît dans le journal *La Presse* pour désigner la section de la rue De La Gauchetière entre les rues Chenneville et Saint-Charles-Borromée (l'actuelle rue Clark). Des épiceries, restaurants, missions chrétiennes chinoises, maisons de chambres, herboristeries, associations apparaissent. Souvent les propriétaires vivent dans les arrière-boutiques de leurs commerces. En 1923, l'immigration chinoise est interdite, et ce, jusqu'en 1947.

À partir des années 1950, on assiste à une deuxième vague d'immigration chinoise, composée surtout de femmes et d'enfants qui viennent rejoindre leurs conjoints et leurs pères souvent au pays depuis le début du siècle. Certains d'entre eux ne se sont pas vus depuis 30 ans.

Une troisième vague d'immigration s'amorce en 1981, caractérisée par l'arrivée de gens d'affaires, d'investisseurs et d'entrepreneurs chinois de Hong-Kong qui fuient l'île avant son annexion à la Chine continentale en 1997. De 1988 à 1993, des milliers de Chinois quittent Hong-Kong et recherchent un endroit où ils pourront vivre au cas où le transfert de souveraineté de la Grande-Bretagne à la Chine se passerait mal (Vear, 1995). Ils viennent investir à Vancouver, à Toronto et à Montréal. Depuis 1997, le nombre d'immigrants venant de Hong-Kong a diminué au profit des immigrants venant de la Chine continentale ; en effet, entre 1998 et 2002, la Chine est l'un des cinq premiers pays de provenance de toute l'immigration admise au Québec. Ces nouveaux arrivants sont admis dans les catégories de l'immigration économique et du regroupement familial.

LA COMMUNAUTÉ CHINOISE AUJOURD'HUI

On estime que la communauté chinoise du Québec compte environ 63 000 personnes (Courville, 2000 ; gouvernement du Québec, 2003). Les Chinois sont répartis dans plusieurs arrondissements de la ville de Montréal, mais aussi à Brossard sur la rive sud de Montréal. Dans la ville de Montréal, les immigrants chinois habitent surtout les arrondissements Côte-des-Neiges/Notre-Dame-de-Grâce, Villeray/Saint-Michel/Parc-Extension et Saint-Laurent.

L'occupation professionnelle des immigrants chinois varie beaucoup selon la période durant laquelle ils sont arrivés. Ceux de récente arrivée sont très scolarisés (30 % sont des diplômés universitaires).

Les immigrants chinois parlent plus l'anglais (39 %) que le français (10 %) et plusieurs d'entre eux ne parlent ni le français ni l'anglais lorsqu'ils arrivent au Québec (Courville, 2000). La moitié d'entre eux déclarent n'appartenir à aucune religion, 21 % se disent bouddhistes, 15 % catholiques et 10 % protestants (gouvernement du Québec, 1995).

QUELQUES ASPECTS DE LA CULTURE CHINOISE

L'acupuncture

L'acupuncture est une forme de médecine traditionnelle qui est pratiquée en Chine depuis plus de 5000 ans. Elle consiste à insérer de très fines aiguilles sur la surface du corps afin de réactiver l'énergie. Cette énergie se nomme *chi*, fruit d'une interaction entre deux forces opposées, le yin et le yang. Lorsqu'il y a une perturbation dans notre vie, que ce soit sur le plan spirituel, mental ou physique, cela peut briser l'équilibre entre le yin et le yang et faire apparaître une maladie.

Le feng shui

Le feng shui est une discipline dont l'objet est d'aménager l'espace de façon à optimiser la circulation de l'énergie cosmique en vue d'améliorer la qualité de la vie. Les gens qui pratiquent cette discipline choisiront l'orientation de leur maison, veilleront à disposer les portes et les fenêtres d'une certaine manière, traiteront les couleurs de leur maison d'une façon précise.

Le taï-chi

Cette gymnastique chinoise consiste en une série de mouvements lents et précis, particulièrement bénéfiques pour la tonicité musculaire et la détente. D'inspiration taoïste, le taï-chi est pratiqué par des millions de Chinois.

Le calendrier chinois

Le calendrier chinois est composé de 12 mois de 29 ou 30 jours sur un cycle de 12 ans. L'année commence à la nouvelle lune après le solstice d'hiver (entre le 21 janvier et le 19 février dans le calendrier grégorien).

SAVIEZ-VOUS QUE...

Arrivé à Montréal en 1908, Ham Wong, un ouvrier des chemins de fer, épouse une Québécoise, Aline Collin. Ils auront de nombreux enfants, dont Marcel et Lucille. En 1948, ces derniers se lancent dans la fabrication de *egg rolls* derrière le restaurant d'un monsieur Wing dans le quartier chinois, d'où le nom de la compagnie, Wong Wing. Cette entreprise est maintenant aux mains de leurs enfants et compte 265 employés. Elle exporte ses produits dans plusieurs pays du monde (Leblanc, 1990).

YING CHEN

Née en Chine, cette auteure s'installe au Québec en 1989. Elle publie *Les lettres chinoises* en 1993, ouvrage qui sera suivi de plusieurs autres romans, dont *L'ingratitude* et *Immobile*.

CYNTHIA LAM

Originaire de Taïwan, elle fonde en 1981 le Service à la famille chinoise du Grand Montréal.

LUCILLE CHUNG

Pianiste, elle n'a que 10 ans quand elle est invitée comme soliste par l'Orchestre symphonique de Montréal. Depuis, elle a acquis une réputation internationale.

MIEUX CONNAÎTRE LA COMMUNAUTÉ CHINOISE

Quelques mots en mandarin

Voici quelques mots d'usage courant en mandarin :

Bonjour	Comment allez-vous ?	Je vais très bien	S'il vous plaît
Ni hǎo	*Nin hǎo na ?*	*Wo hen hǎo*	*Tchǐng*

Merci	Oui	Non
谢谢	是的	不
Xièxie	*Chèudeu*	*Bòu*

Quelques adresses

❭ **Service à la famille chinoise du Grand Montréal :** 987, rue Côté, 4ᵉ étage, Montréal.

❭ **Corporation de la communauté catholique chinoise de Montréal :** 979, rue Côté, Montréal.

❭ **Amitié Canada-Chine :** 7400, boulevard Saint-Laurent, bureau 543, Montréal.

Fêtes de la communauté

❭ **Course de bateaux-dragons :** Fête vieille de quelque 2300 ans qui se veut un hommage à un héros patriote et poète, Qu Yuan. Depuis 1996, la communauté chinoise de Montréal organise en mai ou en juin une course de bateaux-dragons au bassin de l'île Notre-Dame.

❭ **1ᵉʳ octobre :** Anniversaire de la création de la République populaire de Chine.

❭ **Fête de la Lune de la mi-automne :** Fête de la fin des récoltes. On mange des « gâteaux de lune ».

❭ **Nouvel An chinois :** Premier jour du calendrier lunaire chinois. Les gens font éclater des pétards dans la rue, offrent des cadeaux, de l'argent, rendent visite aux parents et amis.

Cuisine

La cuisine chinoise varie selon les régions : salée au nord, sucrée au sud, épicée à l'est et aigre à l'ouest. Ici, on connaît bien les *egg rolls*, la soupe tonkinoise, le chop suey, mais il s'agit là d'une cuisine occidentalisée. La vraie cuisine chinoise, on connaît moins.

Les spécialités cantonaises les plus savoureuses sont sûrement les dim sum (ou dumpling), de petites préparations cuites à la vapeur et servies dans de petits tamis de bambou tressé. Tous faits à partir de pâtes de riz, les salés sont farcis de viande, de légumes ou de crevettes et les sucrés, de fleur de lotus, de haricots ou de pâte de noix.

Le quartier chinois de Montréal

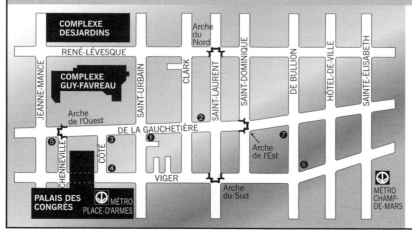

❶ Mail piétonnier de la rue De La Gauchetière.

❷ Parc Sun Yat-Sen.

❸ Édifice Wing.

❹ Service à la famille chinoise du Grand Montréal.

❺ Mission catholique chinoise du Saint-Esprit.

❻ Hôpital Chinois de Montréal.

❼ Association Chao Chow (temple boudhiste).

DES PHILOSOPHIES CHINOISES

Le taoïsme

Le yin et le yang.

Le taoïsme est une philosophie de vie qui tend vers l'harmonie de l'univers. Il repose sur un idéal de paix, de sérénité et de méditation et ne prône aucune intervention sur les êtres et les choses, qui doivent demeurer dans leur état originel. Son fondateur, Lao-Tseu, était archiviste et astronome à la cour de l'empereur de Chine au VIᵉ siècle avant Jésus-Christ. Selon la légende, il serait mort à l'âge de 180 ans. Il a dit : « La voie est pareille à un récipient vide dans lequel on pourrait pourtant puiser sans jamais avoir à le remplir. » *Tao* est un mot chinois qui signifie « le sens du chemin, de la voie ».

C'est à partir de l'observation de la nature que le taoïsme révèle les énergies vitales de l'univers : le yin et le yang. Ce sont les fondements de cette philosophie chinoise. Le yin et le yang sont indissociables.

Le cercle représente l'univers. La moitié claire est le yang et représente la lumière, la chaleur et l'activité. La moitié foncée est le yin et représente l'obscurité, le froid, la passivité.

Le confucianisme

Confucius (551-479 av. J.-C.) est probablement le philosophe chinois le plus célèbre. Le confucianisme a marqué l'histoire de la Chine. Cette doctrine prône la vertu et la correction morale. Confucius a décrit les rapports entre les dirigeants et leur peuple, entre le père et le fils, le frère aîné et le cadet, entre les époux et entre les amis. Pour être viables, ces rapports devraient être régis par deux grands principes : le li et le jen, le li étant la morale, les bonnes mœurs, le respect des rites, le jen désignant l'amour de l'humanité, le respect d'autrui et la charité désintéressée (Farrington, 1999). Les cinq grandes vertus du sage confucéen sont le respect de soi et d'autrui, la générosité, la loyauté, le zèle et la bonté.

SAVIEZ-VOUS QUE...

Depuis quelques années, des milliers de petites Chinoises ont été adoptées par des couples québécois. Pourquoi presque uniquement des filles et pourquoi en Chine ? Parce qu'en Chine, depuis de nombreuses années, les autorités obligent les couples à n'avoir qu'un enfant pour limiter les naissances. Cette politique a amené nombre de couples à abandonner les bébés filles afin de tenter leur chance d'avoir un garçon. Depuis 1984, les autorités chinoises accordent aux couples ruraux la possibilité d'avoir un second enfant si l'aînée est une fille. C'est pourquoi l'on dit que la plupart des fillettes à adopter aujourd'hui seraient des « deuxièmes » de famille.

La communauté vietnamienne

Le Viêt-nam a la forme d'un S et s'étend sur 1650 km le long de la côte de la péninsule indochinoise. Il a des frontières communes avec la Chine, le Laos et le Cambodge. Le Viêt-nam compte environ 78 millions d'habitants répartis sur un territoire de 333 000 km². Ses principales villes sont Hanoi, Hué et Hô Chi Minh-Ville (ou Saigon). Le Viêt-nam a un régime politique de type communiste à parti unique. La langue vietnamienne est la langue nationale, mais on y parle aussi le khmer, le cham, le thai, le sedang, le miao-yao et le chinois.

LES MINORITÉS ETHNIQUES AU VIÊT-NAM

Les Vietnamiens (appelés aussi Viêts ou Kinhs) représentent 88 % de la population du Viêt-nam. Ils parlent et écrivent la langue vietnamienne. Cependant, il y a quelque 54 ethnies différentes au Viêt-nam, dont les principales sont : les Nùngs, les Tày et les Thais qui vivent au nord, près de la frontière avec la Chine ; les Chams qui sont les descendants de l'ancien royaume Champa dont le territoire était au centre du Viêt-nam ; les Khmers qui sont des Cambodgiens installés dans le delta du Mékong dans les provinces frontalières avec le Cambodge ; et, finalement, les Chinois qui sont installés dans le sud du Viêt-nam et qui composent 5 % de la population.

LES RELIGIONS AU VIÊT-NAM

Le Viêt-nam ayant été le point de rencontre de deux civilisations millénaires de l'Asie, la civilisation chinoise et la civilisation indienne, on y retrouve plusieurs systèmes philosophico-religieux. Le taoïsme, le confucianisme et le bouddhisme (67 % de la population vietnamienne est bouddhiste), qui forment le Tiam Giao ou la triple religion, sont les trois premières religions ou philosophies introduites au Viêt-nam. Le codaïsme, autre doctrine religieuse, est une sorte de syncrétisme entre le christianisme, le bouddhisme et le confucianisme. À ces systèmes philosophico-religieux vient s'ajouter le christianisme implanté au XVIIᵉ siècle par des missionnaires jésuites qui fondèrent des missions catholiques.

QUELQUES REPÈRES HISTORIQUES

Le Viêt-nam a été colonisé par la France à partir de 1887 sous le nom d'Indochine (qui incluait le Laos et le Cambodge). En 1954, après avoir fait la guerre contre la France et remporté la victoire à Diên Biên Phu, le Viêt-nam devient indépendant. Le pays est alors divisé en deux parties : le Nord, dirigé par un gouvernement communiste, et le Sud, dirigé par un régime proaméricain.

Après quelques années d'accalmie se déroule, de 1960 à 1975, une guerre entre le Nord (soutenu par les Russes et les Chinois) et le Sud (soutenu par les Américains). Cette guerre fait trois millions de victimes. Le 30 avril 1975, la guerre prend fin avec la victoire des communistes du Nord et la chute de Saigon. À la fin de la guerre, les persécutions et l'insécurité économique forceront des milliers de Vietnamiens à fuir leur pays (Méthot, 1995).

Après la chute de Saigon, près de 160 000 personnes quittent précipitamment le Viêt-nam pour rejoindre une base militaire américaine dans une île du Pacifique. Puis, c'est le départ de milliers de personnes par bateaux qui commence au cours de l'année 1976. Plusieurs de ces réfugiés se retrouvent en Thaïlande, en Malaisie et à Hong-Kong. Devant l'arrivée massive de réfugiés, les pays limitrophes adoptent rapidement des mesures draconiennes, faisant remorquer les bateaux loin des côtes après les avoir réapprovisionnés.

LA LANGUE VIETNAMIENNE

La langue vietnamienne est la langue officielle du Viêt-nam. Elle est la seule langue asiatique qui s'écrit en caractères romains. Au début, l'écriture vietnamienne, le *Chu'Nho*, ressemblait à celle de la Chine ou du Japon. C'est un jésuite, Alexandre de Rhodes, qui a introduit en 1648 le système d'écriture romain afin de faciliter l'évangélisation des Vietnamiens. Ce système fut vite adopté, car il est facile à lire et à écrire ; depuis 1906, son étude est devenue obligatoire dans toutes les écoles du pays. Pendant longtemps, l'étude de la langue française comme langue étrangère a été privilégiée, mais depuis 1975 c'est plutôt l'anglais qui est enseigné dans les écoles.

La langue vietnamienne est monosyllabique et tonale. Chaque syllabe a un sens et comprend un ton mélodique grâce aux accents, qui sont au nombre de six : l'accent aigu (*Sac*), l'accent grave (*Huyen*), l'accent interrogatif (*Hoi*), l'accent horizontal ou tilde (*Nga*), l'accent sous-voyelle (*Nang*) et l'absence d'accent (*Không dau*). Il suffit de changer l'accent pour que la signification du mot change complètement. Par exemple, le mot *ma* signifie :

$m\bar{a}$	$m\acute{\alpha}$	$m\overset{?}{a}$	$m\tilde{\alpha}$
« le fantôme »	« maman »	« le cheval »	« plant de riz »

Le système de noms vietnamien

Le nom de famille se place en premier et est suivi d'un ou de quelques prénoms. Usuellement, un nom vietnamien se compose d'un nom de famille, d'un nom intermédiaire et d'un prénom : Nguyen Van Trung par exemple. Couramment, on s'appelle par le prénom. Ainsi, on dira bonjour M. Trung. Les noms de famille vietnamiens les plus répandus sont Nguyen, Pham, Phan, Tran, Lê. Souvent, ils ont été empruntés aux noms des dynasties qui se sont succédé au Viêt-nam (Thuc, Trieu, Mai, Khuc, Tran, Trinh, etc.). Les prénoms ont une signification. Par exemple, Trung signifie « loyal ». Les prénoms féminins réfèrent à une fleur ou à un art, au charme, ou encore à une qualité : Anh-Dào (cerise), Mai (prune), Hong (rose), Liên (lotus) et Nga (cygne) sont courants. Les prénoms masculins évoquent pour leur part l'énergie, l'héroïsme, la grandeur, la vertu : Liêm (intégrité), Duc (vertueux), Binh (paix) et Loc (prospérité) sont courants.

Les noms intermédiaires les plus utilisés sont Van et Thi et ils servent à distinguer les hommes des femmes. Un nom intermédiaire distinctif peut être attribué à tous les enfants d'une même génération. Les frères d'une même famille ont aussi le même nom intermédiaire (Nguyen Van Giap, 1998).

L'ARRIVÉE ET L'INSTALLATION DES VIETNAMIENS AU QUÉBEC

L'immigration vietnamienne s'est faite en quatre phases. Avant 1975, quelques centaines d'étudiants étaient inscrits dans les universités québécoises. C'étaient des jeunes issus de la classe supérieure et la plupart d'entre eux retournèrent dans leur pays à la fin de leurs études. La première vague d'immigration a lieu en 1975, avec l'arrivée d'un premier groupe de réfugiés à Montréal. Ces Vietnamiens sont issus de la classe moyenne supérieure, sont très scolarisés et parlent le français et l'anglais (Chan, Dorais, 1987).

À l'automne 1978, le *Hai Hong*, un navire qui transporte 2500 Vietnamiens et qui est infesté de rats, se voit refuser l'accès aux côtes de la Malaisie. L'opinion publique internationale prend alors conscience de la situation critique de ces réfugiés. On estime que quelque 500 000 *boat people* ou réfugiés de la mer fuient le Viêt-nam entre 1975 et 1980. Le Canada et le Québec créent des programmes gouvernementaux de parrainage collectif dès le début de 1979. Cette vague d'immigration vietnamienne compte de 30 % à 70 % de Hoas, des Vietnamiens d'origine chinoise qui sont, entre autres, des techniciens, des ouvriers plus ou moins spécialisés et des commerçants. Ces nouveaux arrivants parlent majoritairement le vietnamien ou le chinois.

À partir de 1981, on assiste à une nouvelle vague, composée principalement d'intellectuels venant des camps de rééducation ainsi que de Vietnamiens qui profitent du programme de réunification familiale ; ces derniers ont un niveau de scolarité moyen (Méthot, 1995). De 1990 à 1999, près de 8000 Vietnamiens immigrent au Québec (Gouvernement du Québec, 2000). Depuis, l'immigration vietnamienne a beaucoup diminué.

MIEUX CONNAÎTRE LA COMMUNAUTÉ VIETNAMIENNE

Quelques mots en vietnamien

Voici quelques mots d'usage courant en vietnamien :

Bonjour	Comment allez-vous ?	Je vais bien	S'il vous plaît
Chào	*Ông/Bà có khỏe không ?*	*Tôi cũng bình thuòng*	*Làm on*

Merci	Oui	Non
Cám on	*Da / Vâng*	*Không*

Quelques adresses

> **Communauté vietnamienne du Canada :** 6655, chemin de la Côte-des-Neiges, bureau 405, Montréal.

> **Service des interprètes auprès des réfugiés indochinois (SIARI) :** 4661, avenue Van Horne, Montréal.

> **Communauté catholique vietnamienne :** 1420, rue Bélanger Est, Montréal.

Cuisine

La base de la cuisine vietnamienne est une sauce faite à partir d'anchois et d'autres petits poissons salés et séchés, le *nuoc mam*. Cette sauce sert à la préparation des aliments ou comme condiment. Il y a aussi les rouleaux impériaux, ces petits roulés de pâte frits farcis de crevettes et de légumes.

La soupe tonkinoise est un autre élément important de la cuisine vietnamienne ; elle est composée d'un bouillon à base de sauce de poisson, de fines tranches de bœuf ou de poulet et de nouilles. C'est une soupe qui sert de repas (elle se nomme *pho*).

Fêtes de la communauté

> **Fête du Nouvel An (ou fête du Têt) :** C'est la plus importante des fêtes vietnamiennes. Elle correspond à la nouvelle lune et se situe entre le solstice d'hiver et l'équinoxe du printemps. La fête dure généralement trois jours durant lesquels les Vietnamiens se rendent visite pour se souhaiter la bonne année. Pour se préparer à cette fête, les familles nettoient la maison, polissent les objets de culte, se procurent des vêtements neufs pour les enfants, achètent des fruits et des gâteaux traditionnels. Le matin du Nouvel An, des offrandes sont offertes aux ancêtres et aux génies du Sol et du Foyer, les enfants souhaitent la bonne année aux parents et aux grands-parents et ceux-ci leur offrent une enveloppe rouge contenant un petit montant d'argent.

> **Fête des sœurs Trung (mars) :** Alors que le Viêt-nam était sous l'emprise de la dynastie Han, le gouverneur à la solde des Chinois tua le mari de l'une des deux sœurs Trung qui décidèrent de résister et d'expulser les Chinois du Viêt-nam.

> **30 avril :** Cette journée commémore la longue odyssée des réfugiés vietnamiens.

> **2 septembre :** Fête nationale de la République socialiste du Viêt-nam.

LA COMMUNAUTÉ VIETNAMIENNE AUJOURD'HUI

La communauté vietnamienne du Québec compte environ 41 000 personnes (Courville, 2000 ; gouvernement du Québec, 2003). Ces immigrants sont très scolarisés : 40 % d'entre eux ont un diplôme universitaire (gouvernement du Québec, 1995). Les études étant extrêmement importantes pour eux, la réussite scolaire fait très souvent partie du projet migratoire des parents.

La très grande majorité des Vietnamiens du Québec (89 %) habitent la région de Montréal et vivent dans l'arrondissement Côte-des-Neiges/Notre-Dame-de-Grâce. Ils occupent des postes reliés à des professions libérales ou des postes de techniciens et de fonctionnaires. On trouve plus de professionnels dans les secteurs de la médecine et des sciences (par exemple des médecins, des pharmaciens et des informaticiens).

Témoignage de Florence M.C. Nguyen

29 ans, arrivée au Québec le 18 avril 1979

Les trois premiers mots dont je me souviens, en français, c'est « Haut les mains ! » après [avoir] été arrêtés [ma famille et moi] par les communistes à notre première tentative de fuite du Viêt-nam, en 1975. J'avais quatre ans et ça m'avait fascinée de voir tout le monde sur le bateau réagir à l'unisson à un ordre qui m'était inconnu. Ma mère venait d'une famille d'aristocrates et, sur le bateau, nous avions avec nous quantité de liasses d'argent et de bijoux. Au moment de l'arrestation, ma mère m'a refilé un bracelet de jade, une pierre d'une valeur inestimable pour les bouddhistes. Très vite, elle a cependant réalisé que le risque était bien trop grand et a tout jeté précipitamment à l'eau. Jamais je n'oublierai ces liasses d'argent et ces bijoux d'or et de jade flottant sur la mer.

Mon père a aussitôt été séparé de nous. Ma mère, ma sœur et moi avons été emmenées vers une destination inconnue, au beau milieu de la jungle. Ma mère avait gardé un peu d'argent et a ainsi pu monnayer notre droit de rester ensemble toutes les trois.

[...] Les enfants avaient droit à deux repas par jour, faits de riz, de graines de sésame et de sel. Une fois par mois, nous recevions de la viande et des légumes. Au moment de la distribution, tous se bousculaient dans une sauvagerie inimaginable pour faire remplir leur gamelle. [...]

Au bout de six mois, j'ai attrapé une mauvaise pneumonie et ma mère a alors réussi à monnayer notre libération, à ma sœur et à moi. À Saigon, à notre sortie de prison, aucun membre de notre famille ne voulait nous recueillir à cause du danger d'héberger des filles de bourgeois.

Une tante a finalement accepté de nous recueillir. Pendant longtemps, j'ai refusé de manger quoi que ce soit. Dans ma tête, ma mère nous avait abandonnées.

Quand elle est revenue nous chercher, six mois plus tard, je refusais de lui parler. Pendant son séjour au camp, ma mère, médecin, avait entre autres soigné un patient au crâne fracassé qui lui avait lancé : « Si tu me sauves la vie, tu ne le regretteras pas. » Haut gradé du parti communiste, il a tenu sa promesse et fait libérer mon père qui avait été condamné à dix ans de prison.

On nous a permis, à notre retour à Saigon, de réintégrer notre villa, mais notre mode de vie y était tout autre. Alors que nous y habitions sous l'ancien régime avec trois bonnes, nous devions désormais partager [notre maison] avec quantité d'étrangers. Étrangement, à nos yeux, ma mère avait insisté auprès des autorités pour que nous habitions la petite mansarde. Nous avons ensuite compris son entêtement : c'est que dans cette mansarde se trouvait un vieux frigo derrière lequel elle avait stocké des lingots d'or.

À notre deuxième fuite, nous nous sommes inventé une identité chinoise. Les Chinois vivaient du commerce au Viêt-nam depuis des siècles, et comme ils s'étaient mêlés à nous [...], nous pouvions faire croire que nous étions des leurs. Comme la dénonciation était de mise partout, nous devions cacher nos plans de départ à tout le monde. Nous savions que la réussite de cette fuite était pour nous une question de vie ou de mort, notre dernière chance.

Sur le bateau, nous étions environ 60 % de Chinois et 40 % de Vietnamiens. J'y ai souffert bien plus qu'en prison, gelant la nuit et crevant de chaleur sous un impitoyable soleil le jour. Nous étions si entassés les uns sur les autres que nous ne pouvions même pas allonger les jambes. [...]

Un jour, un homme est tombé à la mer et les vagues nous ont empêchés d'aller le repêcher. Avant de se noyer, ses dernières paroles ont été pour ses filles : « Je vais prier pour vous. » Jamais je n'ai vu deux personnes pleurer avec autant de douleur.

À un troisième piratage, plusieurs filles se sont fait violer. Et les deux filles de cet homme ont été de celles-là. Elles ont même été enlevées par les Thaïlandais. J'ai aussi vu une jeune fille de onze ans se faire violer.

Avant notre départ, ma mère avait pris la précaution de nous couper les cheveux, et elle-même, d'une beauté altière, s'était enlaidie au possible. Au septième jour, la garde-côte malaisienne nous a secourus. Nous avons été emmenés dans un camp de réfugiés où les Occidentaux et les Australiens tentaient tous d'attirer les réfugiés dans leur pays parce qu'il se trouvait dans nos rangs beaucoup de gens instruits ou de profession libérale.

Je n'oublierai jamais le Canadien qui nous a interviewés à ce camp de Pulau Bidong : je n'avais jamais vu cela, un blond poilu aux yeux bleus. Nous sommes arrivés à Québec le 18 avril 1979, en plein milieu de la nuit. Il y avait encore de gros bancs de neige sale.

Nous étions logés à l'hôtel [...] ! À la télévision, on présentait à l'époque *Goldorak*, [émission] qui nous a tant effrayées que ma sœur a aspergé l'écran d'eau pour tenter de tuer ce terrible monstre. Nous n'avions jamais vu de télévision ni de baignoire.

[...] Mon père est triste que je ne sache pas mieux parler le vietnamien, mais pour ma mère, tous nos efforts devaient aller à l'apprentissage du français. Ma mère est morte, il y a huit ans. Au Viêt-nam, elle avait décroché de grands prix scientifiques, et au Canada, elle a été parmi les premiers Vietnamiens à obtenir le droit de pratiquer ici. À ses funérailles, à voir toute la communauté qui s'était réunie pour lui rendre un dernier hommage, j'ai enfin compris à quel point elle était un personnage mythique.

Je ne suis jamais retournée au Viêt-nam.

Source : Louise Leduc, *Le Devoir*, 26 avril 2000.

Le bouddhisme

« Travaillez avec diligence à votre délivrance. »

(Les derniers mots du Bouddha.)

Il y a 295 millions de bouddhistes dans le monde, qui se trouvent principalement au Japon, en Chine, en Thaïlande, en Birmanie et au Viêt-nam. On dénombre environ 300 000 bouddhistes au Canada et environ 42 000 au Québec (gouvernement du Canada, 2003).

LA NAISSANCE DU BOUDDHISME

Le fondateur du bouddhisme est le prince Siddharta Gautama qui a vécu en Inde environ de 566 à 486 avant Jésus-Christ. À la naissance du prince, un ermite dit au roi que le destin de ce fils est d'être un grand roi ou un grand initié. Le roi met tout en œuvre pour que son fils reçoive une éducation digne de son rang et qu'il ne soit pas tenté par la religion ou l'ascétisme. C'est ainsi que le prince Gautama vit une jeunesse heureuse et oisive dans le palais royal sans contact avec l'extérieur. Il épouse une princesse (Yasodhra) et a un fils (Rahula). Un jour, déçu de la pauvreté de sa vie spirituelle, il sort du palais et rencontre d'abord un vieillard, puis un homme atteint de la peste noire qui hurle de douleur, enfin un ermite errant et un mort qu'on porte au bûcher. Il découvre brutalement la place de la douleur dans la vie humaine par l'intermédiaire de la vieillesse, de la maladie, de la pauvreté, de la mort.

Au terme d'une démarche qui dure six ans, le prince Gautama reçoit l'Éveil et devient **Bouddha**. Il consacre les 45 dernières années de sa vie à révéler aux êtres humains le secret de sa découverte. De son exemple et de sa doctrine naît le bouddhisme. Ses disciples continuent son œuvre de prédication.

Bouddha Signifie l'Éveillé ou celui qui a atteint l'Éveil et a réussi à s'extraire du cycle des existences.

LA PHILOSOPHIE DE BASE

Le Bouddha prononce son premier sermon à Bénarès (en Inde) et y définit les quatre Nobles Vérités du bouddhisme. Ces Vérités posent un regard sur la vie humaine et indiquent la voie à suivre pour vivre correctement.

La première Vérité affirme que toute la vie n'est que douleur. La deuxième Vérité explique l'origine de cette douleur : le « désir » enchaîne l'individu, le garde prisonnier de son égocentrisme et de ses passions. La troisième Vérité enseigne le remède à la douleur ; pour s'en libérer, il faut en supprimer la cause : le désir. En supprimant le désir, on se libère du **karma**. Cette liberté donne accès au **nirvana**, l'absolu. La quatrième Vérité montre le chemin qui conduit à la cessation de la douleur. Il s'agit de l'Octuple Sentier. Ce sentier est constitué de sagesse, d'actions morales et de discipline mentale pour accéder à l'Éveil (Dufour, 1998).

Karma Conséquence de l'ensemble des actions réalisées par une personne ; détermine le devenir et les renaissances de cette personne.

Nirvana Désigne la délivrance du cycle infini des existences par le triomphe sur les illusions et la souffrance. C'est un état de félicité.

LES CROYANCES

La croyance que tous les êtres humains sont inscrits dans un cycle infini d'existences (samsara) est un élément fondamental du bouddhisme. Cet élément est lié à la notion de karma qui détermine la renaissance des êtres. Le *karma* peut être positif ou négatif selon qu'il conduit à une renaissance supérieure (dans le corps d'un dieu) ou inférieure (dans le corps d'un animal) (Dufour, 1998).

Le bouddhisme propose aux individus d'orienter leur existence vers l'Éveil afin d'accéder au nirvana, qui est un état de félicité.

LES GRANDES ÉCOLES

Le Bouddha n'a rien écrit lui-même, mais sa prédication orale fut transmise par les moines pendant quelques générations avant d'être écrite vers le IIIe siècle avant Jésus-Christ. À travers le temps, le bouddhisme s'est divisé en plusieurs écoles de pensée qui proposent différentes façons d'atteindre l'Éveil. Les écritures canoniques sont réunies dans ce qu'on appelle la *Triple Corbeille* (*Tripitaka*).

On peut distinguer quatre grandes écoles de bouddhisme :

> Le bouddhisme *Theravâda* ou Petit Véhicule rapporte les propos du Bouddha, fait l'exposé de la doctrine et de la discipline. Ces enseignements sont écrits

Bouddha.

en pali (dialecte indien dérivé du sanskrit) et se sont implantés surtout en Asie du Sud et du Sud-Est.

❯ Le bouddhisme *Mahâyâna* ou Grand Véhicule conteste le modèle du Theravâda en approfondissant la notion de vide et celle de compassion pour la douleur de tous les êtres. Ces écrits sont rédigés en sanskrit, en chinois ou en japonais. Ce type de bouddhisme s'est surtout développé en Chine, en Corée et au Japon.

❯ Le *Vajrayâna*, dit aussi bouddhisme tantrique ou Véhicule de diamant, préconise une quête radicale de l'Éveil qui associe une pratique ritualiste à la foi et à la méditation. Il fait appel à la magie et à l'ésotérisme. Les textes sacrés propres au Vajrayâna se nomment « tantras » et le maître qui dispense cet enseignement est un « lama ». Ce type de bouddhisme s'est surtout implanté au Tibet.

❯ Le bouddhisme zen (en japonais) ou chan (en chinois) est la branche la plus philosophique du bouddhisme Mahâyâna. Il s'est développé en Chine et au Japon.

LE CULTE BOUDDHIQUE

Le Bouddha n'est pas une divinité, mais il est devenu un objet de culte. Il est représenté sous plusieurs formes, dont celle d'un Bouddha bien en chair, souriant et rassurant, ou celle d'un Bouddha mettant l'accent sur sa spiritualité et sa majesté. Il y a aussi des bouddhas protecteurs (*Amitabha*) et des **bodhisattvas**, qui sont l'incarnation de la compassion.

Bodhisattva Individu qui est parvenu à l'état de Bouddha et qui y renonce afin d'aider les autres à trouver la voie de l'Éveil.

LES RITUELS RELIGIEUX

La méditation

La méditation est au cœur même de la pratique du bouddhisme. La formule d'engagement dans la Voie bouddhique doit être répétée trois fois (Triple refuge) :

« Je prends mon refuge dans le Bouddha.
Je prends mon refuge dans le **dharma**.
Je prends mon refuge dans le **sangha**. »

Dharma Doctrine, enseignements essentiels du Bouddha.

Sangha Communauté bouddhiste qui regroupe les moines et les laïcs.

Les techniques de méditation menant à l'Éveil comprennent :

❯ des exercices de visualisation visant à faire apparaître, dans une représentation symbolique de l'univers (mandala), une série de personnages comme des lamas, des bodhisattvas, des bouddhas ;

❯ des paroles récitées sous forme de **mantra**, dont la récitation mécanique facilite la concentration ;

❯ des exercices de respiration.

Mantra Formule dont la récitation répétée doit faciliter l'accès à la connaissance ultime.

La vie monastique

Les écoles bouddhiques distinguent deux groupes de bouddhistes : les laïcs et ceux qui ont renoncé au monde (moines). Les moines observent une règle de vie très stricte qui se nomme « vinaya » : ils font vœu de célibat, étudient, mendient et méditent. Leur subsistance dépend de la générosité des laïcs. Les seuls biens qu'ils ont le droit de posséder sont un récipient pour les aumônes, un bâton de pèlerin, une ceinture, un rasoir, une aiguille, un filtre pour purifier l'eau qu'ils boivent et un cure-dents.

Les laïcs manifestent leur respect à l'égard des moines en leur permettant de mener une vie sainte ; ils témoignent de leur vénération pour le Bouddha en déposant des offrandes (fleurs, nourriture, encens, eau pure) devant des images qui le représentent.

LES FÊTES BOUDDHIQUES

> **Kho Phansa :** Cette fête correspond aux trois mois de la saison des pluies pendant lesquels les moines renoncent à toute pérégrination et vivent en communauté.

> **Macha Pûja :** Cette fête commémore la fondation de la sangha, la communauté bouddhiste qui regroupe les moines et les laïcs.

> **Vishâka Pûja :** Cette fête célèbre la naissance de l'Éveil de Bouddha.

Le dalaï-lama

Le dalaï-lama n'est ni un dieu ni le pape du bouddhisme. C'est un moine respecté pour son érudition et sa pratique. Il dispose d'un incontestable rayonnement spirituel car il est la réincarnation d'Avalokiteshvara, le « Seigneur qui regarde en bas ». C'est chez les enfants en bas âge que l'on détecte la réincarnation d'un être surnaturel, d'un grand maître ou d'un moine.

Tendzin Gyatso est né le 5e jour du 5e mois de l'an du Cochon-de-Bois, selon le calendrier lunaire (6 juillet 1935), dans le village de Takste, au Tibet. Il a été reconnu comme dalaï-lama par une mission de hauts dignitaires religieux, puis amené à Lhassa en octobre 1938, où il a reçu une formation religieuse rigoureuse et solitaire.

Après avoir été envahi par la Chine en 1950, le Tibet lui est annexé de force en 1959 et le dalaï-lama doit s'exiler à Dharambala, en Inde. Il réussit à rassembler la communauté tibétaine, à obtenir des terres et à réorganiser le système éducatif. Depuis, il sillonne le monde pour soutenir la cause de son peuple, en préserver l'identité culturelle et enseigner le bouddhisme aux Occidentaux. Il a reçu le prix Nobel de la paix en 1989 (Cornu, 2001).

Tendzin Gyatso, le 14e dalaï-lama.

Pagode Quan-Am.

LES LIEUX DE CULTE

On trouve des autels bouddhiques dans les maisons, les commerces et les temples. Le temple bouddhique (ou pagode) est un lieu d'enseignement, de prière et de méditation. L'élément central du temple est l'autel sur lequel se trouvent des statues et des peintures de Bouddha, des textes sacrés et un stûpa (pagode miniature). On place sur cet autel des offrandes comme de l'eau fraîche, de la nourriture, des fruits, de petits gâteaux, de l'encens. On doit se déchausser avant d'entrer dans le temple.

Il y a plusieurs pagodes ou temples bouddhiques fréquentés par différentes communautés asiatiques. En voici quelques-uns :

> **La pagode Quan-Am :** 3781, avenue de Courtrai, Montréal (vietnamienne).

> **La pagode bouddhiste khmère :** 7188, rue de Nancy, Montréal (cambodgienne).

> **Ordre bouddhique Tu Quang :** 1978, rue Parthenais, Montréal (vietnamien).

> **Temple bouddhiste tibétain :** 1870, rue de l'Épée, Montréal (tibétain).

> **Association bouddhiste Theravada Sangha :** 3421, rue Bélanger Est, Montréal (vietnamienne).

À RETENIR SUR LE BOUDDHISME

> **Nombre de fidèles dans le monde :** 295 millions.

> **Fondateur :** Siddharta Gautama.

> **Époque de la naissance du bouddhisme :** Entre 566 et 486 av. J.-C.

> **Texte sacré :** La Triple Corbeille (Tripitaka).

> **Croyances :** Le samsara (les êtres humains sont inscrits dans un cycle infini d'existences) ; le karma (détermine les renaissances des êtres humains) ; le nirvana (état de félicité ou d'illumination).

> **Clergé :** Il n'y a pas d'autorité suprême, ni de prêtres, ni de hiérarchie, mais les moines bouddhistes sont valorisés et respectés par les laïcs. On les nomme bonzes, lamas ou maîtres.

> **Rituels religieux :** La méditation, les offrandes.

> **Lieu sacré :** Le stûpa, monument bouddhique en forme de dôme abritant des reliques.

La communauté indienne

L'Inde est un des pays les plus peuplés au monde, avec 982 millions d'habitants répartis sur un territoire d'environ 3 287 000 km². Ses principales villes sont New Delhi, Bombay et Calcutta.

En Inde, on parle l'anglais (langue véhiculaire) et l'hindi (langue nationale), mais le pays reconnaît 18 langues officielles (bengali, cachemir, punjabi, sanskrit, tamoul, ourdou, népali, etc.). Le régime politique de l'Inde est une démocratie parlementaire.

Mahatma Gandhi

Mahatma Gandhi est né en Inde en 1869. Issu d'une caste supérieure, il étudie le droit en Angleterre. Lorsqu'il revient en Inde, il organise une résistance pacifique et encourage la désobéissance civile afin que les Britanniques quittent l'Inde. Par exemple, en 1930, il entreprend une marche à pied de 390 kilomètres jusqu'à la mer, où il recueille une poignée de sel marin, symbole du monopole impérial. Il entreprend aussi de nombreux jeûnes en vue d'exercer une contrainte morale sur les Britanniques. Il meurt assassiné par un fanatique hindou en 1948.

Mahatma Gandhi.

QUELQUES REPÈRES HISTORIQUES

Au XVe siècle, l'Inde est colonisée par les Portugais, les Hollandais et les Français. Au XVIIIe siècle, ce sont les Britanniques qui s'y installent, imposant leurs systèmes politique, juridique et éducatif, leurs industries et l'usage généralisé de l'anglais. En 1947, après des années de résistance passive et de protestations contre l'autorité britannique organisées par Mahatma Gandhi, l'Inde acquiert l'indépendance.

LE SYSTÈME DE CASTES

L'organisation de la société indienne repose sur des divisions sociales très rigides, les castes. Même si la Constitution indienne de 1950 a aboli le système de castes, les préjugés demeurent. Chacune de ces castes participe à un ordre cosmique immuable et correspond à une fonction sociale particulière dont l'individu ne peut s'affranchir : les *brahmanes* sont les prêtres, les philosophes, les érudits ; les *kshatryia* sont les nobles, les guerriers, les chefs politiques ; les *vaishya* sont les marchands, les producteurs ; les *shudra* sont les domestiques. Placée au sommet de ce système, la caste des brahmanes est la plus respectée. Leur mission sociale est d'étudier les textes sacrés et de se consacrer à la recherche de l'absolu. Il y a près de 6000 sous-castes et en bas de l'échelle socio-économique se trouvent les intouchables (ou parias), des individus qui exécutent les tâches jugées impures. Quand on naît indien, on sait rapidement à quelle caste on appartient. Celle-ci détermine à la fois le rang social, le futur métier et le mariage qui ne peut avoir lieu qu'à l'intérieur d'une même caste (Sergent, 2003).

Les intouchables

La conférence internationale sur le racisme tenue à Durban (Afrique du Sud) en 2001 a fait ressortir la ségrégation dont sont toujours victimes les intouchables : « [...] à Durban, le visage rond de cette quinquagénaire aux cheveux gris, orné du traditionnel point rouge entre les deux yeux [...], s'anime pour raconter la vie et la misère des 200 millions d'Intouchables indiens. " Nous sommes même obligés, dans les campagnes, de transporter les excréments des castes supérieures. Ce sont les femmes qui le font, dans des paniers qu'elles portent sur leur tête.

[…] Jusque dans la mort, la ségrégation se poursuit : nous sommes enterrés dans des cimetières différents. " » (Campagne, Orjollet, 2001.)

LES RELIGIONS

La spiritualité est un élément central de la vie en Inde, où l'on pratique plusieurs religions. Les Indiens peuvent être hindous, musulmans, sikhs, bouddhistes, jaïns, parsis, chrétiens ou juifs. Toutefois, la religion dominante est l'hindouisme, qui regroupe plus de 500 millions de pratiquants. Le terme *hindou* ne désigne pas l'ensemble des habitants de l'Inde, mais plutôt les adeptes de l'hindouisme.

LES LANGUES

Il y a plus de 325 langues parlées en Inde. L'hindi est la langue nationale, mais les autorités gouvernementales reconnaissent plusieurs langues principales, dont le sanskrit qui est la langue classique réservée à la religion et à la littérature, et les langues indo-aryennes parlées surtout dans le nord de l'Inde, comme le punjabi, le gujarati et le kasmiri. Les langues dravidiennes comme le tamoul, le télégou, le kannada et le malayâlam sont parlées dans le sud de l'Inde. Comme l'Inde a été colonisée par l'Angleterre, l'anglais est aussi beaucoup utilisé.

> **SAVIEZ-VOUS QUE…**
>
> L'Inde produit plus de 1000 films par année, soit trois fois plus que les États-Unis. Cette industrie du cinéma se nomme « Bollywood », qui est une contraction de Bombay et de Hollywood.

Les systèmes de noms hindou et sikh

En Inde, le système de noms varie selon l'appartenance religieuse. Par exemple, un nom hindou est composé d'un prénom personnel et d'un prénom complémentaire (Mohan Das), d'un nom personnel et du nom complémentaire du père (Karam Chand) et enfin du nom de famille (Gandhi). Le nom complet de cette personne sera donc Mohandas Karamchand Gandhi. Voici quelques exemples de prénoms personnels courants : pour les hommes, on choisit Anand, Anil, Naresh ; pour les femmes, Leela, Rama, Nirmala ; et des exemples de prénoms complémentaires : pour les hommes, ce sera Bhai, Kumar, Das ; pour les femmes, Devi, Kumari, Rani. Les noms de famille usuels sont Chopra, Gupta, Dessi, Sharma. Le nom de famille indique aussi l'appartenance à une caste.

> **SAVIEZ-VOUS QUE…**
>
> Le mot *pyjama* vient de l'hindi et signifie « vêtement des jambes » ; le mot *catamaran* vient du tamoul et signifie « bateau en bois » ; le mot *bungalow* vient du bengali et signifie « hutte » (Williams, Rajani, 1998).

Le système de noms sikh est quelque peu différent. Il est composé d'un prénom commun aux deux sexes, comme Ajit, Davinder, Pritan ou Rajindar, et d'un nom médian ; à la naissance, les hommes reçoivent le nom de Singh, qui signifie « lion », et les femmes celui de Kaur, qui signifie « princesse ». Les sikhs ont aussi un nom de famille (par exemple, Bahra, Kalsi, Sidh) qui indique l'appartenance à une caste, mais comme ils sont opposés au système de castes, ils ne l'utilisent pas beaucoup. Le meilleur moyen de s'adresser à un ou une sikh(e) est d'utiliser son prénom et son nom médian ; par exemple, Ranjit Singh ou Ranjit Kaur (gouvernement du Canada, 1990).

> **NEIL BISSOONDATH**
>
> Né en Inde, il a vécu aux Caraïbes, au Canada anglais et au Québec. Il a publié plusieurs romans et nouvelles, dont *L'innocence de l'âge* (1992) et *À l'aube de lendemains précaires* (1994), ainsi que de nombreux essais, dont *Le marché aux illusions – La méprise du multiculturalisme* (1995).

L'ARRIVÉE ET L'INSTALLATION DES INDIENS AU QUÉBEC

La première vague d'immigration indienne survient au début du XIXe siècle, mais elle est freinée très rapidement. En effet, dès 1908, on interdit l'immigration indienne en invoquant la *Loi de la traversée directe*, qui exige la traversée sans escale de l'Inde vers le Canada. Cette traversée est alors impossible, car aucune ligne de transport maritime n'assure à cette époque de liaison directe entre l'Inde et le Canada (gouvernement du Canada, 1999).

En 1914, l'affaire du cargo *Komagata Maru* transportant 376 hommes originaires du Panjab, en majorité des sikhs, illustre cette discrimination : les passagers sont détenus pendant deux mois, perdent leur cause en Cour d'appel et sont forcés de reprendre leur route. Toutefois, en 1947, le gouvernement du Canada octroie le droit de vote aux Indiens résidant au Canada, leur permettant par le fait même d'avoir accès à des emplois plus intéressants. En 1951, un accord entre les gouvernements de l'Inde, du Pakistan, du Sri Lanka (Ceylan) et du Canada établit un contingentement qui autorise l'immigration de 150 Indiens, de 100 Pakistanais et de 50 Cinghalais par année.

Une deuxième vague d'immigration a lieu entre 1970 et 1980. Attirée par une économie croissante et les acquis de la Révolution tranquille, cette immigration est urbaine, scolarisée, spécialisée dans les domaines du génie civil, de l'administration, de la médecine et de l'enseignement. Vient ensuite, entre 1980 et 1990, une immigration regroupée surtout dans la catégorie de la réunification familiale. Au début des années 1990, l'immigration indienne se compose à la fois de familles et de réfugiés. Actuellement, on assiste à une recrudescence de l'immigration indienne ; ainsi, près du tiers de toute la communauté indienne établie au Québec est arrivée après 1997 (gouvernement du Québec, 2003).

La communauté indienne du Québec provient principalement du nord de l'Inde (le Panjab, l'Uttar Pradesh et les alentours), mais aussi du sud (le Bengale et la région de Madras).

LA COMMUNAUTÉ INDIENNE AUJOURD'HUI

La communauté indienne du Québec compte environ 42 000 personnes (Courville, 2000 ; gouvernement du Québec, 2003). Les Indiens du Québec ont un niveau de scolarité très élevé : 45 % d'entre eux détiennent un diplôme universitaire (gouvernement du Québec, 1995) et plusieurs occupent des postes de direction dans les secteurs de l'enseignement, de la santé et du génie (surtout les personnes arrivées avant 1980). Ceux qui sont de plus récente arrivée travaillent dans des industries manufacturières ou sont propriétaires de petites et moyennes entreprises (restaurants, épiceries, appareils électroniques) (Philoctète, 1998).

La langue maternelle des Indiens du Québec est principalement l'anglais, mais ils parlent aussi le gujarati, le punjabi et l'hindi. Plus du tiers des immigrants indiens connaissent le français et l'anglais.

La communauté indienne est surtout installée à Montréal (96 %), Brossard, Pierrefonds, Dollard-des-Ormeaux et Lasalle. À Montréal, ils habitent principalement les arrondissements Côte-des-Neiges / Notre-Dame-de-Grâce et Villeray / Saint-Michel / Parc-Extension.

Le profil religieux des Indiens du Québec est marqué par une très grande diversité : la moitié d'entre eux sont hindous, 15 % sont sikhs, 10 % sont musulmans et 10 % sont catholiques.

Les communautés sri lankaise et pakistanaise

Selon des données récentes, plus de 20 000 personnes composent la communauté sri lankaise du Québec (Courville, 2000 ; gouvernement du Québec, 2003). La grande majorité de ces Sri Lankais se sont établis ici à partir de la fin des années 1980. Un mouvement pour la création d'un État indépendant tamoul (les Tamouls sont une minorité ethnique du Sri Lanka) a provoqué des affrontements avec la majorité cinghalaise et poussé une grande partie de la population à s'exiler. Le Canada a créé des programmes spéciaux d'accueil de réfugiés sri lankais à partir de 1984. La majorité des immigrants sri lankais du Québec sont installés dans la région de Montréal, principalement dans les arrondissements Côte-des-Neiges/Notre-Dame-de-Grâce et Villeray/Saint-Michel/Parc-Extension. Ils appartiennent pour la plupart à la minorité tamoule et sont surtout de religion hindoue.

La communauté pakistanaise du Québec regroupe environ 12 000 personnes (Courville, 2000 ; gouvernement du Québec, 2003). Plus de la moitié de ces immigrants sont arrivés au cours des dix dernières années. Ils sont scolarisés, jeunes et souvent accompagnés de leur famille. Ils s'installent surtout dans la région de Montréal, dans les arrondissements Saint-Laurent et Villeray/Saint-Michel/Parc-Extension.

MIEUX CONNAÎTRE LA COMMUNAUTÉ INDIENNE

Quelques mots en hindi

Voici quelques mots d'usage courant en hindi :

Bonjour	Bonsoir	Comment allez-vous ?	Je vais bien	Merci
नमस्कार				
Namaskar	*Namaste*	*Kya hal hai ?*	*Teak toak*	*Sanyavad*

Monsieur	Madame	Oui	Non
		हाँ	नहीं
Shri	*Shrimati*	*Ji ha*	*Ji nahi*

Quelques adresses

> **Association nationale des Canadiens d'origine indienne :** 4225, rue Notre-Dame Ouest, Montréal.

> **Fondation Kala Bharati :** 3410, rue Sherbrooke Est, Montréal. Cette association qui veut promouvoir la culture de la communauté indienne publie le journal *Patrikais*.

> **Fondation Bharat Bhavan** (la Maison de l'Inde) **:** 4225, rue Notre-Dame Ouest, Montréal.

Cuisine

La cuisine indienne utilise beaucoup d'épices : le cari, le curcuma, la coriandre… Parmi les mets les plus populaires, mentionnons les *bhajis*, qui sont des morceaux de légumes frits dans une pâte, la soupe *dal*, qui est une purée de lentilles citronnée, et le poulet *tandoori*, un poulet mariné dans une sauce rouge et cuit dans le tandoor, un four en argile chauffé au charbon de bois dur. Le pain *nan* accompagne tout repas indien.

Fêtes de la communauté

> **26 janvier :** Fête de la république de l'Inde.

> **15 août :** Fête de l'indépendance de l'Inde.

> **Pongal-Sankranti :** Fête des moissons.

L'hindouisme

Il y a environ 750 millions d'hindous dans le monde. On les retrouve surtout en Inde, au Népal, au Bangladesh, au Sri Lanka et au Pakistan. On dénombre environ 297 000 hindous au Canada, dont 25 000 au Québec (gouvernement du Canada, 2003).

> « L'homme est le créateur de son propre destin et même dans sa vie fœtale il est affecté par la dynamique des actes de sa vie antérieure. »
>
> (Garuda Purana.)

LA NAISSANCE DE L'HINDOUISME

L'hindouisme voit le jour avec l'arrivée en Inde des envahisseurs Aryas, venus d'Asie centrale, aux alentours de l'an 1500 avant Jésus-Christ. Ceux-ci imposeront leur religion, le védisme, ainsi que leur langue, le sanskrit.

LES VALEURS FONDAMENTALES

L'idée principale de la religion hindoue est centrée sur le *dharma*, terme sanskrit désignant à la fois l'ordre social, l'ordre cosmique et tous les devoirs auxquels doivent se soumettre les individus afin de maintenir leur place dans cette harmonie.

Selon l'hindouisme, le monde est constitué de cycles : les âges (*yuga*) se succèdent en séquences de quatre et le *dharma* perd, à chacun des passages d'un *yuga*, le quart de sa vigueur. Lorsque le quatrième *yuga* est terminé, le cycle recommence.

Les transitions entre les âges et les séquences d'âges sont marquées par des sortes de cataclysmes, suivis d'un renouveau. Ce renouveau n'est possible que par l'intervention de la divinité Vishnu.

LES TEXTES SACRÉS

On ne retrouve pas, dans la religion hindoue, un seul livre qui servirait de référence à tous les fidèles. Il n'y a pas non plus de fondateur unique de l'hindouisme, ni de clergé ou d'institution qui chapeaute le monde hindou.

L'hindouisme est fondé sur un grand nombre de textes sacrés, écrits en sanskrit au cours de nombreux siècles, dont les plus anciens sont les quatre *Vedas*. Le *Mahabharata* et le *Ramayana* sont des poèmes épiques qui mêlent légendes et préceptes moraux. Il y a aussi les *Puranas* (textes épiques) et les *Sutras* (devoirs à accomplir dans certaines situations). Par exemple, le *Kamasutra* est un traité classique de l'art d'aimer. Les *Upanishads* sont des traités métaphysiques qui expliquent la nature de l'être humain.

LES PRATIQUES RELIGIEUSES

La pratique de l'hindouisme peut se faire sous diverses formes : les rituels privés, qui sont davantage des rites de passage (initiation, mariage, mort...), les prières quotidiennes, de même qu'un ensemble de rituels publics qui peuvent avoir lieu dans les temples. Le *pûjâ*, repas de cérémonie voué au culte d'une divinité, est l'un des rituels les plus courants : il est pratiqué cinq fois par jour par les fidèles.

SAVIEZ-VOUS QUE...

Le *Kamasutra* est un document érotique écrit par un brahmane au IVᵉ siècle après Jésus-Christ. Le mot *kama* signifie « désir » en sanskrit. Le *Kamasutra* donne à la sexualité deux aspects : le devoir conjugal et le plaisir de la chair.

Avant de se rendre au temple, le fidèle doit se laver ou faire des ablutions rituelles (se passer de l'eau sur les oreilles, le nez, la bouche, les bras, le corps et les pieds). Une fois dans le temple, il se prosterne devant un autel sur lequel se trouvent des fleurs, des fruits, de l'encens, des lampes à l'huile et des statues des divinités.

De nombreuses divinités, un seul principe divin

Les hindous croient en un seul principe divin qui peut se manifester sous la forme de diverses divinités. Il y a trois divinités principales : Brahma, Vishnu et Shiva, qui forment la triade brahmanique. Elles remplissent chacune une fonction différente : Brahma est associé à la création de l'Univers, Vishnu représente les forces évolutives et Shiva, les forces destructives. L'hindouisme compte aussi 30 divinités mineures que l'individu peut vénérer sans pour autant renier les autres. Une divinité peut se manifester sous diverses incarnations, sous la forme d'un héros ou d'un animal par exemple : ce sont des avatars. Ainsi, Vishnu a dix avatars dont les plus connus sont Rama et Krishna.

La triade brahmanique : Brahma, Vishnu et Shiva.

Brahma

Première divinité de la trinité hindoue, il est le créateur de l'Univers. Il est souvent représenté avec quatre visages (symbolisant les quatre *Vedas*, les quatre âges de la vie et les quatre castes) et quatre bras (symbolisant les quatre directions de l'Univers). Il a pour épouse Sarasvati, déesse des arts, de la connaissance et de la parole. Il est accompagné d'une oie ou d'un cygne.

Vishnu

Deuxième divinité de la trinité hindoue, il préserve l'ordre de l'Univers. Il possède quatre bras. Dans la première main, il tient une conque dans laquelle il souffle pour vaincre les démons ; dans la deuxième, un disque, avec lequel il se bat contre les forces du mal ; dans la troisième, une masse d'or, symbole de son pouvoir ; et dans la quatrième, une fleur de lotus. Il porte des vêtements jaunes. Il est accompagné d'un serpent à plusieurs têtes et d'un aigle. Son épouse, Lakshmi, est la déesse de la prospérité et de la beauté, et la protectrice des gens d'affaires.

Vishnu en compagnie de son épouse, Lakshmi.

Shiva

Troisième divinité de la trinité hindoue, il est un personnage complexe et contradictoire. Il représente la destruction mais une destruction qui a pour but la création d'un monde nouveau. Il tient d'une main un tambour qui marque la création et de l'autre le feu qui anéantit. De son pied droit, il écrase le démon de l'ignorance, tandis que sa jambe gauche marque la délivrance. Il a trois yeux qui représentent les trois sources de la lumière : le soleil, la lune et le feu. On le représente souvent assis sur une peau de tigre, symbole de l'énergie, et sa monture est un taureau. L'emblème de Shiva est le lingam (un phallus), symbole de la création. Ses épouses sont Durga, Kali et Parvati.

Ici, Shiva est représenté comme danseur cosmique.

Outre ces trois divinités importantes, d'autres sont très connues et vénérées.

Ganesh   Fils de Shiva et de Parvati, il est représenté avec une tête d'éléphant sur un corps humain et a un rat pour monture. C'est le dieu des commerçants, des voleurs et des voyageurs. Il secourt les siens dans l'adversité, les récompense de ses gâteaux et les bénit de sa main.

Hanuman   Aussi appelé le dieu-singe, c'est un savant, médecin à ses heures et doué d'une grande force. Il jouit d'une grande popularité dans l'hindouisme.

Krishna   Il est une incarnation de Vishnu, mais certains hindous le considèrent comme un dieu à part entière. Il est représenté avec la peau bleue et jouant de la flûte. Des paons se trouvent à ses côtés. La vache est son animal de compagnie.

La secte de Krishna

La plus célèbre des sectes d'origine hindoue a été créée aux États-Unis en 1966 et est fondée sur le *Bhagavad-Gita*. Les membres pratiquent une forme d'adoration et d'amour mystique pour Krishna. La principale forme de dévotion se nomme le *kirtan* ; c'est une réunion publique où l'on chante les noms du dieu. On répète un *mantra* : Hare Krishna, Hare Krishna, Krishna Krishna, Hare Hare, Hare Rama, Rama Rama, Hare Hare. La secte Hare Krishna enseigne que chaque individu est une parcelle de divinité, de Krishna. Les disciples de Krishna font vœu d'observer les grands principes de sa conscience : ne pas manger de viande, de poisson ni d'œufs, ne pas boire d'alcool, ne pas jouer de l'argent, ne pas avoir de relations sexuelles (sauf entre époux et pour la procréation). Les hommes de cette secte sont aussi tenus de se raser la tête.

La réincarnation

Dans la philosophie hindoue, la mort n'est pas une fin mais le commencement d'une nouvelle vie (karma). Le fait de naître dans une caste plutôt que dans une autre est déterminé par les actions réalisées par les individus, aussi bien dans la vie présente que dans leurs vies antérieures. Ce cycle ininterrompu d'existences fait que les actions d'un individu sont toujours portées vers l'avant, vers d'autres vies (le samsâra). Seules les actions accomplies au cours de la vie humaine ont une qualification morale et une efficacité karmique. Cet objectif spirituel génère un code de conduite moral et social, car les individus aspirent à un bon karma, craignant de se réincarner sous la forme d'un animal ou d'un être inférieur (Farrington, 1999).

LES COUTUMES

Le yoga est souvent pratiqué par les adeptes de l'hindouisme afin d'atteindre le summum de leur forme physique et mentale.

Sur le plan de l'alimentation, plus un hindou est de caste élevée, plus il est tenu de respecter certains interdits. Par exemple, un brahmane ne pourra manger que de la nourriture préparée par des membres de sa caste. Les hindous sont souvent végétariens.

LES FÊTES HINDOUES

> **Dîwalî :** Dédiée au dieu Râma et à son épouse, cette fête de la lumière dure cinq jours : on allume des lampes à chaque fenêtre pour guider le retour à la maison du bon prince Râma, on fait éclater des pétards pour célébrer son arrivée, on nettoie la maison de fond en comble, on la décore de dessins à la craie. Chacun revêt ses plus beaux atours pour aller chez les amis et les parents. Cette fête est commune aux hindous et aux sikhs et se célèbre en octobre ou novembre.

> **Krishna Jayanthi :** Cette fête commémore la naissance du dieu Krishna (en août ou en septembre).

> **Holi :** Cette fête des couleurs marque le début du printemps. En Inde, cette célébration est une soupape de sécurité puisque les serviteurs ont alors le droit d'insulter leurs maîtres ; les femmes, leurs maris... On lance de l'eau et des poudres colorées sur tout le monde.

> **Shivarâtri :** Lors de cette fête en l'honneur de la naissance du dieu Shiva, les fidèles jeûnent pendant la journée et veillent toute la nuit dans les temples de Shiva.

> **Vaisakhi :** Fête de la nouvelle année. Cette fête est commune aux religions sikhe et hindoue.

LES LIEUX DE CULTE

L'hindouisme enseigne le respect du gourou, le maître spirituel. On peut pratiquer la religion hindoue dans les temples, où les dévotions se font devant des statues des divinités, dans les centres de yoga et de méditation ou dans un *ashram*, lieu de résidence d'un maître ou gourou entouré de ses disciples.

Un temple hindou est consacré à Brahma, Shiva, Vishnu ou à plusieurs divinités. Il existe plusieurs temples hindous dans la région de Montréal. En voici quelques-uns :

> **Mission hindoue du Canada :** 955, rue Bellechasse, Montréal.

> **Temple hindou du Québec :** 50, rue Kesmark, Montréal.

> **Association internationale pour la conscience de Krishna :** 1626, boulevard Pie-IX, Montréal.

> **Temple Durkai Amman :** 271, rue Jean-Talon Ouest, Montréal.

Temple Durkai Amman.

À RETENIR SUR L'HINDOUISME

> **Nombre de fidèles dans le monde :** Environ 750 millions.

> **Époque de la naissance de l'hindouisme :** Vers 1500 av. J.-C.

> **Divinités :** Un seul principe divin ; une triade composée de Brahma, Shiva et Vishnu, et une trentaine de divinités mineures, dont Ganesh, Hanuman et Krishna.

> **Textes sacrés :** Un grand nombre de textes sacrés, en particulier les quatre Vedas, le Mahabharata, les Puranas, les Sutras et les Upanishads.

> **Croyances :** Sont centrées sur le dharma, qui désigne l'ordre social et cosmique et tous les devoirs auxquels doivent se soumettre les individus afin de maintenir leur place dans l'harmonie du monde.

> **Clergé :** Il n'y a pas de clergé ni d'institution. Le brahmane aide les fidèles à effectuer leurs offrandes, assure le pûjâ (rite pratiqué cinq fois par jour) et enseigne la doctrine hindoue. Il y a aussi des gourous ou des maîtres spirituels qui résident dans des ashrams.

> **Rituels religieux :** Les rituels de passage comme le mariage, la mort, etc. ; le pûjâ, cérémonie de la prière.

Le sikhisme

Il y a environ 22,5 millions de sikhs dans le monde. La grande majorité vit en Inde et plus particulièrement dans la province du Panjab. On dénombre environ 300 000 sikhs au Canada, dont 8000 au Québec (gouvernement du Canada, 2003).

« Il n'y a qu'un Dieu, dont le nom est Vérité, le Créateur, sans peur, ni ennemi, immortel, incréé, immanent, grand et généreux. Le Vrai est, a été et le Vrai sera. » (Prière du matin pour le fidèle sikh.)

LA NAISSANCE DU SIKHISME

Le sikhisme a vu le jour en Inde, à la fin du XVe siècle, pour jeter un pont entre l'hindouisme (dont il partage, entre autres, les notions de réincarnation et de karma) et l'islam (qui croit à l'unicité de Dieu). Le fondateur du sikhisme est le gourou Nanak qui a vécu au Pakistan de 1469 à 1539.

Après avoir visité La Mecque, Nanak a une révélation de mission. Il parcourt le pays, prêchant l'amour d'un Dieu unique et l'abandon des rites et coutumes qui divisent les êtres humains. Il croit en une société plus égalitaire, plus pacifique. Après sa mort, plusieurs gourous lui succèdent, mais c'est surtout avec le dixième, Gobind Singh (1666-1798), que la foi sikhe s'affirme. Celui-ci crée une organisation militaire : la Khalsa (ou « les élus de Dieu »), dont les membres, prêts à prendre les armes pour défendre la communauté sikhe, doivent s'abstenir de boire de l'alcool, de fumer, de consommer des drogues et sont tenus de mener une vie vertueuse (Matringe, 1999).

LA PHILOSOPHIE DE BASE

Il n'y a qu'un seul Dieu (Akal Purakh) qui est le créateur et le maître de l'Univers. Pour vénérer Dieu, on doit être dévot, répéter le nom de Dieu, suivre les instructions d'un gourou et méditer. Le sikh croit en la réincarnation, au karma, en l'harmonie divine de l'Univers, fait le bien, évite le mal et se purifie. Il doit aussi être au service de sa communauté.

LES TEXTES SACRÉS

Le premier livre, ou l'*Adi Granth*, est le fondement de la foi sikhe. Il contient des hymnes du gourou Nanak et de ses successeurs, des liturgies, des préceptes éthiques et des paroles de sagesse.

LES RITUELS RELIGIEUX

Un sikh est censé prier trois fois par jour : tôt le matin, le soir et avant de se coucher. Il doit se rendre aussi souvent que possible au *gurdwara* (temple) et participer aux prières collectives.

Le gourou Gobind Singh a ajouté un aspect militant aux fondements religieux du sikhisme : on doit défendre ses droits et on reconnaît la vertu du courage. Les disciples mâles initiés (Khalsa) se doivent de respecter les cinq « K » (les cinq signes visibles du sikhisme), qui sont décrits ci-dessous.

> Kesh : La barbe et les cheveux ne doivent pas être coupés. Les cheveux sont coiffés en chignon et placés sous un turban.

> Kangha : Un peigne d'acier tient la chevelure et est placé sous le turban.

> Kaccha : Un pantalon court est porté comme sous-vêtement.

> Kara : Un bracelet d'acier, symbole de fraternité, est placé au poignet droit.

> Kirpan : On porte un poignard cérémoniel, symbole de la volonté permanente de combattre pour la liberté.

Les hommes initiés prennent le nom de Singh (lion) ; les femmes se nomment Kaur (princesse) et se couvrent la tête d'un voile léger. Elles portent aussi le kirpan.

La couleur du turban

Le turban bleu est le symbole d'un esprit « ouvert » comme le ciel. Il est réservé à ceux qui respectent le principe d'égalité. Le blanc est porté par les hommes qui mènent une vie vertueuse. Le noir rappelle les persécutions dont furent victimes les sikhs. Les autres couleurs relèvent de la coquetterie.

Le port du turban

Au Canada, depuis 1989, les recrues sikhes de la Gendarmerie royale du Canada (GRC) ont le droit de porter le turban avec l'uniforme.

En 1991, Blatej Singh Dhillon obtient son diplôme du centre de formation de la GRC et porte turban et barbe. En Ontario, on a donné le droit aux enfants de porter le kirpan dans les écoles.

Un agent de liaison de l'Université de Toronto, Pardeep Singh Nagra, a forcé l'Association canadienne de boxe à lui laisser porter barbe et turban dans le ring olympique.

(*Source* : Leblanc, 2000.)

LES FÊTES SIKHES

❯ **30 novembre :** Anniversaire de la naissance du gourou Nanak, fondateur de la religion sikhe.

❯ **Baisakhi :** Fête célébrant la Fondation de l'ordre des Khalsa par le gourou Gobind Singh. Coïncide avec le Nouvel An.

LES LIEUX DE CULTE

Le lieu le plus sacré du sikhisme est le temple d'Or d'Amritsar, en Inde. Un exemplaire enluminé de l'*Adi Granth* y est exposé. Les temples sikhs sont appelés *gurdwara* (« porte du gourou »). Il n'y a pas de prêtres dans le mouvement sikh, ni statues, ni objets de culte.

La visite du *gurdwara* fait partie du quotidien d'un sikh. Après la prière, un repas réunit les fidèles qui sont entrés dans le temple, la tête couverte et déchaussés.

Il y a quelques temples sikhs dans la région de Montréal.

❯ **Le Temple sikh :** 1090, boulevard Saint-Joseph, Lachine.

❯ **Le Sikh Gurdwara Sahib :** 2183, rue Wellington, Montréal.

❯ **Centre communautaire Guruhanak :** 419, rue Saint-Roch, Montréal.

À RETENIR SUR LE SIKHISME

❯ **Nombre de fidèles :** Environ 22,5 millions

❯ **Fondateur :** Le gourou Nanak.

❯ **Époque de la naissance du sikhisme :** Entre 1469 et 1539.

❯ **Divinité :** Un seul Dieu (Akal Purakh).

❯ **Textes sacrés :** L'*Adi Granth*, qui est le fondement de la foi sikhe.

❯ **Croyances :** On croit en la réincarnation et au karma. On essaie de comprendre l'harmonie divine de l'Univers, de faire le bien, d'éviter le mal et de se purifier.

❯ **Clergé :** Il n'y a pas de clergé, mais des gourous ou des maîtres spirituels.

❯ **Rituels religieux :** La prière trois fois par jour ; les prières collectives ; se rendre au temple ; le respect des cinq signes du sikhisme (Kesh, Kangha, Kaccha, Kara, Kirpan).

❯ **Lieux sacrés :** Le temple d'Or d'Amritsar, en Inde. Les temples sikhs sont appelés *gurdwara*.

CHAPITRE 8

Les communautés latino-américaines

On estime qu'il y a actuellement 60 000 personnes d'origine latino-américaine au Québec, issues de 22 pays d'Amérique latine (Amérique centrale et Amérique du Sud) (voir la figure 8.1). Argentins, Colombiens, Salvadoriens, Guatémaltèques et Chiliens partagent une même langue, l'espagnol, et souvent une même religion, le catholicisme. On connaît d'eux leur cuisine épicée, leur joie de vivre, leurs danses, mais aussi leurs luttes pour la liberté. En effet, plusieurs de ces pays ont connu des guerres civiles, des dictatures et des coups d'État.

Ainsi, c'est surtout l'instabilité politique dans les pays d'Amérique latine qui a provoqué, dès le début des années 1970, l'exode de milliers de Latino-Américains vers le Canada et le Québec.

Dans ce chapitre, nous présenterons d'abord des faits ayant marqué la vie de quelques-unes de ces communautés dans leur pays d'origine et nous dresserons un bref portrait de leur immigration au Québec. Par la suite, nous nous intéresserons plus particulièrement à la communauté chilienne. Nous nous attarderons à l'installation de cette communauté au Québec et nous présenterons des données démographiques, économiques et culturelles. Enfin, nous consacrerons la dernière partie de ce chapitre aux religions chrétiennes, très présentes au sein de plusieurs communautés latino-américaines installées au Québec.

Figure 8.1 Cartes de l'Amérique centrale et de l'Amérique du Sud.

Quelques communautés latino-américaines

LES COLOMBIENS

La Colombie est un des pays les plus pauvres de l'Amérique du Sud. De nombreux facteurs, dont la concentration de la propriété foncière, l'urbanisation sauvage et la prolifération des bidonvilles, le chômage, la violence, le brigandage et le trafic de drogues, amènent, depuis plus de 30 ans, une grande partie de la population à s'exiler pour chercher une vie meilleure.

C'est à partir des années 1970, plus précisément entre 1973 et 1978, que le Québec reçoit une immigration colombienne. Surtout d'origine urbaine, cette immigration est essentiellement composée de jeunes, en majorité de femmes. La plupart de ces immigrants font partie de l'immigration économique et quelques-uns viennent rejoindre leur famille.

Après cette première vague, l'immigration colombienne se fait rare jusqu'à la fin des années 1990. De 1997 à 2003, on enregistre une hausse du nombre d'immigrants colombiens qui fuient l'instabilité politique et économique de leur pays. La majorité des immigrants de cette deuxième vague seront acceptés au Québec comme réfugiés.

La langue maternelle des Colombiens du Québec est l'espagnol, mais la plupart d'entre eux connaissent le français et l'anglais. Ils sont assez scolarisés et majoritairement catholiques. Ils se sont installés dans la région de Montréal, surtout dans l'arrondissement Villeray/Saint-Michel/Parc-Extension. On estime la communauté colombienne du Québec à environ 19 000 personnes (Courville, 2000 ; gouvernement du Québec, 2004).

LES SALVADORIENS

En 1980, un coup d'État est perpétré au Salvador et, peu de temps après, la junte militaire dirigée par José Duarte le désigne chef d'État. Deux mois plus tard, le 23 mars 1980, monseigneur Romero, archevêque de San Salvador qui dénonce depuis des années les violations des droits de l'homme, est assassiné. Ses funérailles donnent lieu à un massacre perpétré par les escadrons de la mort et les militaires (35 morts, 650 blessés). La guerre civile qui s'enclenche durera de 1980 à 1992 et fera 12 000 morts. Le 16 janvier 1992, des accords de paix sont signés, les accords de Chapultepec.

Les premiers Salvadoriens à s'installer au Québec le font dès le début des années 1970, mais c'est surtout à partir de 1981, alors que la guerre civile sévit au Salvador, que quelques milliers de réfugiés sont admis dans la province sur la base de programmes spéciaux d'accueil. Cette vague d'immigration s'intensifie de 1986 à 1991 (elle constitue 70 % de l'immigration salvadorienne du Québec). Les Salvadoriens sont surtout installés dans les arrondissements Rosemont/Petite-Patrie et Ahuntsic/Cartierville et ont été principalement admis sur la base de la réunification familiale. La communauté salvadorienne du Québec compte environ 15 000 personnes (Courville, 2000 ; gouvernement du Québec, 2004).

LES GUATÉMALTÈQUES

Dans les années 1950, une réforme agraire voulant redonner des terres fertiles aux paysans avorte, et un régime militaire s'installe. Victimes de cette réforme

MIEUX CONNAÎTRE LES COMMUNAUTÉS LATINO-AMÉRICAINES

Quelques mots en espagnol

Voici quelques mots d'usage courant en espagnol :

Bonjour	Bonsoir	Comment allez-vous ?	Très bien, merci
Buenos dias	*Buenas tardes*	*Como esta usted ?*	*Muy bien, gracias*

S'il vous plaît	Oui	Non
Por favor	*Si*	*No*

Quelques adresses

> **Le Parc des Amériques :** Au coin de la rue Rachel et du boulevard Saint-Laurent, à Montréal. Les motifs qui décorent l'arcade du parc sont d'inspiration aztèque.

> **Parc Jeanne-Mance :** On y joue au soccer, qui est un sport important pour les communautés latino-américaines.

> **Association latino-américaine de Côte-des-Neiges (ALAC) :** 5307, chemin Côte-des-Neiges, Montréal.

> **Conseil chilien du Québec :** 8465, rue Saint-Denis, Montréal.

> **Association Guatemala-Québec :** 8835, boulevard Pie-IX, bureau 3, Montréal.

> **Société Argentine-Québec-Canada :** 5390, boulevard Saint-Laurent, Montréal.

> **Centre de développement salvadorien :** 382, rue Lafleur, bureau 27, Montréal.

> **École argentine de Montréal :** 1200, rue Laurier Est, Montréal.

> **Mission catholique latino-américaine (église Sainte-Guadeloupe) :** 2020, rue Bordeaux, Montréal.

Cuisine

Très souvent, dans les pays latino-américains, on déjeune, on dîne, on prend un léger repas vers 17 heures (ce repas, appelé *once*, est composé d'un sandwich, de biscuits ou de gâteaux) et on soupe très tard (vers 22 heures). Voici quelques plats typiques de l'Amérique latine :

> *Porotos con riendas :* Fèves préparées avec des courges et des pâtes alimentaires.

> *Empanadas :* Petits pâtés à la viande (poulet ou bœuf), aux fruits de mer ou au fromage.

> *Cazuelas :* Plat à base de viande, de patate, de courge et de riz servis dans un bouillon.

Fêtes de la communauté

> **25 mai :** Fête nationale de l'Argentine, commémorant la révolution de 1810.

> **9 juillet :** Fête de l'indépendance de l'Argentine.

> **20 juillet :** Fête de l'indépendance de la Colombie (1810).

> **7 août :** Commémoration de la bataille de Boyaca, en Colombie.

> **4 septembre :** Commémoration de l'élection de Salvador Allende au Chili.

> **15 septembre :** Fête de l'indépendance du Guatemala (1821).

> **18 septembre :** Fête nationale du Chili.

> **23 septembre :** Anniversaire de naissance du poète chilien Pablo Neruda.

> **12 octobre :** Fête de Christophe Colomb. (Dans plusieurs pays d'Amérique latine, on ne célèbre pas l'arrivée de Christophe Colomb en Amérique, mais plutôt les premiers habitants de l'Amérique, qui étaient des Indiens).

avortée, les Indiens, regroupant 21 ethnies dont les Mayas et représentant la moitié de la population, initient une résistance. L'armée mène alors une terrible répression, rasant des centaines de villages et laissant sur son passage des centaines de milliers de morts et de sans-abri. Le pouvoir revient aux civils en 1985. En 1990, un accord permet de normaliser les relations entre les différents partis politiques, mais ce n'est qu'en 1996 que la paix est signée. Le Guatemala sort complètement ruiné de cette guerre civile. La lutte des Indiens du Guatemala est reconnue au niveau international, grâce, notamment, à des actions militantes comme celles de Mme Rigoberta Menchu qui a reçu le prix Nobel de la paix en 1992 (Soulet, Guinle-Lorinet, 1998).

L'immigration guatémaltèque au Canada et au Québec s'amorce dès le début des années 1970 et s'intensifie au cours des années 1980 et 1990. Ces immigrants sont jeunes, principalement d'origine urbaine, peu ou moyennement scolarisés et majoritairement catholiques. Après les années 1990, ils sont peu nombreux à venir s'installer au Québec. On estime qu'environ 5000 personnes d'origine guatémaltèque vivent actuellement au Québec (gouvernement du Québec, 2004).

LES ARGENTINS

Depuis le début du xxe siècle, l'Argentine a connu une succession de dictatures et de présidences élues démocratiquement. Juan Perón est élu président en 1945 et renversé en 1955 par l'armée. Il revient en 1973, mais meurt un an plus tard. Sa troisième femme, Isabel Martinez, lui succède. En 1976, nouveau coup d'État militaire et instauration d'une dictature. En 1983, c'est le retour des élections libres. De 1983 à 1988, une crise économique sévit et de violents conflits opposent les civils et l'armée. Quelques Argentins viennent s'installer au Québec pendant ces périodes.

La récession économique qui frappe l'Argentine en 1998 atteint son point culminant en 2001 et force les Argentins à chercher de meilleures conditions de vie. On assiste alors à une hausse graduelle du nombre d'Argentins qui s'installent au Québec sur la base de l'immigration économique. On estime qu'environ 5000 personnes d'origine argentine vivent actuellement au Québec (gouvernement du Québec, 2004).

GERMAN GUTTIEREZ

Ce cinéaste d'origine colombienne a réalisé le film *La Familia latina* en 1986. Par des entrevues, il tente de comprendre la signification du déracinement, du processus d'adaptation et d'intégration pour les immigrants de première et de deuxième génération.

La communauté chilienne

Le Chili est un pays d'Amérique du Sud qui a la forme d'une bande étroite située entre le Pacifique et les Andes, au sud du Pérou et à l'ouest de la Bolivie et de l'Argentine (voir la figure 8.1). Près de 15 millions d'habitants se partagent son territoire de 756 945 km². Ses principales villes sont Santiago (la capitale), Concepcion et Valparaiso. Les Chiliens sont en majorité catholiques (89 %; 11 % sont protestants). La langue officielle du Chili est l'espagnol.

QUELQUES REPÈRES HISTORIQUES

Le 4 septembre 1970, Salvador Allende, candidat socialiste à la tête d'une alliance de partis de gauche (Unité populaire), est élu président de la république du Chili.

Ce gouvernement s'engage dans des transformations sociales, économiques et politiques. De grands domaines agricoles sont remis aux travailleurs, des usines sont gérées par l'État et les ouvriers, l'État nationalise les mines de cuivre. On prévoit un plan de construction de logements, d'écoles et de cliniques médicales. Rapidement ces mesures sociales apparaissent comme une menace pour les intérêts économiques nationaux et étrangers.

Le 11 septembre 1973, Allende est tué au cours d'un coup d'État militaire dirigé par le général Augusto Pinochet. On cherche dès lors à effacer les traces de l'Unité populaire en interdisant toute activité politique ; des milliers de gens sont faits prisonniers, plusieurs sont torturés, beaucoup disparaissent. En 1974, Pinochet devient le président du Chili ; il abolit les partis politiques et restreint les droits civils.

La Constitution légalise le pouvoir de Pinochet en 1980. Des manifestations d'opposition contre le régime se tiennent en 1983 et 1984, et l'on rétablit l'état de siège. Ce n'est qu'en 1989 qu'il y a un retour à la démocratie, mais le général Pinochet s'institue chef de l'armée et sénateur à vie. Même si des progrès notables sont enregistrés (sur le plan de la liberté d'expression par exemple), les possibilités d'action de la nouvelle démocratie sont très limitées. Il faudra attendre la fin des années 1990 pour que le Chili retrouve une véritable démocratie.

L'ARRIVÉE ET L'INSTALLATION DES CHILIENS AU QUÉBEC

Avant 1973, peu de Chiliens se sont établis au Canada et au Québec, mais après le coup d'État ils sont des centaines de milliers à chercher asile partout dans le monde. Selon le Haut Commissariat des Nations Unies pour les Réfugiés (HCR), les exilés chiliens sont répartis dans 45 pays et sur tous les continents (Australie, Venezuela, France, Espagne, Canada, Algérie, Mozambique,...) (Lambias-Wolff, 1988).

Pourquoi les Chiliens sont-ils venus au Canada et au Québec ? Principalement en raison des programmes spéciaux pour les réfugiés. Dès novembre 1973, une équipe canadienne du ministère de l'Immigration se rend au Chili pour entamer l'évaluation des dossiers de Chiliens qui manifestent le désir de s'établir au Canada. C'est ainsi qu'entre 1974 et 1978 le Canada a reçu 12 000 Chiliens, dont le tiers environ se sont installés au Québec.

Cette première vague d'immigration est composée de réfugiés chiliens qui fuient la dictature de Pinochet. D'origine urbaine, professionnels, ils sont, pour la plupart, jeunes et très scolarisés.

Une deuxième vague d'immigration chilienne suit au début des années 1980 ; elle est composée de gens répondant aux critères du regroupement familial, puis d'autres répondant aux critères de la catégorie de l'immigration économique. C'est une immigration diversifiée composée de techniciens, de cols bleus et de cols blancs.

À la fin des années 1980 et au début des années 1990, comme le retour à la démocratie se fait attendre et que la mainmise du régime dictatorial de Pinochet se maintient, plusieurs Chiliens sont acceptés au Québec comme réfugiés. Depuis les années 1990 cependant, peu de Chiliens immigrent au Québec.

PABLO NERUDA

Né au Chili en 1904, Pablo Neruda est un poète engagé. Pendant plusieurs années, il est consul du Chili en Asie. Il est élu sénateur en 1943, mais son adhésion au parti communiste du Chili le force à l'exil. Il reçoit le prix Nobel de littérature en 1971, alors qu'il est ambassadeur du Chili en France. Il meurt le 23 septembre 1973, onze jours après le coup d'État.

GABRIELA MISTRAL

Elle est la première femme d'Amérique latine à recevoir un prix Nobel de littérature. Née au Chili en 1889, elle publie en 1922 un premier recueil de poèmes intitulé *Desolacion*. Les thèmes dominants de sa poésie sont l'amour, la mort, l'enfance, la maternité et la beauté de la nature. Parmi ses œuvres les plus connues, citons *Ternura* (1924) et *Tala* (1938). Elle meurt en 1957.

SAVIEZ-VOUS QUE...

Le 16 octobre 1998, Pinochet est arrêté alors qu'il séjourne dans une clinique de Londres pour des raisons médicales. Le juge espagnol Baltazar Garson demande son extradition en Espagne en raison des meurtres et de la disparition de citoyens espagnols qui se trouvaient en sol chilien durant le coup d'État. Pinochet ne retournera au Chili qu'en mars 2000, et il y sera assigné à résidence. Ce n'est cependant qu'en août 2004, après une saga judiciaire, que la Cour suprême lèvera l'immunité parlementaire qui protégeait l'ex-dictateur de toute poursuite judiciaire.

LA COMMUNAUTÉ CHILIENNE AUJOURD'HUI

Septembre 1998 : une soixantaine de Chiliens, représentant une centaine de familles, occupent l'église Saint-Jean-de-la-Croix du boulevard Saint-Laurent, à Montréal. L'hiver précédent (1998), plusieurs avaient fait une grève de la faim de trente-huit jours pour que le gouvernement canadien les accepte au pays, alléguant que « la démocratie n'est qu'une façade au Chili ». Le Québec n'a accepté que 1,4 % de ces demandes.

On estime qu'environ 12 000 personnes composent la communauté chilienne du Québec (Courville, 2000 ; gouvernement du Québec, 2004). La majorité de ces immigrants parlent le français et l'anglais. Si la plupart sont catholiques, certains sont protestants et plusieurs affirment n'appartenir à aucune religion. Ils sont très scolarisés : plus de la moitié des immigrants chiliens ont au moins un diplôme post-secondaire et le tiers détiennent un diplôme universitaire. Ils habitent majoritairement les arrondissements Rosemont/Petite-Patrie et Villeray/Saint-Michel/Parc-Extension.

Témoignage de Carmen Quintana

« J'étudie à l'université technique du Chili, à Santiago. [...] J'opte pour le génie. [...] Depuis plusieurs semaines déjà, toutes les organisations qui s'opposent au gouvernement du général Pinochet préparent la plus importante action depuis le coup d'État de 1973. Encore une fois, elles réclament le retour à la démocratie et à la liberté. [...] Ce 2 juillet 1986, c'est jour d'examen à l'université. En effet, lorsqu'il y a une grande *protesta*, les militaires imposent des examens afin d'empêcher les étudiants d'y participer. Les surveillants notent les noms des personnes absentes, les accusent d'avoir participé à la grève et remettent les noms à la police. [...] Comme prévu, je ne me rends pas aux examens. Nous voici en route pour la *protesta*. [...] Avec mes amis, j'emprunte la rue Gandarillas en direction de l'église La Palma. En arrivant sur les lieux du rendez-vous fixé par les étudiants, nous constatons qu'il n'y a personne. Nous décidons d'aller jusqu'à la rue General Velasquez afin de voir si les gens y sont déjà rassemblés. [...] En passant au coin d'une rue [...], nous croisons un autre groupe de jeunes. Parmi eux, je reconnais Rodrigo, mais je vois les autres pour la première fois. [...] Maria Elena et Florencio partent en éclaireurs mais, au moment où ils arrivent à la croisée des deux rues, une camionnette militaire bleu ciel fonce directement sur eux. Le véhicule est rempli de soldats équipés de mitrailleuses et de carabines anti-émeute. [...] La camionnette me dépasse et un soldat arrête Rodrigo un peu plus loin. Il le fait crouler par terre en lui assénant un coup de crosse de mitrailleuse dans le dos. Rodrigo tombe sur le ventre [...], les soldats le frappent à coups de pied et de crosse de mitrailleuse. Aussitôt, deux soldats sautent en bas du camion et viennent à ma rencontre en me faisant signe de m'approcher d'eux. Ils m'insultent.

L'officier communique [...] avec quelqu'un par radio, puis il va chercher un bidon d'essence, s'approche de moi et m'en verse sur la tête durant quatre ou cinq secondes. Il fait la même chose à Rodrigo. Le combustible se répand partout sur mon corps. Pendant ce temps, un autre camion militaire est arrivé sur les lieux, rempli de soldats. [...] Je tente de cracher l'essence qui est dans ma bouche quand un soldat nous lance un contenant de verre qui se brise en frappant le sol. Nos corps s'enflamment aussitôt. Je me mets à courir dans la rue, en hurlant de douleur et en tentant d'éteindre le feu en me frappant le corps avec mes mains. Je sens mes forces m'échapper. J'arrête de courir et me laisse tomber par terre où je me roule afin d'éteindre les flammes. Le feu me dévore encore, pénètre ma chair avec la férocité d'un loup qui mord sa proie. Je perds alors totalement connaissance. J'apprendrai plus tard qu'on m'a enroulée dans une couverture de laine pour éteindre le feu et qu'on m'a placée dans la benne d'un camion militaire, enveloppée ainsi comme une momie. [...] Je reprends conscience dans un fossé. À ma droite, Rodrigo m'appelle : "Lève-toi ! Lève-toi ! Allons chercher de l'aide !" [...] Dans un effort surhumain, pliant sous la douleur de ma chair qui craque, je réussis à me mettre debout et à sortir du fossé pour rejoindre le petit chemin de terre. [...] Nous marchons lentement quand un homme s'approche de nous et nous demande d'une voix tremblotante : "Que vous est-il arrivé ? Vous êtes complètement brûlés..." "Nous avons été brûlés par des soldats... S'il vous plaît, conduisez-nous à l'hôpital !" [...] Couchés sur une civière, nous devons livrer une bataille ardue. La clinique, autrefois une des meilleures cliniques spécialisées dans le traitement des brûlés, manque maintenant de tout. Le personnel peut à peine soulager nos souffrances. [...] Il faut l'intervention de l'ambassadeur des États-Unis pour que nous puissions obtenir la permission d'être transférés dans un grand hôpital... Malheureusement, il est trop tard pour Rodrigo qui meurt le 6 juillet, avant d'être transféré. [...]

Après la mort de Rodrigo, ma situation change rapidement. Rodrigo étant citoyen américain, la nouvelle de notre martyre et de sa mort fait rapidement le tour des États-Unis et des autres pays du monde. Au Québec, des amis du Chili se mettent dans la tête de me faire venir à Montréal afin que je puisse y recevoir des soins. [...] Finalement, le 16 septembre, après d'innombrables examens cliniques, 16 opérations chirurgicales et 54 radiographies, je quitte le Chili avec ma famille en direction de Montréal. »

Arrivée au Québec, Carmen passera sept mois à l'hôpital Hôtel-Dieu de Montréal. Elle retourne au Chili en 1987 et identifie le lieutenant (Fernandez Dittus) qui lui a versé l'essence sur le corps. Elle subit des menaces mais décide quand même de témoigner. À la fin du procès, en janvier 1988, le lieutenant Dittus est reconnu coupable de quasi-délit d'homicide involontaire et est condamné à une peine de 300 jours d'internement dans une caserne militaire. Carmen revient à Montréal pour y terminer des traitements et, à la fin de l'année 1988, elle décide de retourner au Chili où elle continue de travailler pour la justice et la liberté. Elle a livré son témoignage partout dans le monde et elle est devenue le symbole vivant de la résistance à la dictature et aux régimes oppressifs.

Source : André J<small>ACOB</small>, *Carmen Quintina te parle de liberté*, Montréal, Éditions du Jour, 1990, 135 p. Reproduit avec la permission d'André Jacob.

Le christianisme

Il y a environ 1,9 milliard de chrétiens dans le monde, divisés en plusieurs sous-groupes, dont les catholiques romains (980 millions d'adeptes), les protestants (470 millions), les orthodoxes (220 millions) et les anglicans (68 millions).

Au Canada, les catholiques romains forment le groupe religieux le plus important avec 12,8 millions d'adeptes, suivi des protestants avec 8,7 millions et des orthodoxes avec 479 000 personnes. Au Québec, les catholiques romains

Notre père qui es aux cieux
Que ton nom soit sanctifié
Que ton règne vienne
Que ta volonté soit faite
sur la Terre comme au
ciel (prière chrétienne).

composent 83,2 % de la population, les protestants 4,7 % et les orthodoxes 1,4 % (gouvernement du Canada, 2003).

LA CROYANCE FONDAMENTALE DU CHRISTIANISME

La foi chrétienne repose sur la croyance en un seul Dieu, qui se manifeste en trois entités : le Père, qui est le créateur, le Fils (Jésus), qui est venu sur terre pour proposer un modèle de vie, et le Saint-Esprit, qui aide chacun à parcourir son chemin vers Dieu.

LES DIFFÉRENTES COMMUNAUTÉS CHRÉTIENNES

Plus de 400 groupes religieux se définissent comme chrétiens. Nous vous présentons ci-dessous les Églises les plus importantes.

Les Églises catholiques romaines   Les catholiques croient à l'autorité infaillible du pape qui réside au Vatican. Leur culte repose sur une liturgie très élaborée et sur sept sacrements. La vénération des saints joue un rôle important dans leur pratique religieuse.

Les Églises protestantes   Le mouvement protestant date du XVIe siècle. Martin Luther (1483-1546) et d'autres réformateurs s'élevèrent contre la cupidité de l'Église catholique romaine et rejetèrent notamment certaines de ses positions, comme l'autorité du pape et la virginité de la mère de Jésus. Ils ne reconnaissent que deux sacrements : le baptême et l'eucharistie. Ils se subdivisent en plusieurs confessions : les luthériens, les presbytériens et les anglicans, les baptistes, les méthodistes, les quakers et les mennonites.

Les Églises orthodoxes   Rejetant l'autorité d'un seul chef, ces Églises sont conduites par des évêques, des archevêques et des conseils. Elles admettent le mariage des prêtres, s'il a lieu avant l'ordination. Le culte orthodoxe fait grand usage des icônes (images sacrées) comme supports de la spiritualité.

Les Églises orientales   Ces Églises acceptent les dogmes catholiques et l'autorité du pape, mais gardent leurs rites particuliers.

LES TEXTES SACRÉS

La Bible est le texte sacré du christianisme. Elle est composée de l'Ancien Testament et du Nouveau Testament, qui comptent ensemble 66 livres rédigés à des époques différentes. L'Ancien Testament correspond à la Torah juive. Le Nouveau Testament est constitué de 27 livres qui ont été écrits après la mort de Jésus ; il contient, entre autres, quatre Évangiles (selon Matthieu, Marc, Luc et Jean) qui relatent la naissance, la vie, la mort et la résurrection de Jésus. Il contient aussi des Épîtres qui sont en quelque sorte des messages adressés à des communautés que l'on veut convertir (par exemple, l'épître de Paul aux Corinthiens).

L'Ancien Testament a été écrit en hébreu puis traduit en grec (IIIe siècle). Le Nouveau Testament a été écrit en grec et traduit en latin. Aujourd'hui, la Bible est traduite en 2000 langues et les croyants la lisent dans la langue de leur choix.

JÉSUS-CHRIST, FIGURE DOMINANTE DE LA RELIGION CHRÉTIENNE

Jésus est un Juif né sous le règne d'Hérode (gouverneur de la Galilée) et est le fils d'une femme nommée Marie et de son mari Joseph. Il a grandi à Nazareth, en Galilée, dans le nord de la Palestine. Jésus amorce sa vie publique en Galilée en se faisant baptiser par Jean-Baptiste, un prophète. Il choisit 12 disciples (apôtres) qui seront, après sa mort, ses successeurs pour la diffusion de son message. Jésus est un prophète qui accomplit des miracles : guérisons, multiplication de pains, résurrections… Il est trahi par un de ses apôtres, Judas, et est envoyé devant le gouverneur romain, Ponce Pilate. On le déclare coupable de s'être proclamé roi des Juifs, et il est condamné à mort par crucifixion. Selon la croyance, il ressuscite quelques jours après. La mort et la résurrection de Jésus forment une croyance fondamentale pour les chrétiens.

Jésus-Christ.

LES PRATIQUES RELIGIEUSES

Les sacrements sont au cœur du rituel chrétien. Les deux plus importants sont le baptême et l'eucharistie. Le baptême est un rituel d'initiation à la religion ; il requiert une immersion dans l'eau ou une aspersion. Il se fait à la naissance de l'enfant ou à l'âge adulte, selon les communautés. Pour les catholiques et les orthodoxes, seules les personnes baptisées ont le droit de participer à l'eucharistie. Ce sacrement, aussi appelé la communion, fait référence à la dernière Cène de Jésus-Christ et à son sacrifice. Les catholiques romains, les orthodoxes et quelques anglicans croient que le pain (hostie) et le vin de l'eucharistie se changent en toute la substance du corps et du sang du Christ. On nomme ce changement la *transsubstantiation.* Ce dogme est rejeté par les protestants qui ne voient dans l'eucharistie qu'un rite de mémoire de la dernière Cène.

Cinq autres sacrements sont importants pour le croyant catholique : la confirmation (répétition du baptême vers l'âge de 8-9 ans), la pénitence (expiation des péchés), le mariage (rituel qui unit un homme et une femme), l'ordination (investiture des pouvoirs du prêtre) et l'extrême-onction (dernier sacrement administré aux mourants et aux malades).

La vénération des saints est une façon d'honorer la mémoire et la spiritualité des hommes et des femmes qui ont vécu dans une vertu extrême ou qui sont morts en martyrs.

LES SYMBOLES DU CHRISTIANISME

La **croix** est au cœur de l'histoire du monde chrétien. Elle rappelle la crucifixion de Jésus. Les églises sont pour la plupart bâties selon un plan cruciforme, les croyants portent une croix au cou, les tombes s'ornent d'une croix. Les chrétiens font aussi le signe de la croix avec la main droite en prononçant ces mots : *Au nom du père* (main sur le front), *du fils* (main sur le ventre) *et du Saint-Esprit* (mouvement de la main de l'épaule gauche à l'épaule droite, ou inversement pour les Orientaux), *Amen.*

L'**autel** est l'élément le plus important dans les églises chrétiennes. Il est habituellement fait de bois, de marbre ou de pierre. Comme on y célèbre l'eucharistie, l'autel est sacré et son accès est souvent strictement réservé aux membres du clergé.

Le **chapelet** est un objet qui ressemble à un collier composé de dizaines de grains séparés par des grains isolés qui commandent la récitation de prières à la gloire de la Vierge Marie, de la Croix et de la Trinité.

L'**eau** fait partie de nombreux rituels chrétiens. Par exemple, à l'entrée des églises, des bénitiers invitent les fidèles à faire le signe de la croix après s'être trempé le bout des doigts dans l'eau bénite.

Le **tabernacle** est un petit meuble qui renferme les hosties (pain consacré) et qui est situé sur l'autel où brûlent une lampe et des cierges. Sur cet autel, il y a également un calice pour servir le vin et une patène pour servir le pain.

La **messe** est un rituel comportant une liturgie de la Parole, des chants, des prières et des lectures tirées de la Bible. À l'intérieur de ce rituel, le pain et le vin sont transformés symboliquement sur l'autel pour devenir le corps et le sang du Christ. La messe est célébrée le premier jour de la semaine (dimanche), qui est le jour du Seigneur, celui de la résurrection de Jésus. Les catholiques et les orthodoxes sont tenus d'aller à la messe une fois par semaine (le dimanche).

LES TÉMOINS DE JÉHOVAH

Charles Taze Russel lança en 1879 le mouvement des Étudiants de la Bible avec un bulletin intitulé *La tour de garde*, mouvement qui se transforma en communauté des Témoins de Jéhovah. Selon cette doctrine, seuls ceux qui suivent sa morale stricte seront sauvés d'un monde gouverné par Satan ; le Christ reviendra chasser Satan et il régnera sur la terre pendant 1000 ans.

Dieu se nomme Jéhovah. Ses témoins ne croient pas en la Trinité : Jésus existe, mais ce n'est pas un Dieu et il n'y a pas de Saint-Esprit. La croix n'est pas un objet de culte. La célébration de la fête de Noël et des anniversaires de naissance, le service militaire et les transfusions sanguines sont interdits (Malherbe, 2000).

LES ADVENTISTES DU SEPTIÈME JOUR

Cette branche du christianisme apparaît au XIXe siècle, aux États-Unis (avec la prédication de William Miller). Miller avait calculé, à partir de l'Ancien et du Nouveau Testament, que le retour du Christ devait se produire entre le 21 mars 1843 et le 21 mars 1844. Cette prédiction attira plusieurs adeptes et, après 1844, nombre d'entres eux fondèrent les Adventistes du septième jour.

Ces fidèles croient que le Christ reviendra pour inaugurer un règne de 1000 ans, au terme duquel Satan (et donc le mal) sera anéanti. Il est essentiel pour le fidèle de combattre Satan par l'amour de son prochain et la purification de son corps (interdiction de l'alcool, du tabac et de la viande). Le vendredi du coucher du soleil au samedi au coucher du soleil, il doit se consacrer à la prière et au repos (Clarke, 1996).

LES LIEUX DE CULTE

Des milliers de pèlerins se rendent sur les lieux où a vécu le Christ. Les villes de Bethléem et de Jérusalem sont parmi les plus célèbres. De nombreux pèlerinages sont aussi associés au culte de la Vierge Marie et à des lieux où elle serait apparue : Fatima (Portugal), Lourdes (France), Czestochowa (Pologne).

Principal lieu de culte, l'église est la résidence de Dieu et l'endroit où se rassemblent les chrétiens. Voici quelques lieux de culte de communautés chrétiennes à Montréal.

> **Basilique Notre-Dame :** 110, rue Notre-Dame Ouest, Montréal.

> **Temple de l'Église baptiste :** 5815, avenue Durocher, Montréal.

> **Congrégation des Témoins de Jéhovah de Montréal :** 7170, boulevard Saint-Michel, Montréal.

> **Église adventiste du septième jour, fédération du Québec :** 940, chemin de Chambly, Longueuil.

LES FÊTES CHRÉTIENNES

Pâques   La plus importante des fêtes chrétiennes est la commémoration de la résurrection de Jésus trois jours après sa mort. Cette fête est précédée du carême, une période de pénitence et de jeûne qui dure quarante jours. Le carême commence avec le mercredi des Cendres. La semaine qui précède le dimanche de Pâques est la semaine sainte. Plusieurs liturgies sont reliées à cette fête : le jeudi saint rappelle la Cène, le repas au cours duquel Jésus institua l'eucharistie ; le vendredi saint rappelle la crucifixion ; le samedi saint symbolise le repos du corps du Christ dans sa tombe.

Noël   Célébration de la naissance du Christ. Cette fête est précédée d'une période sacrée : l'avent. L'avent regroupe les quatre dimanches précédant Noël (pour les orthodoxes, c'est une période de quarante jours). Toutes les Églises s'entendent pour commencer l'année liturgique avec l'avent. D'autres fêtes chrétiennes sont calculées à partir du 25 décembre : l'Annonciation, le 25 mars et l'Épiphanie, le 6 janvier.

L'Épiphanie   Cette fête, communément appelée « jour des Rois », rappelle l'étoile apparue aux Rois mages pour les conduire au Christ.

L'Ascension   Cette fête commémore la montée au ciel du Christ. Elle se célèbre 39 jours après Pâques.

La Pentecôte   Célébrée cinquante jours après Pâques, cette fête commémore la descente du Saint-Esprit sur les apôtres.

La Toussaint   Fête en l'honneur de tous les saints, le 1er novembre. Le lendemain, c'est la fête des Morts.

La Fête-Dieu   Fête populaire marquée par une procession du saint sacrement placé dans un ostensoir. Plusieurs villes dans le monde sont reconnues pour leurs magnifiques processions.

À RETENIR SUR LE CHRISTIANISME

> **Fidèles dans le monde :** 1,9 milliard.

> **Croyances :** La Trinité (le Père, le Fils et le Saint-Esprit réunis en un seul Dieu) et l'incarnation de Jésus, sauveur et rédempteur de l'humanité.

> **Texte sacré :** La Bible, constituée de l'Ancien Testament et du Nouveau Testament.

> **Divinité :** Un seul Dieu.

> **Clergé :** Peut être différent selon les Églises. L'Église catholique reconnaît un clergé hiérarchisé composé de prêtres, d'évêques, d'archevêques, de cardinaux et du pape. Le prêtre célèbre la messe et administre les sacrements, sauf la confirmation qui est faite par l'évêque. L'évêque est responsable d'un diocèse ; le cardinal est nommé par le pape, en est le conseiller et l'électeur. Les femmes ne peuvent pas devenir prêtres.

Les Églises protestantes sont conduites par des pasteurs et les laïcs y jouent un rôle important. Les femmes peuvent être pasteurs. L'Église anglicane reconnaît aussi la prêtrise pour les femmes.

> **Devoirs et obligations :** Les catholiques et les orthodoxes sont tenus d'aller à la messe une fois par semaine, de pratiquer la majorité des sacrements et de prier tous les jours.

> Les protestants ne reconnaissent que le baptême et l'eucharistie.

> **Lieux sacrés :** L'église, comme résidence de Dieu, et les lieux de culte et de pèlerinage comme Bethléem et Jérusalem.

CHAPITRE 9

Les Autochtones

Pourquoi un chapitre sur les Autochtones dans un livre consacré aux relations interculturelles? Les Autochtones ne sont pas des communautés issues de l'immigration, mais plutôt les descendants des premiers habitants de ce pays, qui vivaient sur ce territoire depuis des milliers d'années à l'arrivée des Français en terre canadienne. Ces habitants étaient répartis en une dizaine de peuples qui vivaient de chasse et de pêche, de la cueillette de fruits et de plantes sauvages ; ils se déplaçaient d'un territoire à l'autre, suivant le rythme des saisons. Avec le temps, ces peuples ont été forcés de se sédentariser. Longtemps oubliés des gouvernements, ils revendiquent aujourd'hui des territoires non seulement pour pratiquer leurs activités traditionnelles, mais aussi pour s'assurer d'un développement politique, économique et culturel qui respecte leurs valeurs.

Avant de présenter les Autochtones d'aujourd'hui, il importe de relater leur longue marche vers la conquête de droits et libertés au Canada et au Québec. Par la suite, nous commenterons les principaux indicateurs permettant de décrire leurs conditions de vie actuelles. Enfin, nous tracerons le portrait des onze nations autochtones présentes au Québec.

La longue marche des Autochtones vers la conquête de droits

En 1534, Jacques Cartier rencontre des Iroquoiens à Gaspé et, en 1535, lors de son deuxième voyage d'exploration, il établit des contacts avec la population iroquoienne de Stadaconé et d'Hochelaga. Débute alors la traite des fourrures entre les Européens et les Autochtones. En 1600, un premier poste de traite est établi à Tadoussac. Vers 1650, le commerce des fourrures prend de plus en plus d'ampleur. Comme les relations entre les Français et les Autochtones reposent sur ce commerce et que celui-ci exige une collaboration entre les trappeurs et les commerçants, plusieurs traités seront signés pendant cette période, dont le plus important en 1701, qui assurera la paix pendant de nombreuses années.

LE XVIIIᵉ SIÈCLE : DE LA GRANDE PAIX À LA PROCLAMATION ROYALE

1701 Le gouverneur de Callière, représentant de la Couronne française, signe un traité avec les représentants des cinq nations iroquoiennes et de plus d'une trentaine de nations amérindiennes alliées aux Français. Ce traité de paix et d'amitié, que l'on nomme la Grande Paix de Montréal, met fin à plus de cent ans de guerres avec les Iroquoiens (voir la figure 9.1). Chacun des représentants a finalisé l'entente en traçant le dessin emblématique de son village, de sa nation. Renard, tortue, oiseaux côtoient le sceau des archives coloniales de la France (Baillargeon, 2001).

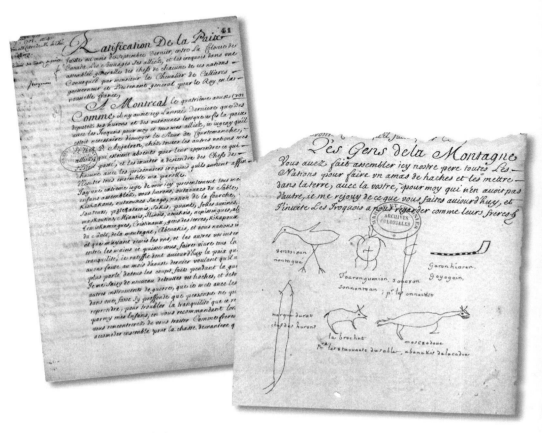

Figure 9.1   Traité de la Grande Paix, 1701.

1763 Après la conquête de la Nouvelle-France par les Britanniques (1760), la Proclamation royale de 1763 vise à organiser politiquement les possessions britanniques en Amérique du Nord. C'est en fait la première Constitution du pays (Lepage, 2002) et elle reconnaît que les Autochtones sont des groupes organisés avec lesquels il faut négocier. La Proclamation royale donnera lieu à la signature de nombreux traités et d'actes de cession des terres autochtones.

LE XIXᵉ SIÈCLE : LA *LOI SUR LES INDIENS* ET LES TENTATIVES D'ASSIMILATION

À partir de 1814, le commerce des fourrures commence à décliner. Si on n'a plus vraiment besoin des Autochtones pour la guerre et pour le commerce, il n'en va pas de même de leurs terres, car c'est la période de la colonisation de l'ouest du pays qui commence. C'est dans ce contexte que, de 1820 à 1876, une politique d'assimilation est élaborée par le gouvernement.

1849 À Alderville, en Ontario, on ouvre les premiers pensionnats pour les enfants autochtones. L'Église et le Parlement du Canada uni avaient organisé ces pensionnats : en retirant les très jeunes enfants de leur famille et en leur inculquant les bases de la société dominante, on voulait en faire des citoyens canadiens.

1850 Le Parlement du Canada uni adopte une première loi établissant les critères pour définir le statut d'Indien, qui, au départ, ne devait être que temporaire ; l'objectif de cette loi et de celles qui suivront est l'intégration et l'assimilation à la société canadienne.

1851 Création des premières réserves. Le Parlement du Canada uni adopte l'*Acte pour mettre à part certaines étendues de terres pour l'usage de certaines tribus de sauvages dans le Bas-Canada*, en vue de favoriser la sédentarisation et le développement d'une économie agricole.

1857 Le Parlement du Canada uni vote une loi permettant l'émancipation des Indiens. Dans l'*Acte pour encourager la civilisation graduelle de tribus sauvages dans les Canadas*, les Indiens ont un statut juridique inférieur ; au sens de la loi, ils sont considérés comme mineurs.

1867 À la création de la Confédération canadienne, le gouvernement fédéral hérite des affaires indiennes. L'article 91 (24) de la *Loi constitutionnelle de 1867* lui accorde l'autorité exclusive de légiférer quant « [aux] Indiens et [aux] terres réservées aux Indiens ». Le gouvernement veut s'approprier des terres pour coloniser l'ouest du pays et signera onze grands traités avec les Autochtones. Mais ces traités confirment la perte des droits, des titres et des intérêts des Autochtones sur leurs terres.

1869 Le gouvernement canadien envoie John Stoughton Dennis au Manitoba pour arpenter des terrains qui traversent les propriétés des Métis, car on veut y installer des colons. Le 11 octobre 1869, seize Métis, sous la direction de Louis Riel, leader du Comité national des Métis, érigent une barricade pour empêcher l'équipe d'arpenteurs de faire son travail. William McDougall, nommé lieutenant-gouverneur du territoire par Ottawa, se met en route avec 300 hommes armés et affronte Louis Riel et ses hommes. Les Métis mettent en place un gouvernement provisoire, adoptent une Déclaration des droits et réclament de pouvoir entrer dans la Confédération canadienne à titre de province. En 1870, ils adoptent l'*Acte du Manitoba*. Après une promesse d'amnistie qui ne sera pas tenue, Riel doit s'enfuir aux États-Unis. En 1885, la rébellion éclate de nouveau. Le gouvernement canadien envoie 8000 soldats et la révolte est rapidement maîtrisée. Le 6 juillet 1885, Louis Riel est accusé de haute trahison, condamné à mort et pendu.

Proclamation royale de 1763

« Attendu qu'il est juste, raisonnable et essentiel pour notre intérêt et la sécurité de nos colonies de prendre des mesures pour assurer aux nations ou tribus sauvages qui sont en relation avec Nous, et qui vivent sous Notre protection, la possession entière et paisible des parties de Nos possessions et territoires qui n'ont été concédées ni achetées et ont été réservées pour ces tribus ou quelques-unes d'entre elles comme territoires de chasse. »

(Extrait de la Proclamation royale de 1763, reproduite dans les *Lois refondues du Canada*, 1985, app. II, nᵒ 1.)

Principe de l'émancipation des Indiens (1857)

Tout Indien mâle de 21 ans et plus, capable de lire et d'écrire l'anglais ou le français et possédant une éducation de niveau primaire, doté d'un « bon sens moral », et n'ayant pas de dettes, pouvait être déclaré émancipé. Son statut devenait alors celui de tout autre citoyen non autochtone. Les Autochtones qui devenaient membres du clergé ou qui obtenaient un diplôme universitaire étaient émancipés automatiquement.

1876 Promulgation de l'*Acte pour amender et refondre les lois concernant les Sauvages (Statuts du Canada)*, communément appelé *Loi sur les Indiens*. Cette loi est une refonte de l'ensemble des législations concernant les Indiens du Canada. Elle est basée sur le principe de l'assimilation, est fortement empreinte de discrimination et vise la disparition progressive des populations autochtones. Les Indiens peuvent préserver leurs territoires ancestraux, mais sous forme de réserves où le gouvernement canadien prendra toutes les décisions les concernant.

Loi sur les Indiens (1876)

> Sont inscrits seulement ceux qui se sont enregistrés dans le registre des Indiens.

> Une femme indienne qui épouse un non-Indien est rayée du registre indien de même que ses enfants. Elle ne peut pas vivre dans la réserve et perd les avantages que lui confère son statut d'Indienne. L'inverse, un homme indien qui épouse une femme non indienne, n'entraîne pas de conséquences.

> Tout Indien qui le désire peut perdre son statut par émancipation.

> En 1884, la loi interdit certaines pratiques rituelles comme la danse du soleil et le **potlach**. Les coupables de ces délits sont passibles d'une incarcération de six mois ou plus.

LE XXᵉ SIÈCLE : L'AUTONOMIE DES AUTOCHTONES

1950 Le gouvernement canadien rend l'école obligatoire pour tous les jeunes Canadiens et veut intégrer les jeunes Autochtones dans le système scolaire. On incite les Autochtones à envoyer leurs enfants à l'école de septembre à juin. La scolarisation obligatoire met un terme au nomadisme, divise les familles et bloque la transmission des connaissances par la communauté.

1968 Mary Two-Axe Early entreprend une lutte contre les dispositions injustes et discriminatoires de la *Loi sur les Indiens*. Mohawke de Kahnawake, elle avait perdu son statut d'Indienne lorsqu'elle avait épousé un non-Indien.

1969 Le gouvernement fédéral dépose un Livre blanc sur la question des affaires indiennes. Il propose d'abolir la *Loi sur les Indiens* ainsi que le ministère des Affaires indiennes et de traiter les Autochtones comme des « citoyens ordinaires ». Cette proposition est rapidement contestée par les nations autochtones dans tout le Canada. Les grandes organisations autochtones surgissent et l'Assemblée des Premières Nations est créée. Les Autochtones obtiennent le droit de vote aux élections provinciales de 1969.

1973 Deux femmes autochtones de l'Ontario, Jeanne Lavell et Yvonne Bédard, contestent devant les tribunaux la perte de leur statut d'Indiennes en raison de leur mariage avec des non-Indiens. Elles invoquent que la *Loi sur les Indiens* est discriminatoire à leur égard pour des raisons de race et de sexe. Se référant à la Déclaration canadienne des droits, un jugement de la Cour suprême du Canada ne reconnaît pas la discrimination dans ces deux cas.

1975 Les gouvernements canadien et québécois signent avec les Cris et les Inuits la *Convention de la Baie-James et du Nord québécois*. En renonçant à leurs **droits ancestraux**, ces deux nations recouvrent des droits spécifiques sur des portions de territoires et obtiennent une compensation de 225 millions de dollars. En 1978, la *Convention du Nord-Est québécois* est signée avec les Naskapis.

Potlach Rituel autochtone selon lequel une personne qui s'enrichit doit répartir sa richesse en offrant des biens, des cadeaux. Ce rituel, fondé sur le partage des richesses, se veut un catalyseur des tensions à l'intérieur d'une communauté.

Droits ancestraux Droits détenus par les Autochtones du Canada en raison de l'occupation et de l'utilisation, pendant des siècles, des terres par leurs ancêtres.

1982 La loi constitutionnelle de 1982 reconnaît légalement que les Indiens, les Inuits et les Métis sont des peuples autochtones bénéficiant de droits ancestraux ou de droits issus de traités.

1985 Le Parlement canadien met fin à plus de cent ans de discrimination en modifiant la *Loi sur les Indiens*. La discrimination fondée sur le sexe disparaît ; par exemple, les Indiennes qui épousent des non-Indiens ne perdent plus leur statut et les non-Indiennes ne peuvent plus acquérir le statut d'Indiennes en épousant des Indiens. La loi reconnaît aussi aux Premières Nations la responsabilité de l'établissement des règles d'appartenance à leur groupe. Enfin, elle restitue le statut d'Indien inscrit aux personnes qui l'avaient perdu en vertu des anciennes dispositions ; ainsi, les Indiens qui avaient été émancipés, volontairement ou non, peuvent être rétablis dans leurs droits.

1990 Crise d'Oka-Kanesatake : Pendant plusieurs semaines, des Mohawks armés de Kanesatake érigent des barricades pour protester contre un projet de développement et d'agrandissement d'un terrain de golf sur des terres qu'ils revendiquent. Un groupe de Warriors tient en haleine les forces policières et l'armée canadienne pendant 78 jours. Un policier de la Sûreté du Québec trouve la mort dans une tentative pour lever les barricades.

Crise d'Oka : face-à-face entre un soldat de l'armée canadienne et un membre des Warriors, le 1ᵉʳ septembre 1990.

1996 Une commission royale sur les peuples autochtones est créée le 27 août 1991 pour enquêter sur les relations entre les Autochtones et le gouvernement du Canada. Cette commission est coprésidée par René Dussault (juge à la Cour d'appel du Québec) et George Erasmus (ancien chef de l'Assemblée des Premières Nations). La commission remet son rapport en 1996 et en arrive à la conclusion qu'il faut changer fondamentalement les relations entre Autochtones et non-Autochtones.

1999 Le 1ᵉʳ avril 1999, la carte du Canada est transformée avec la création du Nunavut, qui signifie « notre terre » en inuktitut. Il s'agit de la plus importante revendication territoriale jamais satisfaite dans toute l'histoire du Canada. Le Nunavut compte une assemblée législative élue, un cabinet et un tribunal territorial. Le Nunavut est chargé de l'éducation, des services de santé, des services sociaux et de nombreuses autres responsabilités de type provincial.

2001 On fête le tricentenaire de la signature de la Grande Paix de Montréal (1701).

2002 Une entente, la *Paix des Braves*, est signée par le Québec et les Cris. Cette entente permet d'amorcer une nouvelle phase de développement économique et social de la région de la baie James ; elle y prévoit une plus grande autonomie des Cris. Une entente entre quatre communautés innues (Betsiamites, Essipit, Mashteuiatsh et Natashquan) et le gouvernement du Québec est signée et ratifiée le 31 mars 2004. Cette entente permet la création d'un gouvernement autonome innu à qui l'on reconnaît des droits de chasse, de piégeage, de pêche et de cueillette sur un territoire de 522 km². Ce gouvernement peut légiférer sur le territoire. Les gouvernements canadien et québécois verseront de l'argent aux Innus et ceux-ci recevront aussi un pourcentage des redevances perçues par le Québec sur l'exploitation des ressources en territoire innu.

Quelques indicateurs sociaux, économiques et culturels sur les Autochtones du Canada

La Constitution canadienne reconnaît trois groupes d'Autochtones : les Indiens, les Métis et les Inuits.

On distingue trois catégories d'Indiens :

> **Les Indiens inscrits** Personnes inscrites dans le registre des Indiens de la *Loi sur les Indiens*. Ces Indiens peuvent vivre dans des réserves ou hors des réserves.

> **Les Indiens non inscrits** Personnes de descendance et de filiation culturelle indiennes, mais qui ne sont pas inscrites en vertu de la *Loi sur les Indiens*.

> **Les Indiens soumis aux traités** Personnes inscrites comme membres d'une bande signataire ou qui peuvent prouver qu'elles descendent d'une telle bande. Ces personnes sont consignées dans le registre des Indiens comme Indiens inscrits.

Les **Métis** sont d'ascendance mixte ; leurs ancêtres sont européens et issus d'une Première Nation.

Les **Inuits** ne sont pas soumis à la *Loi sur les Indiens*. Ils sont de culture et de famille différentes de celles des Indiens.

En 2001, 976 305 personnes se sont identifiées comme Autochtones au Canada, ce qui représente environ 3,3 % de la population canadienne. De ces Indiens, un peu plus de la moitié vivent dans une réserve. Voici quelques caractéristiques de la population autochtone du Canada comparativement à l'ensemble de la population canadienne.

Une population plus jeune L'âge médian de la population autochtone au Canada est de 24,7 ans, alors que celui de l'ensemble de la population canadienne est de 37,7 ans. Au Québec, il est de 27,9 ans chez les Autochtones et de 38,5 ans chez les non-Autochtones. Plus du tiers des Autochtones sont âgés de 14 ans et moins, alors que dans la population canadienne cette proportion de jeunes est de 19 %.

Un taux de fécondité un peu plus élevé Il est de 1,8 enfant chez les Autochtones contre 1,2 dans la population canadienne.

Une espérance de vie plus courte L'espérance de vie de l'ensemble de la population autochtone est de 72,6 ans en 2001, alors que celle de la population canadienne est de 79,4 ans. On constate aussi que le taux de mortalité infantile est deux fois plus élevé chez les Autochtones que dans l'ensemble de la population canadienne (11,6 pour 1000 personnes contre 6,1 pour 1000 personnes).

Un fort pourcentage de familles monoparentales Le pourcentage de familles dont l'unique parent est de sexe féminin est de 23 % chez l'ensemble des Autochtones, alors qu'il est de 12 % dans la population canadienne.

Un pourcentage de diplômés plus faible Les Autochtones du Canada ont réalisé des progrès importants en matière de scolarisation au cours des dernières années, mais celle-ci demeure quand même inférieure à celle de l'ensemble de la population canadienne, surtout au niveau universitaire. En effet, en 2001, l'ensemble de la population autochtone a un taux de diplômés post-secondaires de 31 % (cela comprend les diplômés d'écoles de métiers et d'études collégiales), alors qu'il est de 28 % pour l'ensemble de la population canadienne. L'écart est cependant plus important au niveau universitaire, où le taux de diplômés est de 8 % pour les Autochtones et de 20,2 % pour l'ensemble de la population canadienne.

Un taux d'activité inférieur et un taux de chômage plus élevé   Le taux d'activité chez les Autochtones est inférieur à celui de l'ensemble de la population canadienne, et ce, autant pour les hommes que pour les femmes. Si l'on compare les données tirées des deux derniers recensements, il semble qu'il y a eu une légère diminution de cet écart. En effet, les Autochtones affichaient en 1996 un taux d'activité d'un peu plus de 40 %, alors que la population non autochtone avait un taux d'activité de presque 60 %. En 2001, le taux d'activité des Autochtones était de 50 %, alors que celui des non-Autochtones dépassait 60 %. La figure 9.2 illustre bien cette réalité.

Le taux de chômage est beaucoup plus élevé chez les Autochtones que dans l'ensemble de la population canadienne. En effet, en 2001, le taux de chômage des Autochtones était de 19,1 %, alors qu'il était de 10,5 % chez les non-Autochtones. Il est à noter que le taux de chômage des Autochtones, même s'il est encore très élevé, s'est beaucoup amélioré, car il était de 24 % au recensement de 1996.

Des revenus inférieurs   Même si le revenu moyen des Autochtones a augmenté entre les recensements de 1991 et de 2001, il reste quand même inférieur à celui de l'ensemble de la population canadienne. On constate aussi que le pourcentage de familles dont le revenu est égal ou inférieur au seuil de la pauvreté est beaucoup plus élevé chez les Autochtones : en effet, 16,5 % de la population canadienne doit composer avec un revenu égal ou inférieur au seuil de la pauvreté, alors que plus de 40 % des Indiens inscrits, qu'ils vivent ou non dans les réserves, sont aux prises avec cette situation économique (gouvernement du Canada, 2001).

Causes de décès différentes   Les causes de décès ne sont pas les mêmes chez les Autochtones que dans l'ensemble de la population canadienne. En effet, certaines maladies qui sont presque enrayées dans l'ensemble de la population se retrouvent plus fortement chez les Autochtones. Par exemple, il y a six fois plus de cas de mortalité reliés à la tuberculose chez les Autochtones que dans l'ensemble de la population canadienne (35,8 pour 100 000 individus contre 6,5 pour 100 000 individus).

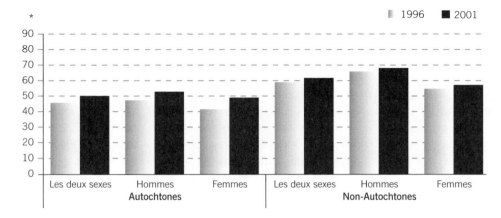

Figure 9.2   Taux d'activité des 15 ans et plus selon le sexe et l'identité autochtone, 1996 et 2001. (*Source* : Statistique Canada, recensements de la population de 1996 et 2001. Reproduit avec l'autorisation du ministère des travaux publics et services gouvernementaux Canada, 2004).

Indicateurs sociaux chez les Autochtones du Canada

> **Espérance de vie :** Inférieure de six ans à la moyenne canadienne.

> **Suicide :** Cinq à huit fois supérieur à la moyenne canadienne chez les jeunes Autochtones.

> **Mortalité infantile :** Deux fois supérieure à la moyenne canadienne.

> **Pauvreté :** La majorité des Autochtones atteignent à peine le seuil de pauvreté, particulièrement ceux qui vivent dans les réserves.

> **Chômage :** Deux fois plus élevé que la moyenne canadienne ; dans les réserves, trois fois plus élevé.

> **Taux d'incarcération :** Huit fois plus élevé que la moyenne canadienne.

Un taux de suicide beaucoup plus élevé En février 1995, la Commission royale sur les peuples autochtones a rendu public un rapport spécial sur le suicide. La Commission estime que le taux de suicide chez les Autochtones, dans tous les groupes d'âge, est environ trois fois plus élevé que dans la population non autochtone. C'est chez les adolescents et les jeunes adultes que les risques sont les plus grands. Le nombre de suicides chez les jeunes Autochtones de 10 à 19 ans est de cinq à six fois plus élevé que chez les non-Autochtones du même âge, mais c'est surtout entre 20 et 29 ans que l'on constate le taux le plus élevé de suicide tant chez les Autochtones que chez les non-Autochtones.

Un taux d'incarcération plus élevé Bien qu'ils forment 3,3 % de la population canadienne, les Autochtones représentent 16 % de tous les prisonniers dans les établissements fédéraux. Si l'on compare les taux d'incarcération au Canada, celui des Autochtones est de huit fois supérieur au taux national. Les adolescents autochtones, eux, sont 12 fois plus susceptibles d'être envoyés dans un établissement pour jeunes.

Le profil des nations autochtones du Québec

Les onze nations autochtones (dix amérindiennes et une inuite) du Québec regroupent 76 419 personnes et représentent environ 1 % de la population québécoise. Elles sont divisées en communautés[1] dont la taille varie de quelques centaines à quelques milliers de personnes (voir le tableau 9.1). Les nations autochtones du Québec relèvent du gouvernement fédéral, sauf les Cris, les Inuits et les Naskapis, qui sont régis par les conventions de la baie James, du Nord et du Nord-Est québécois. Ces trois groupes forment le tiers des Autochtones du Québec.

PORTRAIT DES ONZE NATIONS

Les onze nations autochtones du Québec vivent sur des territoires différents, parlent des langues diverses, ont une histoire spécifique et un mode de vie différent. Par exemple, les communautés situées près des grands centres urbains vivent de façon très différente des communautés plus isolées du nord du Québec, lesquelles sont dispersées sur de vastes territoires. On peut donc faire une distinction entre les nations du nord du Québec (à partir du 49ᵉ degré de latitude nord) et celles du sud (voir la carte 4 dans l'encart couleur). Les nations du nord sont les Inuits, les Cris, les Naskapis et les Innus (Montagnais). Les nations du sud sont les Algonquins, les Mohawks, les Abénaquis, les Hurons-Wendat, les Micmacs, les Attikameks et les Malécites (Dufour, 2000 ; Beaulieu, 2000 ; Feuiltault, 1996). Les communautés autochtones sont divisées en trois familles linguistiques : les familles algonquienne, iroquoienne et eskaléoute. Voici le portrait de ces onze nations.

SAVIEZ-VOUS QUE...

Plusieurs toponymes du Québec et du Canada proviennent de langues autochtones.

Canada : Vient de *kanata*, qui signifie « peuplement » ou « village » en langue huronne.

Québec : Vient de *kebek*, qui veut dire « passage étroit » en langue algonquine (en référence au rétrécissement du fleuve Saint-Laurent à la hauteur du cap Diamant).

Chicoutimi : Vient de *shkoutimeou*, qui signifie « fin des eaux profondes » en langue montagnaise.

Nunavut : Signifie « notre terre » en langue inuktitut.

Rimouski : Mot d'origine micmaque ou malécite qui signifie « terre des orignaux ».

Toronto : Signifie « endroit de rencontre » en langue huronne.

---

1. Une communauté (ou un village) désigne ici un ensemble d'individus appartenant à une nation amérindienne et vivant sur un territoire donné.

Tableau 9.1 La population autochtone au Québec (2003).

Nations	Communautés	Résidents	Non-résidents	Total
ABÉNAQUIS	Odanak	301	1 518	1 819
	Wôlinak	67	151	218
	Total	**368**	**1 669**	**2 037**
ALGONQUINS	Eagle Village–Kipawa	266	411	677
	Hunter's Point	10	251	261
	Kitcisakik	337	48	385
	Kitigan Zibi	1 461	1 102	2 563
	Lac-Simon	1 144	277	1 421
	Pikogan	547	262	809
	Rapid Lake	481	122	603
	Timiskaming	557	985	1 542
	Winneway	342	339	681
	Total	**5 145**	**3 797**	**8 942**
ATTIKAMEKS	Coucoucache	Aucun résident permanent		
	Manawan	1 869	226	2 095
	Obedjiwan	1 858	351	2 209
	Wemotaci	1 157	265	1 422
	Total	**4 884**	**842**	**5 726**
CRIS	Chisasibi	3 358	130	3 488
	Eastmain	582	27	609
	Mistissini	2 959	693	3 652
	Nemiscou	562	14	576
	Oujé-Bougoumou	n.d.	n.d.	n.d.
	Waskaganish	1 832	396	2 228
	Waswanipi	1 215	435	1 650
	Wemindji	1 153	137	1 290
	Whapmagoostui	775	8	783
	Total	**12 436**	**1 840**	**14 276**
HURONS-WENDAT	Wendake	1 277	1 698	2 975
	Total	**1 277**	**1 698**	**2 975**
INNUS (MONTAGNAIS)	Betsiamites	2 647	672	3 319
	Essipit	175	215	390
	La Romaine	910	62	972
	Mashteuiatsh	2 014	2 677	4 691
	Matimekosh et Lac-John	712	101	813
	Mingan	478	9	487
	Natashquan	833	63	896
	Pakuashipi	272	2	274
	Uashat et Maliotenam	2 719	609	3 328
	Total	**10 760**	**4 410**	**15 170**

Tableau 9.1 La population autochtone au Québec (2003) (*suite*).

Nations	Communautés	Résidents	Non-résidents	Total
MALÉCITES	Cacouna et Whitworth	2	740	742
	Total	2	740	742
MICMACS	Gaspé	0	485	485
	Gesgapegiag	534	635	1 169
	Listuguj	1 879	1 273	3 152
	Total	2 413	2 393	4 806
MOHAWKS	Doncaster	Aucun résident permanent		
	Kahnawake	7 255	1 902	9 157
	Kanesatake	1 355	643	1 998
	Total	8 610*	2 545*	11 155
NASKAPIS	Kawawachikamach	561	35	596
	Total	561	35	596
INDIENS INSCRITS ET NON ASSOCIÉS À UNE NATION		1	78	79
Indiens inscrits	Total	46 457*	20 047*	66 504
INUITS	Akulivik	485	18	503
	Aupaluk	153	0	153
	Chisasibi	94	14	108
	Inukjuak	1 246	61	1 307
	Ivujivik	243	5	248
	Kangiqsualujjuaq	741	11	752
	Kangiqsujuaq	522	32	554
	Kangirsuk	443	55	498
	Killinig	Aucun résident permanent		
	Kuujjuaq	1 509	126	1 635
	Kuujjuarapik	490	113	603
	Puvirnituq	1 294	123	1 417
	Quaqtaq	312	29	341
	Salluit	1 095	84	1 179
	Tasiujaq	232	2	234
	Umiujaq	337	46	383
	Total	9 196	719	9 915
	Grand total	55 653*	20 776*	76 419*

*: Les populations totales résidentes et non résidentes ne comprennent pas Akwesasne (communauté mohawke).

Source: *Populations indienne et inuite au Québec 2003*, Affaires indiennes et du Nord Canada. Reproduit avec l'autorisation du ministère des Travaux publics et Services gouvernementaux Canada, 2004. *Registre des bénéficiaires de la Convention de la Baie-James et du Nord*, ministère de la Santé et des Services sociaux du Québec, 5 avril 2001. Reproduction autorisée par les Publications du Québec.

Les Abénaquis (*Le peuple du soleil levant*)

Communautés   Odanak et Wôlinak.

Territoire   Rive sud du Saint-Laurent, entre Sorel et Bécancour. Leur territoire totalise un peu moins de 7 km^2.

Histoire   Les Abénaquis sont originaires des colonies de la Nouvelle-Angleterre. Vers 1700, ils trouvent refuge dans la vallée du Saint-Laurent et s'installent à Odanak ; ils se lient avec les Français en échange de vivres et de leur protection. Ils participeront à la bataille des plaines d'Abraham aux côtés des Français. Ce sont les Abénaquis qui ont enseigné aux Français l'art de fabriquer du sirop d'érable.

Famille linguistique   Algonquienne.

Langues   Le français (langue de la majorité), l'anglais et l'abénaquis (parlé par quelques aînés).

Population   2037 personnes.

Noms de famille abénaquis   O'Bomsawin, Landry, Bernard, Saint-Aubin.

Principale organisation   Grand Conseil de la nation Waban-Aki.

Économie   Les Abénaquis administrent des plantations de pins, des industries de fibre de verre (fabrication de canots) et de vannerie, et des pourvoiries.

ALANIS O'BOMSAWIN

Membre de la nation abénaquise, Alanis O'Bomsawin est une documentariste de l'Office national du film (ONF). Elle a réalisé plus de 20 films sur des questions touchant les peuples autochtones du Canada. Elle a été décorée de l'Ordre du Canada (1983) en reconnaissance de son travail pour la préservation du patrimoine autochtone.

Les Algonquins (*Le peuple de la terre*)

Communautés   Hunter's Point, Kebaowek (Eagle Village-Kipawa), Kitcisakik, Kitigan Zibi, Rapid Lake, Lac-Simon, Pikogan, Timiskaming, Winneway.

Territoire   Région de l'Outaouais, territoire de 140 km^2 dont 80 % est occupé par la réserve de Maniwaki (limites nord de l'Abitibi).

Histoire   Jusqu'en 1650, les Algonquins occupent tout le territoire de la rive nord du Saint-Laurent, des Deux-Montagnes aux Grands Lacs. Les Iroquoiens les refoulent vers la région de l'Outaouais. L'exploitation forestière du XIXe siècle et la construction de barrages au XXe siècle dévastent les territoires de chasse et forcent la sédentarisation des Algonquins. Malgré tout, plusieurs familles algonquines vivent encore selon le mode nomade, chassant durant l'hiver et se rassemblant dans la réserve l'été.

Famille linguistique   Algonquienne.

Langues   L'algonquin (langue d'usage de la majorité), le français et l'anglais (langues secondes de la majorité).

Population   8942 personnes.

Noms de famille algonquins   Jérôme, Roger, Chevrier, MacLaren, Chalifoux, Chabot.

Principales organisations   Conseil de la nation Amiskinakeg, Secrétariat des programmes et services de la nation algonquine.

Économie   Les Algonquins sont actifs dans le reboisement des forêts, le piégeage d'animaux et l'artisanat.

Les Attikameks (Le peuple de l'écorce)

Communautés Coucoucache (où il n'y a pas de résidents permanents), Manawan, Obedjiwan, Wemotaci.

Territoire Haute-Mauricie, dans la partie nord du bassin de la rivière Saint-Maurice.

Histoire Les Attikameks ont presque disparu au cours du XVIIᵉ siècle, à la suite d'épidémies et de guerres avec les Iroquoiens. Les survivants se sont réfugiés en Haute-Mauricie. Au début du XXᵉ siècle, l'industrialisation, la construction de moulins à bois et la concession de territoires à des entreprises d'exploitation forestière forceront les Attikameks à se déplacer.

Famille linguistique Algonquienne.

Langues L'attikamek (langue d'usage de la majorité) et le français (langue seconde).

Population 5726 personnes.

Noms de famille attikameks Flamand, Dubé, Ambroise.

Principale organisation Conseil de la nation attikamek.

Économie Les Attikameks sont reconnus pour leur expertise dans le reboisement, la sylviculture, la chasse, le piégeage et la pêche.

Les Cris (Le peuple des chasseurs)

Communautés Chisasibi, Eastmain, Mistissini, Nemiscou, Oujé-Bougoumou, Waskaganish, Waswanipi, Wemindji, Whapmagoostui.

Territoire Bassin de la baie James.

Histoire Les premiers contacts des Cris avec les Européens datent de 1610. Dès 1670, la Compagnie de la baie d'Hudson obtient le monopole du commerce des fourrures, et les Cris traitent avec les Anglais et les Français. L'instauration de l'école obligatoire dans les années 1950 entraîne la sédentarisation des Cris. La signature de la *Convention de la Baie-James et du Nord québécois* en 1975 provoque des changements importants. Les Cris obtiennent des compensations de 225 millions de dollars. C'est la première convention du genre à avoir été signée en Amérique du Nord entre un gouvernement et des Autochtones. Une nouvelle entente, la Paix des Braves, signée en 2002, consolide l'autonomie politique et économique des Cris.

Famille linguistique Algonquienne.

Langues Le cri (langue d'usage de la majorité), l'anglais (langue seconde de la majorité) et le français.

Population 14 276 personnes.

Noms de famille cris Stewart, Moose, Blacksmith, George.

Principale organisation Grand Conseil cri du Québec.

Économie Les Cris connaissent actuellement un développement économique et social important dans les secteurs du transport routier et aérien, de la construction et du tourisme. Un peu plus du tiers de la communauté vit de la pêche et de la chasse.

Les Hurons-Wendat *(Le peuple du commerce)*

Communauté Wendake.

Territoire Les Hurons-Wendat forment l'une des nations autochtones les plus urbanisées ; ils vivent à Loretteville, une communauté en banlieue de la ville de Québec.

Histoire Les Hurons-Wendat viennent du sud-est de l'Ontario, près de la baie Georgienne. Ils possédaient un empire commercial allant des Grands Lacs jusqu'à la baie d'Hudson. Ils cultivaient le maïs et le tabac. Pendant des années, ils ont été des partenaires commerciaux importants des Français. Des épidémies et des guerres avec les Iroquoiens les ont obligés à quitter leurs villages et à se réfugier dans la région de Québec à la fin du XVIIe siècle.

Famille linguistique Iroquoienne.

Langue Le français (langue d'usage de la majorité).

Population 2975 personnes.

Noms de famille Gros-Louis, Sioui, Picard, Bastien, Savard, Vincent.

Principale organisation Conseil de la nation huronne-wendat.

Économie Les Hurons-Wendat gèrent des entreprises d'artisanat (mocassins, canots, raquettes) reconnues internationalement et développent le tourisme (Maison Arouanne qui sert de musée et de lieu de mise en valeur de la culture huronne-wendat).

Les Innus *(L'immensité d'un territoire)* ou Montagnais

Communautés Betsiamites, Essipit, La Romaine, Mashteuiatsh, Matimekosh et Lac-John, Mingan, Natashquan, Pakuashipi, Uashat et Maliotenam.

Territoires Saguenay–Lac-Saint-Jean, Côte-Nord, Basse Côte-Nord et une partie du Labrador.

Histoire Déjà entre 1603 et 1604, Samuel de Champlain et les Innvat (du pays des Kakouchaks) concluent un premier grand traité de paix et d'alliance militaire et commerciale entre les Européens et ceux que l'on surnommera les Montagnais. Il est signé à Pointe-aux-Alouettes, en face de Tadoussac, et confirme le droit des Français de s'installer dans la vallée du Saint-Laurent. En 2002, les Innus et le gouvernement du Québec ont signé une entente qui a été ratifiée en 2004.

Famille linguistique Algonquienne.

Langues Le montagnais, l'anglais (respectivement langue d'usage et langue seconde de la majorité) et le français.

Population 15 170 personnes.

Principales organisations Mamu Pakatatan Mamit et Mamuitun.

Économie Les Innus participent au développement touristique et à la gestion des ressources naturelles de leurs territoires, notamment des rivières à saumon.

MICHÈLE AUDETTE

Innue (montagnaise) d'origine, Michèle Audette est présidente de la Fédération des femmes autochtones du Québec.

KASHTIN

Nom d'un duo de musiciens formé de Claude McKenzie et Florent Volant. En 1989, le groupe fait un premier enregistrement en langue innue. Il connaîtra une renommée internationale. Depuis quelques années, le chanteur Florent Volant mène une carrière solo.

Un shaputuan.

Les Malécites (Le peuple de la belle rivière)

Communauté Cacouna et Whitworth.

Territoires Les Malécites étaient établis au Nouveau-Brunswick et dans le Bas-Saint-Laurent. Aujourd'hui, ils sont dispersés dans tout le Québec. Ils possèdent deux territoires non habités, à Cacouna et près de Rivière-du-Loup.

Histoire Les Malécites se sont si bien intégrés à la population francophone qu'en 1975 seulement quelques centaines de personnes étaient considérées comme membres de la nation malécite. Cependant, l'adoption du projet de loi C-31 en 1985 a permis à de nombreux Malécites de recouvrer leur statut d'Indiens. En 1987, ils forment un Conseil de bande et, en 1989, le gouvernement québécois reconnaît la Première Nation malécite de Viger comme la onzième nation autochtone du Québec.

Famille linguistique Algonquienne.

Langue Le français (langue d'usage de la majorité).

Population 742 personnes ; les Malécites forment la plus petite nation autochtone et sont dispersés sur tout le territoire québécois.

Noms de famille malécites Athanase, Aubin, Nicolas.

Principale organisation Première Nation malécite de Viger.

Les Micmacs (Le peuple de la mer)

Communautés Gaspé, Gesgapegiag, Listuguj.

Territoires Les territoires ancestraux des Micmacs couvraient le sud-est de la Gaspésie, la Nouvelle-Écosse, l'Île-du-Prince-Édouard, une partie du Nouveau-Brunswick et le sud de Terre-Neuve.

Histoire Les Micmacs étaient reconnus comme des gens de la mer. Ils vivaient de chasse et de pêche et construisaient des bateaux qu'ils transportaient jusqu'à l'île d'Anticosti. Aujourd'hui, la majorité d'entre eux vivent dans les provinces maritimes ; ceux du Québec vivent dans trois communautés.

Famille linguistique Algonquienne.

Langues Le micmac (parlé surtout à Listuguj et Gesgapegiag), le français (parlé surtout à Gaspé) et l'anglais (langue seconde).

Population 4806 personnes.

Noms de famille micmacs Martin, Basque, Samson, Jeanotte, Gray.

Principales organisations Conseil de bande de Gesgapegiag, Conseil de bande micmac de Gaspé et Listuguj Micmac First Nation.

Économie Les Micmacs gèrent des industries forestières, travaillent dans le secteur de la construction, du tourisme, de l'artisanat et des services reliés à la chasse et à la pêche sportives. Un village historique du XVIIe siècle est ouvert aux visiteurs depuis 1993 à Gesgapegiag.

Les Mohawks (Le peuple de l'étincelle)

Communautés   Akwesasne (population comptabilisée non pas dans les registres du Québec, mais en Ontario où une partie de son territoire se trouve), Doncaster (où il n'y a pas de résidents permanents), Kahnawake, Kanesatake.

Territoires   Les Mohawks forment la nation la plus populeuse du Québec. La plupart habitent à proximité de Montréal, dans l'une des trois communautés mohawkes.

Histoire   Les Mohawks faisaient partie des cinq nations iroquoiennes dont les territoires se trouvaient dans l'État de New York, au Québec et en Ontario. Ils se sont installés dans la région de Montréal au cours du XVIIᵉ siècle. L'histoire récente de cette nation a été marquée par la «crise d'Oka» de l'été 1990 : un projet controversé de développement de terres revendiquées par les Mohawks a dégénéré en conflit armé.

En janvier 2004, les Mohawks font de nouveau la manchette : la maison du chef James Gabriel est incendiée, ce qui témoigne de nombreux problèmes internes dans cette communauté.

Famille linguistique   Iroquoienne.

Langues   L'anglais (langue de la majorité) et le mohawk.

Population   11 155 personnes.

Noms de famille mohawks   Étienne, Mitchell, Montour, Jacobs.

Principales organisations   Mohawk Council of Akwesasne, Mohawk Council of Kahnawake, Mohawk Council of Kanesatake.

Économie   Au cours du XIXᵉ siècle, les Mohawks ont travaillé comme ouvriers spécialisés à la construction de structures d'acier. Depuis, leur savoir-faire dans ce secteur les a amenés à travailler dans plusieurs villes canadiennes et américaines. De plus, les Mohawks ont développé au cours des années de petites entreprises d'artisanat (joaillerie, sculpture, vannerie), mais aussi un musée à Akwesasne et un centre culturel qui possède une collection importante d'ouvrages sur le peuple mohawk. Depuis plusieurs années, un pow-wow (grande fête) se tient l'été à Kanawake et le public est invité à des spectacles de danses traditionnelles et à la dégustation de mets typiques.

Les Naskapis (Au cœur du pays des caribous)

Communauté   Kawawachikamach.

Territoire   À la frontière du Québec et du Labrador.

Histoire   En 1978, les Naskapis signent la *Convention du Nord-Est québécois* qui leur accorde une compensation financière de neuf millions de dollars et leur concède un territoire de 285 km² et des droits exclusifs de gestion sur un territoire de chasse, de pêche et de piégeage. En 1984, le village de Kawawachikamach a été construit.

Famille linguistique   Algonquienne.

Langues   Le naskapi (langue d'usage de la majorité) et l'anglais (langue seconde de la majorité).

Population   596 personnes.

Principale organisation   Conseil de bande naskapi du Québec.

Économie   Les Naskapis développent le tourisme d'aventure et gèrent des pourvoiries pour la chasse et la pêche.

Les Inuits (Le peuple du Nord)

Communautés Akulivik, Aupaluk, Chisasibi, Inukjuak, Ivujivik, Kangiqsualujjuaq, Kangiqsujuaq, Kangirsuk, Killinig (où il n'y a pas de résidents permanents), Kuujjuaq, Kuujjuarapik, Puvirnituq, Quaqtaq, Salluit, Tasiujaq, Umiujaq.

Territoire Le Nunavik, vaste territoire de toundra.

Histoire Les Inuits n'ont jamais été soumis à la *Loi sur les Indiens* et leurs villages ont un statut comparable à celui d'une municipalité. En 1975, ils ont signé la *Convention de la Baie-James et du Nord québécois*. En 1994, ils ont entamé des négociations avec les gouvernements canadien et québécois pour la formation d'un gouvernement régional au Nunavik.

Inukshuk (sculpture inuite).

Famille linguistique Eskaléoute.

Langues L'inuktitut (langue d'usage de la majorité), l'anglais (langue seconde de la majorité) et le français.

Population 9915 personnes.

Principale organisation Administration régionale Kativik.

Économie Les Inuits ont perfectionné au cours des siècles l'art de sculpter des objets en pierre, en os et en ivoire. Leurs sculptures de stéatite (communément appelée « pierre de savon » au Québec) ont acquis une renommée mondiale. Dès les années 1950, les Inuits ont mis sur pied des coopératives qui ont joué un rôle majeur dans le développement économique de leurs communautés.

LES VALEURS IMPORTANTES CHEZ LES AUTOCHTONES

Les cultures autochtones sont fondées sur des valeurs que l'on trouve souvent dans des sociétés de type communautaire. Voyons les plus importantes.

❯ La *coopération* est une valeur de premier plan chez les Autochtones. Traditionnellement, pour assurer la survie du groupe, la coopération était essentielle. Les besoins du groupe priment sur les besoins individuels.

❯ Les Autochtones valorisent le *contrôle de soi,* la *patience* et le *respect,* de même que la *modestie* et la *pudeur.* Pour eux, les parures n'ont aucune importance.

❯ Les Autochtones ont développé un mode de vie en *harmonie avec la nature.* La nature fait partie de leur spiritualité ; l'être humain puise dans la nature pour ses besoins essentiels, mais ne doit pas la dominer ni la maîtriser.

❯ Pour les Autochtones, le *partage des biens* avec la communauté est une valeur importante. Ils ne cherchent pas à accumuler des biens et la notion d'épargne leur est inconnue dans la mesure où la nature pourvoit à leurs besoins.

❯ La *famille élargie* est très importante. Les tantes, les oncles sont respectés comme des mères et des pères, les cousins et cousines sont considérés comme des frères et sœurs. Ce réseau familial crée un sentiment de sécurité.

❯ Les Autochtones respectent les *aînés* qui sont traités avec une grande considération, et dont le savoir assure la continuité du groupe.

> Les *enfants* sont éduqués aux valeurs du groupe. Des punitions comme la mise à l'écart du groupe, la réprimande ou l'absence de compliments sont plus souvent utilisées que les châtiments corporels.

> Dans plusieurs cultures amérindiennes, les *femmes* ont joué et jouent un rôle prépondérant. Par exemple, traditionnellement, dans la culture iroquoienne, les femmes cultivaient les champs, s'occupaient des récoltes et assuraient la distribution des produits au sein de la communauté. Ce sont elles qui choisissaient les chefs de clan.

LA SPIRITUALITÉ

La spiritualité des cultures amérindiennes repose sur la croyance en des liens étroits entre la nature et toutes les formes de vie rattachées à la Terre-Mère. Voyons quelques éléments symboliques de cette spiritualité.

Le cercle

Le cercle occupe une place très importante dans les croyances amérindiennes. Les Autochtones considèrent la vie comme un grand cercle dans lequel les individus et la nature sont liés dans une relation d'interdépendance. Ils croient ainsi que perturber la nature peut briser l'harmonie du cercle et des êtres qui le composent (St-Pierre, 2000). Ce cercle est souvent appelé la « roue-médecine ».

Les prières

Les Autochtones communiquent avec le Grand Créateur et les esprits auxiliaires par des prières qu'ils font individuellement ou en groupe.

La cérémonie du calumet

La cérémonie du **calumet** est une grande réunion présidée par les Anciens, des hommes ou des femmes à qui l'on reconnaît une grande sagesse. Au cours de la cérémonie, les participants se rassemblent en cercle. Un Ancien allume une tresse de foin d'odeur et attise l'herbe fumante avec une plume d'aigle pour activer la production de fumée. Puis il va d'un participant à l'autre dans le cercle, et chacun ramène quatre fois la fumée vers sa tête et son corps à l'aide de gestes de la main.

Calumet Sorte de pipe souvent sculptée en forme d'animal et composée d'un fourneau en bois ou en stéatite. Certains modèles ont un tuyau décoré de perles ou de cuir. Le calumet n'appartient pas à un individu en particulier, mais à toute la communauté.

Les plantes sacrées

Le foin d'odeur, la sauge, le cèdre et le tabac sont les quatre plantes sacrées des Autochtones. Les brûler est un signe de profonde spiritualité. Le cèdre et la sauge ont pour but d'éloigner les forces négatives au moment de la prière. Le foin d'odeur, synonyme de bonté, sert à appeler les bons esprits. Avant de se rendre à un pow-wow ou à une fête, il arrive que les participants mettent ces herbes dans leurs vêtements et autour de leurs instruments de musique.

Les sacs-médecine

Lorsqu'un individu recherche la miséricorde et la protection des esprits des quatre directions, il porte les quatre plantes sacrées prescrites par un Ancien, souvent dans un sac-médecine pendu à son cou ou fixé à ses vêtements. Dès que ce sac est touché par une personne autre que l'individu désigné, il ne peut plus servir, car il devient impur. L'individu doit reprendre les rituels de purification (qui peuvent durer trois ou quatre jours et nécessiter la présence de différents aînés), afin de redonner un caractère sacré au sac-médecine.

MIEUX CONNAÎTRE LES COMMUNAUTÉS AUTOCHTONES

Un mot en quelques langues

Comment dire bonjour dans les langues autochtones :

Abénaquis	Attikamek	Cri	Algonquin	Huron
Kuaï-Huaï	*Kué*	*Wachiya*	*Kué*	*Teetsionnonk annion*

Inuktitut	Micmac	Mohawk	Montagnais	Naskapi
Aï	*Welta'sualul*	*Kwe-kwe*	*Kwe-kwe*	*Waachiyaa*

Associations importantes

> **Assemblée des Premières Nations du Canada :** Regroupement politique qui défend les intérêts et les droits des Autochtones. Il existe aussi une assemblée des Premières Nations dans chaque province ; au Québec, elle se nomme Assemblée des Premières Nations du Québec et du Labrador.

> **Centre d'amitié autochtone :** Ce type de centre se trouve entre autres à La Tuque, Chibougamau, Val-d'Or, Loretteville et Montréal.

> **Femmes autochtones du Québec :** 460, rue Sainte-Catherine Ouest, bureau 503, Montréal.

Les policiers peuvent fouiller quelqu'un qui porte un sac-médecine en en demandant la permission. La spiritualité du sac-médecine n'est violée que s'il est touché ou ouvert sans la permission de celui qui le porte. Cet objet est sacré et doit être traité avec le plus grand respect.

(Direction générale de la GRC, 2000.)

LA POLICE AUTOCHTONE

Une politique concernant la police des Premières Nations a été adoptée par le gouvernement fédéral en juin 1991 et modifiée en 1996. Cette politique s'appuie sur le principe du partenariat et permet au gouvernement fédéral, aux provinces, aux territoires et aux Premières Nations de négocier des ententes tripartites de manière à mettre sur pied des services de police qui répondent aux besoins de chaque collectivité (ministère des Approvisionnements et Services du Canada, 1996).

LES PRÉJUGÉS À L'ÉGARD DES AUTOCHTONES

Les préjugés que l'on entretient à l'endroit d'un groupe social sont très tenaces. En 2003, une étude réalisée par l'Association d'études canadiennes révélait que « le tiers des Canadiens ont une image négative des Autochtones » (Allard, 2003).

Voici deux préjugés courants à propos des Autochtones que nous tenterons de réfuter.

Les Autochtones profitent du système ; ils ne paient ni taxes ni impôts.

Aujourd'hui, la *Loi sur les Indiens* s'applique toujours. Cette loi impose un véritable régime de tutelle des Indiens, et qui dit tutelle dit contrainte, dépendance, absence d'autonomie et privation de certains droits et libertés. Ainsi, les Autochtones vivant dans une réserve ont des droits différents des autres citoyens, ils sont aussi privés de certains droits. Le tableau 9.2 compare la situation d'un Indien vivant dans une réserve avec celle d'un citoyen habitant n'importe quelle municipalité au Québec.

Tableau 9.2 Droits des Indiens habitant une réserve comparativement à ceux des citoyens habitant une municipalité.

Situation d'un Indien habitant une réserve	Situation d'un citoyen habitant une municipalité
Propriété et possession de terrains	
• Un droit limité de possession ou d'occupation (le ministère des Affaires indiennes et du Nord délivre des certificats de possession ou d'occupation). • Les terres des réserves ne sont assujetties à aucune saisie sous le régime d'un acte juridique. Elles ne peuvent pas faire l'objet d'une hypothèque, ce qui limite la capacité d'emprunt.	• Un droit de propriété (tout propriétaire d'un terrain peut le vendre en toute liberté à qui il le désire). • Un droit de saisie. • Un droit d'hypothèque et une capacité d'emprunt.
Transmission des biens par succession	
• Les questions testamentaires relatives aux Indiens relèvent exclusivement du ministre des Affaires indiennes. • Un testament a un effet juridique seulement s'il est approuvé par le ministre.	• Toute personne saine d'esprit peut léguer ses biens aux personnes de son choix. • Tout testament a généralement un effet juridique après le décès.
Biens des enfants mineurs	
• Le ministre des Affaires indiennes peut administrer tous les biens auxquels ont droit les enfants mineurs d'Indiens ou nommer des tuteurs à cette fin.	• Les biens des enfants sont sous la responsabilité de leurs parents ou, à défaut, de la personne qui en tient lieu (tuteur).
Accès au crédit à la consommation	
• Les biens d'un Indien dans une réserve n'étant pas saisissables, l'accès au crédit à la consommation et l'obtention même d'une carte de crédit se révèlent souvent impossibles, quels que soient le revenu et la solvabilité de la personne.	• Toute personne solvable ayant des biens meubles ou immeubles en garantie peut généralement avoir accès au crédit à la consommation et obtenir une carte de crédit.
Taxation	
• Les Indiens et les bandes ne sont pas assujettis à une taxation concernant la propriété, l'occupation ou la possession d'un bien à l'intérieur d'une réserve. Le Conseil de bande peut cependant émettre des règlements pour imposer des taxes. • Il y a exemption de la taxe de vente lorsque la vente est faite dans une réserve, entre Indiens ou à un Indien. • Un bien meuble (autre qu'un véhicule automobile) acheté en dehors d'une réserve par un Indien est exempt de taxe s'il est livré par le vendeur dans la réserve pour y être consommé ou utilisé.	• Les propriétaires sont soumis aux taxes municipale et scolaire. • Application de la TPS et de la TVQ sur la vente de produits et services partout sur le territoire du Québec.
Impôt sur le revenu	
• Exemption d'impôt sur le revenu lorsque le travail est exécuté dans la réserve. • Exemption d'impôt sur le revenu lorsque le travail est exécuté hors réserve, mais seulement pour le compte d'un employeur situé dans la réserve. • Le revenu d'un Indien est imposable lorsque l'emploi est exécuté en dehors de la réserve pour un employeur de l'extérieur de la réserve.	• Les revenus d'emploi ou de prestations sont imposables. • Les prestations d'assurance-emploi de tout citoyen sont imposables.

Source: Adaptation de Pierre Lepage. *Mythes et réalités sur les peuples autochtones*, Montréal, Commission des droits de la personne et des droits de la jeunesse, 2002, 88 p., ISBN 2-550-38119-X.

Les Autochtones ont tous la même culture, parlent la même langue, vivent de la même manière ; comment se fait-il qu'ils semblent ne jamais s'entendre entre eux ?

Même si elles ont un bagage culturel semblable, les onze nations autochtones du Québec demeurent dans des environnements différents et vivent donc des réalités sociales très différentes ; par exemple, certaines habitent près des grandes villes (comme les Mohawks), d'autres dans des régions plus éloignées des centres urbains (comme les Cris). Chacune des nations autochtones du Québec a une langue et une culture propres. Certaines sont traditionnellement nomades, d'autres sont plus sédentaires. Elles ont des identités, des croyances, des traditions et des modes de vie qui leur sont particuliers.

L'Assemblée des Premières Nations agit pour le bien de tous les Autochtones, mais chaque nation a aussi ses propres représentants qui, eux, travaillent pour le bien de leur propre communauté et ont des préoccupations et des revendications plus spécifiques.

CHAPITRE 10

L'intégration des immigrants à la société d'accueil

J'ai reçu en héritage les mots que mon père trouvait beaux. Des mots de solitude, de déracinement et d'espérance qui percent les parois de sa geôle de silence. [...] Ces mots sont ceux de mon enfance. Tant qu'ils évoqueront un monde que les mots d'ici ne pourront saisir, je resterai un immigrant lacéré par une double nostalgie. [...] Ni tout à fait italienne, ni tout à fait québécoise, ma culture est hybride. En plus de cette ville, je porte en moi le village qui jadis s'arracha à sa colline pour se tapir dans la mémoire de chaque déraciné. [...] La culture immigrée est une culture de transition qui, à défaut de pouvoir survivre comme telle, pourra, dans un échange harmonieux, féconder la culture québécoise et ainsi s'y perpétuer.

MICONE, 1992

Toutes les sociétés d'accueil veulent que les nouveaux arrivants vivent le plus harmonieusement possible leur intégration et leur installation. Ces deux éléments impliquent la participation des deux acteurs en présence : les personnes immigrantes et la société d'accueil.

Le processus migratoire

La façon dont l'immigrant vit le processus migratoire a des répercussions sur son intégration dans la société d'accueil.

Par processus migratoire, on entend « l'ensemble des éléments émotifs et physiques […] qui interviennent à partir du moment où un individu décide d'émigrer jusqu'à son adaptation dans la nouvelle société » (Fronteau, 2000). Ce processus comporte deux étapes : la prémigration et la postmigration. Voyons de plus près chacune d'elles.

LA PRÉMIGRATION

La prémigration comprend différentes facettes, dont les plus importantes sont la décision d'émigrer, la préparation à l'émigration, le renoncement, le moment du départ et l'amorce du processus de deuil.

Cette phase s'amorce avec la prise de décision d'émigrer. Cette décision peut se prendre dans la précipitation (dans le cas des réfugiés) ou au cours d'une préparation qui s'échelonne sur une plus longue période. L'existence d'un projet migratoire est bien sûr un gage de réussite. Pourquoi veut-on immigrer dans un pays ? Quelles en sont les motivations profondes ? Que cherche-t-on ailleurs ? Est-ce un projet individuel, de couple, de famille ?

Lorsqu'il y a un projet migratoire, il y a la préparation qui se traduit par des démarches administratives et un intérêt pour le pays hôte. L'individu se documente, lit, rencontre des gens qui y sont allés ; souvent, il se crée des rêves, des illusions, des attentes. Il commence aussi à se détacher de ce qui l'entoure : il vend ses biens, donne des objets à ceux qui lui sont chers, choisit ce qu'il va emporter avec lui.

Suit l'étape du renoncement, au cours de laquelle l'individu renonce à ses acquis professionnels, à son statut social. Cette étape suscite bien des craintes dont la plus importante est celle de l'échec. Que se passera-t-il si l'individu échoue dans son projet ou si celui-ci n'est pas à la hauteur de ses espoirs ? Souvent, son honneur et celui de sa famille sont en jeu. Il ne peut pas ne pas réussir.

Le moment du départ arrive, marqué souvent de fortes charges émotives et affectives. Les parents et amis viennent faire leurs adieux. On ne sait pas si l'on va se revoir. L'individu essaie d'absorber tout ce qu'il voit afin de faire le plein de souvenirs. Il sait qu'il en aura bien besoin quand il sera loin. Il s'imprègne de l'atmosphère des lieux qu'il quitte. Le processus de deuil s'amorce avant même le départ du pays d'origine.

Toutes les étapes du voyage (habituellement en avion) se vivent dans les salles d'attente, au milieu de gens indifférents. L'individu se retrouve alors seul face à lui-même ; le détachement, le vide deviennent concrets. Le départ est la première mort de l'immigrant.

> « Lorsque j'étais au Rwanda, on pensait que le Canada était un pays tellement riche qu'il y avait des robinets dans les cours d'école, d'où coulait du lait pour les enfants. »
>
> (Un Rwandais d'origine)

LA POSTMIGRATION

La postmigration est une étape cruciale, car elle favorise avec plus ou moins de succès l'adaptation et l'intégration des individus. Comme l'indique le tableau 10.1, elle se compose de six phases importantes : l'arrivée physique, qui demande une adaptation biologique et qui implique un dépaysement ; l'arrivée psychologique, qui implique souvent un processus de déconstruction identitaire ; la confrontation et l'ouverture (Casse, 1990 ; Cohen-Émérique, 1984 ; Fronteau, 2000).

Tableau 10.1 Synthèse des deux étapes du processus migratoire (Fronteau, 2000).

Prémigration	Postmigration
▪ Prise de décision de migrer	▪ Adaptation biologique
▪ Préparation à l'émigration	▪ Dépaysement
▪ Renoncement	▪ Arrivée psychologique
▪ Moment du départ	▪ Déconstruction identitaire
▪ Amorce du processus de deuil	▪ Confrontation
	▪ Ouverture et ajustement au stress

Source : Adapté de Joël Fronteau, « Le processus migratoire ; la traversée du miroir », dans Gisèle Legault, *L'intervention interculturelle*, Boucherville, Éditions Gaëtan Morin, 2000, p. 1-39.

L'arrivée physique

En premier lieu, l'individu doit s'adapter biologiquement à son nouvel environnement. Souvent il y a l'adaptation à un nouveau climat : imaginons un individu qui arrive au Québec en plein mois de février à −20 °C ou encore en plein été à plus de 30 °C. Il y a aussi l'adaptation au paysage qui l'entoure : imaginons quelqu'un qui arrive d'une petite ville et qui se retrouve en plein centre-ville de Montréal, ou encore qui vient d'une très grande ville, très peuplée, et qui a l'impression d'être en pleine campagne à Montréal. L'individu peut aussi avoir des problèmes avec la nourriture, de la difficulté à trouver les aliments qu'il a l'habitude de consommer.

Arrive ensuite la période du dépaysement. Le nouvel arrivant se sent comme un touriste : il explore et veut comprendre son nouvel environnement. Il cherche un logement, en trouve un qui correspond plus ou moins à ses besoins et à ses attentes, mais s'en accommode car il est encore à l'étape de la fascination, de l'étonnement et de la curiosité. Cette période est souvent marquée par un sentiment d'euphorie. On entre dans un monde nouveau, on s'ouvre à une vie nouvelle… On veut expérimenter de nouvelles choses. On regarde les gens agir et on essaie de les imiter. L'arrivée physique est complétée. Commence alors l'arrivée psychologique… et l'adaptation qu'elle implique.

L'arrivée psychologique

Après quelques semaines, l'individu commence à éprouver de la fatigue, en raison notamment de la peur de ne pas se faire comprendre. L'individu qui maîtrise bien la langue de la société d'accueil aura de la difficulté à comprendre certains mots et certaines expressions, et devra s'habituer aux accents. Pour la personne qui ne maîtrise pas la langue du pays d'accueil, cette difficulté peut devenir un obstacle infranchissable qui risque d'engendrer colère, rage et impuissance. L'incapacité de communiquer peut entraîner l'isolement de la personne et accentuer son sentiment d'exclusion, de retrait. Imaginons un nouvel arrivant qui tente d'expliquer à un médecin les douleurs qu'il éprouve. Comment trouver les mots précis pour exprimer ce qu'il ressent ? Cela peut être très difficile, voire impossible.

Dans de nombreuses situations, l'immigrant se sent infantilisé ; les gens lui disent quelques mots, lentement, comme s'il était un enfant… Il y a aussi parfois la présence d'un interprète, cette personne qui traduit dans des circonstances plus « officielles » et intimidantes. L'individu a alors le sentiment de n'exister que par personne interposée. La honte de ne pas être compris et celle de ne pas

« Ici, il y avait beaucoup de monde qui n'avait pas la même couleur de peau. Ça, j'ai trouvé ça différent. Et puis les voitures et les magasins ! Les gros magasins surtout, parce que dans mon pays, il y a surtout des petits magasins et les gens se promènent en bicyclette. »

(Kim, d'origine vietnamienne)

« Au Chili, il y a des Chiliens. Quand je suis arrivé ici, ce qui m'a fasciné le plus, ce sont tous ces gens que l'on côtoie dans le métro, dans la rue, qui viennent de partout. Ça fait un monde très coloré, très chaleureux. J'ai adoré cela. »

(Alvaro, d'origine chilienne)

Une difficulté parmi tant d'autres…

Essayez l'exercice suivant : écrivez votre nom de droite à gauche, à l'envers et de la main gauche. Ce genre d'effort, cette contrainte, les immigrants la subissent chaque jour, surtout ceux qui ont étudié dans un système d'écriture arabe ou chinoise, où l'on écrit de droite à gauche…

comprendre peuvent provoquer chez le nouvel arrivant un sentiment d'infériorité et la crainte d'avoir l'air ridicule.

L'immigrant doit alors amorcer un processus de déconstruction identitaire. Les immigrants ont beaucoup de choses à apprendre ou à réapprendre. Par exemple, si apprendre une nouvelle langue est déjà un défi, apprendre l'écriture de cette langue en est un autre de taille.

Le besoin de parler à des compatriotes et d'être en compagnie de gens du même pays ou de la même région devient pressant. D'ailleurs, les premières années, l'immigrant vit souvent dans un quartier dit multiethnique, où il peut trouver quelques services dans sa langue d'origine, ce qui représente pour lui un facteur important de sécurité.

La confrontation

Durant les premiers mois suivant leur arrivée, les immigrants subissent un choc culturel qui se définit par le « heurt avec la culture de l'autre [...], une réaction de dépaysement, parfois de frustration ou de rejet, de révolte et d'anxiété ou même d'étonnement positif, en un mot une expérience émotionnelle et intellectuelle qui apparaît chez ceux qui, placés par occasion ou profession hors de leur contexte socioculturel, se trouvent engagés dans l'approche de l'étranger. Il [le choc culturel] constitue un élément important dans la rencontre interculturelle » (Cohen-Émérique, 1984).

Après un premier contact souvent enthousiaste avec la société d'accueil, l'immigrant doit faire ses premiers ajustements, car des difficultés de tous ordres surgissent et il n'a pas de réponses appropriées. La société attend de lui qu'il s'adapte rapidement à son nouvel environnement. Il essaie, selon ses habitudes et son bagage culturel, de s'ajuster mais ça ne fonctionne pas toujours.

Viennent alors le stress et la confrontation. L'immigrant vit des réactions émotives variées comme l'embarras, la déception, la frustration et l'anxiété. Il doit se reconstruire un réseau social alors qu'il a tendance à se replier sur lui-même. Son nouveau cadre de vie l'épuise et il est souvent aux prises avec un sentiment de doute. Il est incertain de tout, de la conduite à adopter, des choix à faire... Souvent, l'immigrant a l'impression d'être assis entre deux chaises et se laisse aller à des attitudes d'hostilité envers la société d'accueil ; il critique tout et idéalise le pays qu'il a quitté.

Durant cette phase de stress et de confrontation se pose aussi le problème de l'identité. Le nouvel arrivant tente de ressembler aux membres de la société d'accueil, par exemple, en modifiant son langage, en utilisant des expressions courantes, en adoptant certains comportements vestimentaires. Il est envahi par la peur de ne pas voir son identité reconnue, la peur de perdre son identité propre. La société d'accueil étiquette souvent les « étrangers » : les Africains, les Asiatiques, les Latinos, les Arabes. Pour un nouvel arrivant, cette classification peut être réductrice, stéréotypée et difficile à vivre, car on ne reconnaît qu'une partie de son identité.

SAVIEZ-VOUS QUE...

La recherche d'un emploi est une expérience stressante. Passer une entrevue peut se révéler carrément traumatisant pour celui qui ne maîtrise pas la culture de l'entreprise. Au Québec, lorsqu'on passe une entrevue, on doit se vendre, on doit, en quelques minutes, convaincre son vis-à-vis qu'on est le meilleur. Dans plusieurs cultures, se vendre est quelque chose d'inhabituel, de présomptueux. Comment arriver alors à se faire valoir ?

L'ouverture

La dernière phase est celle de l'ouverture et de l'ajustement au stress. L'immigrant réussit alors à trouver un équilibre dans les domaines les plus importants de sa vie. En général, il s'adapte à son nouvel environnement en le connaissant mieux, en accepte le plus possible les valeurs et les croyances comme une autre réalité avec laquelle il compose. Il est capable de naviguer entre les deux cultures, la sienne et celle de la société d'accueil, et oscille entre la sphère privée et la sphère publique en développant de nouvelles stratégies identitaires.

Les différentes dimensions de l'intégration

L'intégration est un « processus graduel par lequel les nouveaux résidents deviennent des participants actifs à la vie économique, sociale, civique, culturelle et spirituelle du pays d'immigration » (Perotti, 1986). Depuis les années 1990, le gouvernement québécois en a fait un concept-clé de sa politique d'immigration en définissant l'intégration comme « un processus d'adaptation à long terme, multidimensionnel et distinct de l'assimilation. Ce processus, dans lequel la maîtrise de la langue d'accueil joue un rôle moteur essentiel, n'est achevé que lorsque l'immigrant ou ses descendants participent pleinement à l'ensemble de la vie collective de la société d'accueil et ont développé un sentiment d'appartenance à son égard » (gouvernement du Québec, 1990). Plusieurs autres auteurs (Abou, De Rudder, Harvey, cités dans Legault, 2000) ont étudié ce concept. Nous inspirant de ces études, nous pouvons dire que les stratégies d'intégration des immigrants s'inscrivent dans des secteurs-clés de la société, c'est-à-dire dans les domaines juridique, économique, linguistique, politique et culturel, personnel et communautaire, lesquels sont tous interdépendants. Voyons d'un peu plus près ces différents domaines d'intégration.

L'intégration juridique se mesure par le statut juridique conféré aux immigrants lorsqu'ils arrivent au pays ainsi que par leur connaissance des lois et des institutions du pays. Les immigrants acceptés au Canada ont un statut juridique (résident permanent) qui leur confère les mêmes droits que tous les citoyens canadiens (sauf celui de voter, d'avoir un passeport canadien et de se présenter à des postes électifs). Après trois années consécutives de résidence au Canada, l'immigrant peut demander la citoyenneté canadienne. L'intégration juridique constitue la base des autres domaines d'intégration.

L'intégration économique est la capacité des immigrants d'accéder à des revenus et à une mobilité sociale comparables à ceux des citoyens nés au Canada. On remarque que plus la scolarité et l'expertise professionnelle de l'immigrant sont de haut niveau, plus il a accès à des emplois et à des salaires souvent comparables à ceux des citoyens nés au Canada. Et dans le sens inverse, les immigrants qui ont moins de scolarité ont moins de possibilités d'obtenir des emplois avantageux et donc des revenus adéquats. Soulignons que la ségrégation professionnelle et la discrimination sont aussi susceptibles d'affecter les revenus et le statut professionnel de certains immigrants. On observe également que plus les immigrants se familiarisent avec le système canadien, plus ils peuvent améliorer leur situation économique. Ainsi, l'accès généralisé à l'enseignement supérieur permet à la deuxième génération issue de l'immigration d'avoir des chances de mobilité économique comparables à celles de la population d'accueil (Bourhis, Moïse et Perreault, 1998).

L'intégration linguistique s'évalue par la capacité de la personne immigrante à utiliser la langue de la société d'accueil d'abord de façon fonctionnelle (dans son travail, à l'école pour les enfants, etc.), puis dans sa vie privée (dans les loisirs, pour lire les journaux, regarder les émissions de télévision, etc.). Une maîtrise limitée de la langue officielle du pays peut ralentir et même entraver l'intégration économique, politique et culturelle des immigrants. L'utilisation de la langue de la société d'accueil dans les sphères publiques telles que le travail, l'administration, les services et l'enseignement est nécessaire pour comprendre le fonctionnement de la société dans laquelle ils se sont établis. L'utilisation de la langue de la société d'accueil dans la sphère privée de la vie, au sein de la famille, dans les loisirs, les médias, permet aussi de se familiariser avec la culture du pays d'accueil, de rompre l'isolement en facilitant la communication et d'entretenir des relations avec des membres du pays d'accueil.

L'intégration personnelle et communautaire est d'abord la capacité d'adaptation de l'immigrant dans des domaines tels que les arts, les activités religieuses, les activités récréatives et sportives, les traditions culinaires et les coutumes vestimentaires. Ce domaine comprend aussi les valeurs, les liens de parenté, les types de relations interpersonnelles, les habitudes de travail et les liens développés avec des associations communautaires (Bourhis, Moïse et Perreault, 1998). Des facteurs comme l'âge et le sexe de la personne, le niveau de scolarité, l'occupation

Tableau 10.2 Les principales dimensions de l'intégration.

Dimensions de l'intégration	Atouts de l'immigrant facilitant l'intégration	Contribution de la société d'accueil
Intégration juridique	• Connaissance des lois et des institutions de la société d'accueil	• *Loi canadienne sur l'immigration et la protection des réfugiés* • *Charte canadienne des droits et libertés* • *Charte des droits et libertés de la personne* (Québec) • Déclaration du gouvernement québécois sur les relations interethniques et interraciales
Intégration économique	• Âge • Niveau de scolarité • Connaissance de la langue de la société d'accueil • Expertise professionnelle	• Reconnaissance des acquis (ministère de l'Éducation) • Programme d'accès à l'égalité • Lutte contre la discrimination
Intégration linguistique	• Maîtrise de la langue de la société d'accueil • Utilisation de la langue de la société d'accueil dans différentes sphères publiques et privées	• Classes d'accueil pour la francisation et l'intégration des enfants des immigrants • Centre d'intégration des immigrants (adultes) • PELO (Programme d'enseignement des langues d'origine)
Intégration personnelle et communautaire	• Motif de départ • Niveau de scolarité • Condition sociale et familiale	• Valeurs partagées, intérêts communs • Plan d'action MRCI 2004-2007 • Accommodements raisonnables
Intégration politique	• Définition de l'identité de la personne • Obtention de la citoyenneté canadienne	• *Loi canadienne sur la citoyenneté*

Sources : Richard Y. Bourhis, Céline Léna, Moïse et Stéphane Perreault, *Immigration et intégration : vers un modèle d'acculturation interactif*, Cahiers des conférences et séminaires scientifiques, n° 6, Chaire Concordia-UQAM en études ethniques, Université de Montréal et Université Concordia, 1998, 52 p.

Danielle Juteau (dir.), *Actes du séminaire sur les indicateurs d'intégration des immigrants*, MAIICC et CEETUM, 1994, 353 p.

Richard Y. Bourhis, Léna Céline Moïse, Stéphane Perreault et Sacha Sénécal, « Towards an Interactive Acculturation Model : A Social Psychological Approach », International Journal of Psychology, 1997, vol. 32, n° 6, p. 369-386.

professionnelle et le motif de l'immigration jouent un rôle important dans l'affirmation de l'identité culturelle, la découverte de nouvelles façons de faire et l'adhésion plus ou moins forte aux valeurs de la société d'accueil.

L'intégration politique est la participation la plus active possible aux ressources et aux services de la société d'accueil, de même qu'aux différentes instances décisionnelles de cette société. Cette intégration se mesure par la participation à la vie économique, sociale et politique. Par exemple, plusieurs députés à l'Assemblée nationale et de nombreux conseillers municipaux sont issus de communautés ethniques ; de plus en plus de gestionnaires et d'entrepreneurs issus de communautés ethniques deviennent des décideurs économiques et politiques. Cette stratégie d'intégration s'observe surtout chez les immigrants de deuxième et de troisième génération qui sont plus susceptibles de participer pleinement à la vie publique que les immigrants de première génération (Bourhis, Moïse et Perreault, 1998).

Le tableau 10.2 présente les principales dimensions de l'intégration, les atouts qui facilitent l'intégration de l'immigrant et la contribution de la société à cette intégration.

Le processus d'intégration des immigrants

La description du processus d'intégration des immigrants illustre la complexité, le caractère multidimensionnel et à long terme de celui-ci (gouvernement du Québec, 1990). Ce processus nécessite une contribution importante de la société d'accueil, mais aussi des efforts à court et à long terme de la part de l'immigrant. Nous verrons ici trois phases d'adaptation vécues par l'immigrant et ses descendants (deuxième et troisième génération).

L'ADAPTATION FONCTIONNELLE : L'ARRIVÉE ET L'INSTALLATION

Dans un premier temps, l'immigrant s'établit et essaie de comprendre le fonctionnement de la société d'accueil. À cet égard, l'âge de l'immigrant, sa connaissance de la langue du pays d'accueil, son niveau de scolarité, le motif de son départ, le fait d'immigrer seul ou avec sa famille sont des facteurs déterminants. Au cours de cette phase, l'immigrant recherche souvent des réseaux d'entraide et le soutien de personnes de la même origine que lui. Des associations, des regroupements communautaires peuvent lui offrir des services de première ligne, souvent dans sa langue d'origine (trouver un premier logement, acheter des meubles, inscrire les enfants à l'école du quartier). C'est une stratégie efficace à court terme, qui lui permet d'amortir le choc que représente l'immigration (gouvernement du Québec, 1990).

La société d'accueil joue aussi un rôle prépondérant durant cette première phase ; par exemple, elle doit aider les immigrants à faire l'apprentissage de la langue (notamment par la mise en place de cours de francisation), s'assurer que les services publics (dans les secteurs de l'habitation, de la santé et des services sociaux, de l'éducation) leur soient accessibles et qu'il n'y ait pas de discrimination dans ces domaines. Ici, l'intégration juridique, économique et linguistique entre en jeu.

L'ADAPTATION SOCIALE : L'APPRENTISSAGE ET L'ACQUISITION DE NOUVELLES VALEURS

Dans un deuxième temps, les nouveaux arrivants entrent vraiment en contact avec les institutions de la société d'accueil (école, services dans le quartier, voisinage, radio, télévision, collègues de travail, etc.). Les discours qu'ils entendent, les comportements qu'ils observent remettent souvent en question leurs valeurs. Ils sont confrontés aux valeurs que véhicule cette nouvelle société, qu'ils ne comprennent pas toujours ou qu'ils comprennent mais qu'ils refusent. Par exemple, le mode d'éducation des enfants, ici axé sur l'autonomie et l'individualisme, heurte des individus qui ont été éduqués dans l'obéissance et le respect de l'autorité parentale. Souvent on entend des immigrants dire qu'au Québec les enfants font ce qu'ils veulent, qu'ils ne respectent pas leurs parents, et qu'on ne s'occupe pas de nos personnes âgées. Les chocs culturels liés aux valeurs sont beaucoup plus importants que ceux se rattachant à la vie quotidienne, à l'alimentation et aux modes vestimentaires. Cette seconde phase d'adaptation est beaucoup plus difficile et plus lourde de conséquences. Elle exige que le nouvel arrivant entre en contact, sur les plans personnel et communautaire, avec des membres de la société d'accueil.

Le rôle de la société d'accueil pendant cette phase est d'expliquer les différentes valeurs qu'elle privilégie à travers ses institutions, mais aussi de favoriser les contacts avec les gens (par le jumelage, par exemple). Par des accommodements raisonnables, elle doit aussi donner à l'immigrant la possibilité de conjuguer quelques aspects de ses valeurs avec celles qu'il acquiert. Par exemple, les accommodements religieux permettent aux individus de retrouver des lieux de culte, même s'ils ne sont pas intégrés à la vie quotidienne (par exemple, dans un pays musulman, les fêtes religieuses font partie du quotidien des gens). Cette phase est marquée par l'intégration juridique et communautaire.

L'ADAPTATION PUBLIQUE : L'ENGAGEMENT SOCIAL ET POLITIQUE

Dans un troisième temps, après avoir assuré leur survie économique et adhéré à quelques valeurs de la société d'accueil, les immigrants sont en mesure de contribuer au dynamisme de la vie sociale, culturelle, politique et économique du pays d'accueil. Comme cette phase peut durer plusieurs années, ce sont plus souvent les enfants et les petits-enfants des immigrants qui s'impliquent dans la société. La représentation d'une communauté dans l'ensemble des structures sociales, économiques et politiques de la société d'accueil est ainsi le reflet de son ancienneté. Généralement, les individus commencent par s'engager au niveau local, dans les institutions de la communauté (en créant des associations qui répondent à leurs besoins). Par la suite, adhérant aux valeurs de la société d'accueil, ils s'investissent dans les comités de parents (en favorisant des projets dans l'école de leurs enfants, en siégeant aux conseils d'administration), dans leur milieu de travail au sein d'associations syndicales ou autres, puis au niveau municipal, provincial ou fédéral. Abou (1988, cité dans Legault, 2000) a qualifié d'aspiration cette phase d'intégration : l'individu décide alors de lier son avenir et celui de ses enfants aux projets d'avenir de la société. Cette phase implique l'intégration politique, mais présuppose toutes les autres formes d'intégration.

Les immigrants ne vivent pas tous ces phases de la même façon, au même rythme ni dans le même ordre (Barrette, Gaudet, Lemay, 1996). Pour toutes sortes de raisons, un individu peut, à l'intérieur de la phase d'adaptation fonctionnelle, être confronté à des éléments de la phase d'adaptation sociale. Par exemple, la

Le processus d'intégration des personnes immigrantes

Pour chacune des phases d'intégration, indiquez les numéros renvoyant aux comportements sociaux que vous y associez et dites pourquoi vous avez choisi cette réponse. Certains comportements peuvent être associés à deux phases.

Phases d'intégration

L'adaptation fonctionnelle: l'arrivée et l'installation.

L'adaptation sociale: l'apprentissage et l'acquisition de nouvelles valeurs.

L'adaptation publique: l'engagement social et politique.

Comportements sociaux

1. Entreprendre des démarches pour obtenir la citoyenneté canadienne.

2. Se lier d'amitié avec des membres de la société d'accueil.

3. Faire l'apprentissage de nouvelles habitudes alimentaires.

4. Faire une déclaration de revenus.

5. Faire un séjour à l'hôpital.

6. Trouver un logement.

7. Se familiariser avec les codes culturels de la société d'accueil.

8. Remettre en question les rôles des parents et des enfants à l'intérieur de la famille.

9. Participer à un comité de parents à l'école de son enfant.

10. Apprendre la langue de la société d'accueil.

11. Trouver une école pour les enfants.

12. Se présenter comme conseiller municipal.

13. Trouver un emploi.

14. Divorcer.

15. Apprendre à s'habiller en fonction d'un nouveau climat.

16. Dénoncer un conjoint violent.

Proposition de réponses

L'adaptation fonctionnelle: 3, 4, 6, 7, 10, 11, 13, 15.

L'adaptation sociale: 2, 8, 14, 16, (5).

L'adaptation publique: 1, 9, 12.

Voici quelques explications concernant des comportements sociaux peut-être plus difficiles à classer.

1. Un immigrant qui entreprend des démarches pour obtenir la citoyenneté canadienne est quelqu'un qui choisit de s'établir au Québec et au Canada de façon permanente et de s'y investir. Pour devenir citoyen canadien, il faut que la personne vive au Canada depuis au moins trois ans de façon consécutive, qu'elle en fasse la demande, qu'elle connaisse une des deux langues officielles du pays, qu'elle réussisse un test de connaissances générales sur le Canada. Cette démarche s'inscrit donc dans le cadre de l'adaptation publique.

5. Faire un séjour à l'hôpital peut se produire n'importe quand dans la vie du nouvel arrivant et, en ce sens, il est difficile de l'associer à une phase plutôt qu'à une autre. S'il se retrouve à l'hôpital six mois après son arrivée au Québec, le choc culturel sera beaucoup plus fort que si cela fait trois ans qu'il y vit. Ce choc culturel sera plus grand s'il est issu de sociétés où les installations sanitaires sont moins adéquates ou, au contraire, plus adéquates que celles du pays d'accueil. Le choc peut aussi provenir de l'absence du réseau de soutien pendant le séjour à l'hôpital, de la méconnaissance de la langue qui rend difficiles les relations interpersonnelles, de pratiques médicales différentes, etc. Pour toutes ces raisons, faire un séjour à l'hôpital peut donc s'inscrire dans le cadre de l'adaptation fonctionnelle ou sociale.

8. Remettre en question les rôles des parents et des enfants à l'intérieur de la famille présuppose une interrogation sur les valeurs familiales et donc non seulement l'observation des valeurs de la société d'accueil, mais aussi l'acquisition de quelques-unes d'entre elles. Les enfants qui fréquentent l'école rapportent à la maison des valeurs et des comportements qui ne concordent pas toujours avec ceux des parents, ce qui provoque quelquefois des confrontations et des remises en question. Cette démarche s'inscrit dans le cadre de l'adaptation sociale.

14. Divorcer peut être le fruit d'un changement important sur le plan des valeurs, surtout si le divorce, dans le pays d'origine des immigrants, était improbable ou même impensable. Cette démarche s'inscrit alors dans le cadre de l'adaptation sociale.

15. Apprendre à s'habiller en fonction d'un nouveau climat relève de l'apprentissage. On entend très souvent un immigrant dire que le premier hiver passé au Québec était beaucoup plus froid que tous les autres qui ont suivi. C'est peut-être tout simplement qu'il a appris à s'habiller ou qu'on lui a indiqué comment le faire (mettre une tuque, des gants…). Cette démarche s'inscrit dans le cadre de l'adaptation fonctionnelle.

16. Dénoncer un conjoint violent peut révéler que l'on adhère à des valeurs de la société d'accueil (égalité au sein du couple), mais présuppose aussi une connaissance des lois et des droits des femmes et des hommes à l'intérieur d'une union conjugale. Cette dénonciation présuppose aussi que la femme a un réseau de soutien et ne craint pas les représailles possibles de son conjoint. En ce sens, cette démarche s'inscrit dans le cadre de l'adaptation sociale.

Source: Adaptation de Louise LAFORTUNE et Édithe GAUDET, *Une pédagogie interculturelle pour une éducation à la citoyenneté*, Montréal, ©ERPI 2000.

maladie peut l'amener à comprendre les règles bureaucratiques et sociales dans un établissement de santé avant même de comprendre la langue de la société d'accueil. Il faut aussi faire la distinction entre le parcours d'un individu et celui d'une communauté. Nous avons vu que plusieurs facteurs personnels peuvent accélérer ou ralentir le processus d'intégration. Ce processus qui conduit à une pleine participation dure-t-il quelques mois, quelques années, l'espace d'une génération ? Certaines études indiquent qu'une génération est souvent nécessaire pour passer d'une phase à l'autre, mais qu'une personne peut très bien fonctionner dans la société sans nécessairement adhérer à toutes les valeurs du pays d'accueil.

L'intégration des immigrants vue par la société d'accueil

Comment les sociétés accueillent-elles leurs immigrants ? Quelles sont les idéologies sous-jacentes aux différents modèles d'insertion ? Voyons ce qu'il en est des idéologies canadiennes comme l'assimilationnisme et le multiculturalisme et de celles du Québec, l'interculturalisme et l'intégrationnisme.

LES MODÈLES DE GESTION DE LA DIVERSITÉ AU CANADA

L'assimilationnisme

L'assimilationnisme est une idéologie qui favorise l'apprentissage rapide, par les immigrants, de la culture majoritaire de la société d'accueil, considérée comme la meilleure. L'assimilationnisme met tout en place pour que les immigrants abandonnent leur identité culturelle et ne prend pas du tout en considération l'appartenance culturelle et ethnique, les convictions religieuses ni les codes linguistiques des nouveaux arrivants (Laperrière, 1987). Les immigrants doivent s'intégrer aux structures de la société d'accueil ; les problèmes d'adaptation, s'il y en a, sont de leur ressort et c'est sur eux que repose l'échec ou le succès de leur intégration. La société d'accueil n'a donc pas à intervenir dans ce processus d'intégration.

C'est surtout au XIXᵉ siècle et pendant toute la première moitié du XXᵉ siècle que l'assimilationnisme a été en vogue au Canada (ainsi qu'aux États-Unis et en Angleterre). Après plusieurs années d'application de ce modèle, ces sociétés ont dû en constater l'échec notamment à cause d'une forte résistance de la part des immigrants à perdre leur culture d'origine. De plus, au début des années 1960, les politiques discriminatoires en matière d'immigration ont été de plus en plus dénoncées comme des pratiques racistes par des groupes de pression (Barrette, Gaudet, Lemay, 1996).

Le multiculturalisme

Le multiculturalisme, quant à lui, veut promouvoir les cultures minoritaires en « favorisant leur expression autonome dans diverses manifestations culturelles ou réseaux parallèles [...], en participant à la création de matériel d'information ou d'instruments pédagogiques concernant ces cultures et, enfin, en travaillant à l'élimination, dans la littérature, des biais – en termes d'omissions ou de stéréotypes – à l'égard des minoritaires » (Laperrière, 1985).

En 1971, le Canada s'est doté d'une politique sur le multiculturalisme. En 1986, cette politique est enrichie par la *Loi sur l'équité en matière d'emploi* et, en 1988, la *Loi sur le multiculturalisme* est promulguée. Les grands objectifs du multiculturalisme sont la justice sociale, la participation civique et l'identité. L'idéologie véhiculée dans cette politique est celle de la mosaïque canadienne : des groupes ethniques unifiés par la communication dans deux langues officielles, l'anglais et le français. « [...] les moyens affirmés de cette politique sont le respect des droits individuels et la lutte contre la discrimination, la recherche d'une plus grande participation de tous les groupes culturels à la vie sociale et politique canadienne, la multiplication des échanges entre ces groupes et la promotion de leurs cultures spécifiques » (gouvernement du Canada, 1980).

Le multiculturalisme a évolué au cours des années 1980, passant de la préservation des cultures d'origine à la « lutte au racisme, à l'adaptation des institutions et à la sensibilisation des Canadiens majoritaires » (McAndrew, 1994).

En 1997, le ministère du Patrimoine canadien a restructuré le programme fédéral du multiculturalisme, dont les trois objectifs sont les suivants : renforcer l'identité canadienne en faisant la promotion d'un sentiment d'appartenance et d'un attachement au Canada, accroître la participation des citoyens qui s'engagent dans l'avenir des différentes collectivités et étendre la justice sociale en garantissant à tous les citoyens un traitement juste et équitable.

LES MODÈLES DE GESTION DE LA DIVERSITÉ AU QUÉBEC

L'interculturalisme et l'intégrationnisme

L'interculturalisme est une idéologie qui met l'accent sur la nécessité de prendre en compte la culture des autres, de communiquer avec eux et d'apprendre à les connaître, et ce, autant pour les membres de la société d'accueil que pour les immigrants. Elle valorise les relations entre les différents groupes sociaux qui composent la société et une pleine participation de tous ces groupes à la définition d'un projet de société. Ayant rejeté l'option multiculturelle du Canada, le Québec entreprend dès le début des années 1970 une réflexion sur une approche interculturelle. Les années 1980 apporteront des questionnements, des éléments de réflexion sur les limites dans la reconnaissance des cultures. Peut-on tout accepter ? Jusqu'où doit-on respecter une culture qui transmet des valeurs incompatibles avec celles de la société québécoise ?

L'intégrationnisme tente de répondre à ces questions en définissant ce qu'on désigne comme « culture publique commune » (Harvey, 1991). Cette culture se caractérise par un ensemble de valeurs, de règles du jeu et d'institutions dont voici les principales :

❯ une langue commune, le français, comme langue officielle de communication, d'enseignement et de travail ;

❯ une tradition culturelle inspirée des contributions indigène, française, britannique et américaine, et de l'apport de la tradition judéo-chrétienne occidentale ;

❯ une tradition juridique fondée sur des principes de droit commun d'origine française et britannique, mais aussi sur des principes contenus dans la *Charte des droits et libertés de la personne* et dans la législation québécoise [...] ;

❯ une tradition politique parlementaire ;

❯ une tradition éthique et sociale qui préconise la démocratie, la liberté et l'égalité des citoyens et des citoyennes ;

❯ une organisation économique basée sur l'interaction des secteurs public, privé et coopératif ;

❯ une tradition de respect de la minorité anglophone, dont l'apport historique à la culture publique commune est d'ailleurs reconnu (gouvernement du Québec, 1993).

Plan d'action 2004-2007

Le ministère québécois des Relations avec les citoyens et de l'Immigration a adopté en 2004 un plan d'action intitulé *Des valeurs partagées, des intérêts communs* qui reconnaît l'importance de l'immigration et de l'intégration réussie des nouveaux arrivants et de relations interculturelles harmonieuses. Ce plan d'action comprend trois volets : stimuler une offre d'immigration adaptée et sélectionner des candidats répondant aux besoins du Québec ; soutenir l'intégration des nouveaux arrivants et favoriser l'insertion durable en emploi ; favoriser une meilleure compréhension de la diversité auprès des citoyens et contribuer à son rayonnement.

LES PRINCIPES FONDAMENTAUX DE L'ACCOMMODEMENT RAISONNABLE

Pour que les immigrants puissent s'intégrer et participer pleinement à la vie sociale, culturelle et politique de la société d'accueil, il faut évidemment que celle-ci soit exempte de discrimination directe, laquelle est interdite par les chartes. Toutefois, lorsqu'une règle ou une pratique a un effet de discrimination indirecte sur une personne ou un groupe, la Cour suprême du Canada exige (en vertu de la Charte canadienne) des correctifs sous la forme d'accommodements raisonnables. La jurisprudence prescrit une marge de négociation entre les parties qui sont en conflit, qui deviennent coresponsables de trouver une solution équitable sans jamais exercer de contrainte excessive. C'est dans cet esprit que l'*Énoncé de politique en matière d'immigration et d'intégration* (1990) conçoit la question de l'accommodement raisonnable : le gouvernement du Québec considère que des solutions propres à chaque organisation et fondées sur des accommodements sont préférables à des décisions judiciaires (gouvernement du Québec, 1990).

Ainsi donc, l'accommodement raisonnable s'efforce de trouver un « compromis substantiel pour adapter les modalités d'une norme ou d'une règle à une personne afin d'éliminer ou d'atténuer un effet de discrimination indirecte, sans toutefois subir de contrainte excessive » (gouvernement du Québec, 1993). Dans un accommodement raisonnable, les parties en présence ont l'obligation de chercher une solution. Par contre, si cela soumet l'une ou l'autre des parties à une contrainte excessive, l'obligation d'accommodement raisonnable cesse de s'imposer. Des études ont permis d'identifier plusieurs facteurs pouvant exercer une contrainte excessive. Les plus importants sont l'impact des coûts et la disponibilité des ressources financières extérieures, l'impact négatif sur l'efficacité et la productivité de l'organisation, la taille et la nature de l'entreprise, l'impact sur les autres employés, le nombre de requêtes d'accommodement, des actions déraisonnables ou non coopératives de la part d'un employé demandant un accommodement, la sécurité et le respect des conventions collectives.

Le cadre juridique de l'accommodement raisonnable

Le *Code civil* traduit un grand nombre de valeurs et de choix de société inscrits dans les façons de vivre et de se comporter au Québec. Mentionnons ici quelques composantes du *Code civil* pouvant provoquer des chocs culturels.

> La *Loi sur le divorce* s'applique à tous, même à ceux dont la religion rejette le divorce.

> La bigamie est interdite : « On ne peut contracter un second mariage avant la dissolution du premier » (article 118).

> Le *Code civil* consacre le principe de l'égalité entre les époux et leur reconnaît les mêmes droits et les mêmes obligations. L'autorité parentale est exercée collégialement, le père n'étant plus le chef de la famille [...] l'autorité parentale est exercée par le père et la mère (article 651).

Les **Chartes canadienne et québécoise**, la « Déclaration du gouvernement [québécois] sur les relations interethniques et interraciales » (1986), « l'Énoncé de politique en matière d'immigration et d'intégration » (1990) et le plan d'action 2004-2007 du gouvernement québécois traduisent la volonté des gouvernements d'intervenir en matière d'intégration des immigrants et de garantir et préserver les droits des minorités.

Les **pratiques sociales** appelées « us et coutumes » sont des règles de droit établies par l'usage. La coutume se forme lentement pour finir par s'implanter dans un milieu social. Elle acquiert souvent force de loi, sans être pour autant obligatoire, mais est respectée par la plupart des intervenants (Kélada, 1990). Ainsi, plusieurs domaines de la vie quotidienne sont touchés par ces pratiques sociales ; il en est ainsi des normes d'hygiène, des normes culturelles de l'habitat, des règles de civisme, etc.

Quelques exemples d'accommodement raisonnable

Des jugements de tribunaux

L'affaire du turban sikh

En décembre 1987, M. Inkster, commissaire de la Gendarmerie royale du Canada (GRC), demande aux équipes de recrutement d'aviser les nouveaux agents de religion sikhe qu'ils pourront dorénavant porter le turban. En avril 1989, des directives vestimentaires détaillées sont rédigées pour permettre, sur demande explicite, le port des cinq éléments distinctifs (les cinq K) de la religion sikhe[1]. Ces directives entrent en vigueur en mars 1990.

Une campagne de protestation s'organise au Canada anglais et quatre plaignants, dont trois officiers de la GRC à la retraite et la femme d'un ancien agent, s'adressent aux tribunaux. Ils soutiennent qu'il est inconstitutionnel d'intégrer des symboles religieux à l'uniforme de la police fédérale.

Le 8 juillet 1994, la juge Barbara Reed rend son verdict : elle conclut qu'il n'y a aucun empêchement constitutionnel à ce que le commissaire de la GRC permette le port du turban sikh. Les demandeurs portent leur requête devant la Cour d'appel de Calgary, les 31 mai et 1er juin 1995. Leur appel est, lui aussi, rejeté (Cornellier, 1994).

---

1. Rappelons que les cinq K de la religion sikhe correspondent au port d'un turban (Kesh), d'un peigne d'acier qui tient la chevelure et qui est placé sous le turban (Kangha), d'un pantalon court porté comme sous-vêtement (Kaccha), d'un bracelet d'acier placé au poignet droit (Kara) et d'un poignard cérémoniel (Kirpan).

L'érouv juif

En 2001, la Cour supérieure tranche : les Juifs hassidim d'Outremont peuvent installer un érouv. L'érouv, un fil fixé à environ cinq mètres du sol et à peine visible, est utilisé par les hassidim pour prolonger symboliquement leur maison, à l'extérieur de laquelle ils s'interdisent toute tâche pendant le sabbat. Sans érouv, il leur serait impossible de faire des gestes aussi banals que promener un enfant en poussette ou pousser une personne en fauteuil roulant. Le juge Allan Hilton a statué qu'au nom de la liberté religieuse, le domaine public pouvait dans certaines circonstances être utilisé à des fins privées, dans la mesure où l'exercice de cette liberté religieuse n'exige du plus grand nombre qu'un accommodement raisonnable (Leduc, 2001).

Des avis de la Commission des droits de la personne du Québec

Les détenus de religion juive et les lois alimentaires

En 1991, une association juive de services communautaires de la région de Montréal a demandé un avis à la Commission des droits de la personne du Québec sur la responsabilité des établissements de détention. La question était de savoir si un établissement de détention était tenu de fournir à un détenu de religion juive une nourriture préparée selon les règles de la loi hébraïque (nourriture cachère). Sur cette question, la Commission a conclu que « l'administration carcérale a l'obligation de fournir à un détenu de religion juive, dans la mesure du possible, un régime alimentaire qui soit conforme à ses croyances religieuses. Il s'agit là, pour le détenu, d'un corollaire de sa liberté de religion et de son droit d'être traité avec humanité et respect » (Bosset, 1991).

L'affaire du foulard islamique

En septembre 1994, lors de la rentrée scolaire, une élève du secondaire est expulsée de l'école Louis-Riel, à Montréal, parce qu'elle porte le foulard islamique. Cela contrevient au code vestimentaire de l'école, qui stipule qu'un élève ne doit rien porter qui le « marginalise ».

Dans un avis juridique visant à éclairer le milieu scolaire québécois, aux prises avec les défis que pose le pluralisme confessionnel, la Commission des droits de la personne du Québec conclut que l'interdiction du foulard islamique constitue une atteinte à la liberté de religion des élèves.

Toutefois, la Commission demande aux écoles d'offrir leur aide aux jeunes filles qui se voient forcées par leur entourage de porter le hidjab. La Commission ne préconise pas le recours aux tribunaux pour régler ce contentieux. Elle invite plutôt les Québécois à parvenir à un consensus sur la question plus globale du conflit de droits suscité par le port du foulard islamique (Rochon, Bosset, 1995).

À Londres, les femmes musulmanes qui se font policières sont autorisées à porter le foulard islamique. Tout au plus doivent-elles accepter qu'on l'agrémente d'un motif à damiers, caractéristique de l'uniforme du bobby (policier anglais).

Un exemple de conflit de normes dans des pratiques sociales

Un lieu de culte improvisé et incommodant (1990)

Dans un immeuble locatif, un pasteur d'un groupe évangéliste tenait depuis quelque temps des assemblées regroupant une quarantaine de personnes dans son propre appartement. Ces célébrations hebdomadaires étaient accompagnées de chants et dérangeaient les voisins. L'un de ces voisins consulta un représentant de la Ville qui avait de l'expérience dans le domaine des relations interculturelles. Celui-ci se rendit chez le pasteur et, avec lui, chercha et trouva une solution raisonnable. Ils rencontrèrent le propriétaire d'un petit magasin qui avait un local d'entreposage vide. Ce dernier accepta de louer son local à ce groupe de fidèles et, de plus, mit le stationnement du magasin à leur disposition. Cet accommodement fut soumis à la Ville qui autorisa cette demande (gouvernement du Québec, 1993).

Qu'en pensez-vous ?

Voici deux articles de journaux traitant de l'affaire du kirpan. Êtes-vous pour ou contre le port du kirpan dans les écoles du Québec ?

Un jeune sikh retourne en classe avec son kirpan

L'adolescent sikh à qui la commission scolaire Marguerite-Bourgeoys avait interdit l'accès à l'école tant qu'il porterait son kirpan pourra retourner en classe en attendant que le tribunal tranche sur le fond du litige. Dans une décision rendue hier, le juge Claude Tellier, de la Cour supérieure, a estimé que l'élève risquait de compromettre son année scolaire s'il demeurait confiné à la maison. Une gifle pour les parents des autres élèves, pour qui l'ordonnance intérimaire du juge équivaut à permettre le port d'une arme blanche à l'école.

Le jeune Gurbaj, un élève de 12 ans qui fréquente l'école Sainte-Catherine-Lebouré à LaSalle, pourra porter son kirpan en tout temps « à condition que ledit kirpan soit porté sous ses vêtements, enveloppé et cousu de façon sécuritaire dans une étoffe et que le personnel de l'école puisse vérifier, de façon raisonnable, que les conditions imposées soient respectées », a précisé le juge Tellier.

Selon lui, empêcher le garçon de fréquenter l'école lui cause un sérieux préjudice en compromettant son année scolaire. Et fournir les services d'un professeur à domicile ne constitue pas une option souhaitable, car elle le confine à l'isolement et le prive de son droit de fréquenter l'école, de recevoir des cours dans une classe avec d'autres élèves, de retrouver ses camarades et de participer à toutes les activités.

L'élève pourra réintégrer sa classe dès ce matin car le juge considère que la commission scolaire Marguerite-Bourgeoys ne subira pas d'inconvénients majeurs compte tenu des modalités qu'il a imposées. « Le tribunal ne croit pas que la sécurité du milieu serait compromise. Au cours des arguments, il a été affirmé que depuis 100 ans, aucun cas de violence relié au port du kirpan n'a été rapporté », a expliqué le juge. Du même souffle, il signale que bien d'autres instruments peuvent servir d'armes dans les écoles, qu'il s'agisse de compas, de matériel à dessin ou d'articles de sport.

Source : Jeanne Corriveau, *Le Devoir*, 17 avril 2002.

L'affaire du kirpan portée en Cour suprême

Les Québécois de religion sikhe qui avaient décidé d'aller jusqu'en Cour suprême pour faire reconnaître leur droit de porter à l'école le kirpan, ce poignard qu'ils considèrent comme un symbole religieux, sont déboutés par la juge Louise Lemelin qui se rend aux arguments de la commission scolaire Marguerite-Bourgeoys ; celle-ci avait interdit à un jeune Sikh de 12 ans, Gurbaj Sgnh Multani, de se présenter à l'école avec son kirpan.

Entre les droits individuels (et notamment, ici, la liberté de religion et de conscience) et ceux de la collectivité (ici, la nécessité de protéger l'ordre public, la sécurité et le bien-être collectifs), la juge Lemelin a choisi de trancher en faveur des seconds, considérant qu'il n'est pas déraisonnable de vouloir assurer «l'intégrité physique de l'ensemble de la commission scolaire, menacée par la présence d'objets dangereux à l'école» (Perreault, 2004).

CHAPITRE 11

Stéréotypes, préjugés, discrimination et racisme

Il est plus difficile de désagréger un préjugé qu'un atome.

Albert EINSTEIN

Dans ce chapitre, nous verrons d'abord quels sont les mécanismes d'exclusion des immigrants, mécanismes auxquels se rattachent notamment les notions de stéréotype, de préjugé, de discrimination et de racisme. Par la suite, nous présenterons des manifestations de racisme à travers les siècles et surtout au XXe siècle dans le monde, au Canada et au Québec. Nous traiterons ensuite du développement d'instruments de lutte pour contrer la discrimination. Enfin, nous nous intéresserons aux relations des policiers avec les minorités ethniques.

Les mécanismes d'exclusion des immigrants

Plusieurs mécanismes peuvent exclure l'immigrant de la société dans laquelle il s'installe. Nous en avons retenu trois types : les mécanismes d'exclusion qui visent à neutraliser la différence, ceux qui visent à dévaloriser la différence et ceux qui exploitent la différence (Bourque, 2000).

Dans les pages qui suivent, nous nous efforcerons — à l'aide d'exemples — de définir chacune des modalités de l'exclusion, d'en décrire les caractéristiques et d'en préciser les conséquences.

LES MÉCANISMES VISANT À NEUTRALISER LA DIFFÉRENCE

Le ciel ou l'enfer ?

Le ciel, c'est le lieu où :	L'enfer, c'est le lieu où :
Les Français sont les cuisiniers	Les Anglais sont les cuisiniers
Les Italiens sont les amants	Les Suisses sont les amants
Les Anglais sont les policiers	Les Allemands sont les policiers
Les Allemands sont les mécaniciens	Les Français sont les mécaniciens
Et le tout est organisé par les Suisses...	Et le tout est organisé par les Italiens...

Les mécanismes d'exclusion qui ont pour but de neutraliser la différence reposent sur la perception, l'ethnocentrisme et le stéréotype.

La **perception** est un mécanisme individuel de réception des informations qui relève d'abord des sens : le toucher, la vue, l'odorat, l'ouïe et le goût. À ces actes perceptifs de l'appareil biologique s'ajoutent la culture et la sous-culture de l'individu, sa personnalité et ses expériences de vie (Barrette, Gaudet, Lemay, 1996). La perception est donc un processus à la fois biologique et culturel : nous percevons avec nos sens, mais aussi avec notre culture. Une des fonctions majeures de la perception est de coder l'information reçue sous une forme réduite, donc plus facilement applicable. C'est à partir des stimuli qui se présentent à nous que nous sélectionnons un nombre limité d'informations. Ensuite, nous organisons ces informations, les regroupons par catégories et leur accordons un sens, une signification (Bourque, 1994). Une meilleure connaissance de ce processus peut aider à cerner les limites de nos interprétations et à réduire nos erreurs de perception.

L'**ethnocentrisme** est la « tendance à privilégier les valeurs et les normes de son groupe d'appartenance et à en faire le seul modèle de référence pour porter des jugements négatifs et dévalorisants sur les autres ethnies » (Barrette, Gaudet, Lemay, 1996). C'est avant tout la tendance à ignorer la différence en la rejetant tout simplement, parce qu'on est persuadé que son groupe d'appartenance détient la vérité et est le seul valable. Souvent cette tendance se matérialise à travers des propos ou des comportements méprisants ou teintés d'aversion à l'égard des autres (Taguieff, 1997). Différents mécanismes sont à l'œuvre dans l'ethnocentrisme : d'abord l'individu s'identifie à un groupe, puis il en définit les qualités et les défauts et, enfin, il évalue les autres à partir de ces qualités et défauts.

Le **stéréotype** est une image mentale figée et souvent caricaturale qu'on se fait d'un groupe social. Il repose sur la perception et l'ethnocentrisme, et devient une sorte de « prêt-à-penser » dont s'accommodent la plupart des individus. Comme il est difficile de traiter toutes les informations que l'on reçoit, on se sert inconsciemment du stéréotype, car il en facilite le repérage et la sélection. Adopter un stéréotype, c'est modifier la réalité en la simplifiant, en la tronquant, en la déformant et en généralisant.

Le stéréotype est donc un cliché, une image simplificatrice qui contribue à classer des personnes ou des groupes de personnes. Le cliché fait appel à la position sociale, au pays d'origine, à la religion, à l'appartenance politique, à la classe sociale, au sexe ou à toute autre caractéristique considérée comme «typique» d'un groupe pour établir des catégories. Les stéréotypes peuvent être aussi bien positifs que négatifs.

LES MÉCANISMES VISANT À DÉVALORISER LA DIFFÉRENCE

> *Si la relativité se révèle juste, les Allemands diront que je suis allemand, les Suisses que je suis citoyen suisse et les Français que je suis un grand homme de sciences. Si la relativité se révèle fausse, les Français diront que je suis suisse, les Suisses que je suis allemand et les Allemands que je suis juif.*
>
> Albert EINSTEIN

Les mécanismes qui ont pour effet de dévaloriser la différence impliquent la xénophobie, le préjugé et le harcèlement.

La **xénophobie** est basée sur «la crainte, la peur, l'aversion, la haine, le rejet de celui qui est perçu comme étant étranger, de ce qui vient de l'étranger» (Tarnero, 2003). Cette attitude interprète l'autre comme une menace et, de ce fait, engendre la peur, la haine ou les deux. La xénophobie peut engendrer le racisme quand l'étrangéité est considérée comme dangereuse pour l'intégrité du groupe auquel on s'identifie.

Comment reconnaître des comportements xénophobes? Pour évaluer la xénophobie, on peut faire appel à la notion de distance sociale (Bourque, 2000). Par exemple, on peut se demander si l'on achèterait une maison dans un quartier où l'on aurait pour voisins des gens d'une origine ethnique autre que la sienne ou si l'on accepterait que son fils ou sa fille ait un conjoint d'une autre origine. La xénophobie est souvent confondue avec le racisme dans le sens qu'elle érige une barrière entre les «autres» et nous; la différence, c'est que la xénophobie relève des attitudes, tandis que le racisme se traduit non seulement par des attitudes mais aussi par des comportements.

Le **préjugé** est une opinion préconçue basée sur des stéréotypes et socialement apprise dans la famille, à l'école, au contact des médias, etc. C'est un jugement que l'on porte sur des individus sans les connaître. Le préjugé entre en jeu tous les jours dans nos interactions avec les autres. Par exemple, un vendeur peut préjuger qu'un client va acheter tel article compte tenu de son âge, de son sexe, de son apparence ou de sa langue. Autre exemple: un policier repère sur un radar une voiture sport qui roule à 140 km/h et est persuadé que le conducteur fautif est un jeune énervé. Quand il l'arrête, il se rend compte que c'est une femme de 40 ans, mère de famille, et très pressée…

Un préjugé peut parfois être positif (par exemple, penser que tous les Vietnamiens excellent en sciences), mais il est plus souvent négatif et, dans ce cas, il pousse à la méfiance et au rejet.

Un préjugé prend toute sa force lorsqu'un fait vient confirmer une réalité que l'on s'était forgée. Ainsi, l'individu qui lit dans un journal que les propriétaires

SAVIEZ-VOUS QUE...

«Selon le tiers des Canadiens, les Autochtones et les Arabes projettent une image plutôt négative au pays. C'est du moins ce qu'indiquent les résultats d'un sondage réalisé le mois dernier par L'Association d'études canadiennes. Au Québec, le sentiment anti-arabe est particulièrement marqué.»

Source: Sophie Allard, *La Presse*, 23 avril 2003.

En 1988, aux Jeux olympiques de Séoul, le Canadien Ben Johnson gagne la course du 100 mètres. Les journaux titrent: «Le Canadien Ben Johnson gagne les 100 mètres.» Mais, à la suite du résultat positif à un test de dopage, Johnson perd sa médaille d'or. Dans les journaux, on titre: «Ben Johnson, le Canadien d'origine jamaïcaine, perd sa médaille.»

Un jeune professeur haïtien raconte : « Un soir, vers 20 h, je traversais la rue avec une chaîne stéréo. J'allais écouter de la musique chez un ami en face de chez moi. Lorsque j'ai vu une voiture de police arriver, je me suis dit que les policiers allaient me demander mes papiers et ce que je faisais là… C'est ce qu'ils ont fait… »

(Session de perfectionnement de la Sûreté du Québec, 1992)

d'un restaurant chinois ont été condamnés à une amende pour insalubrité peut se dire : « *J'en étais sûr, tous les Chinois sont sales.* »

Le **harcèlement** est un « acte individuel ou collectif de déni systématique et répété à l'égard d'une personne ou d'un groupe » (Barrette, Gaudet, Lemay, 1996). La *Charte des droits et libertés de la personne* du Québec (article 10.1) prévoit que nul ne doit harceler une personne en raison des motifs de discrimination visés dans cet article.

Alors que le stéréotype, le préjugé et la xénophobie relèvent souvent d'attitudes, le harcèlement racial se manifeste par des comportements verbaux comme des blagues, des remarques déplacées, ou non verbaux comme des bousculades, des regards ou des contacts physiques non désirés (Bourque, 2000). Le harcèlement est souvent le fait d'une personne qui a un pouvoir ; des clients, des collègues peuvent exercer une forme de harcèlement, de même que des jeunes entre eux à l'école, des professeurs envers les jeunes ou le contraire.

LES MÉCANISMES VISANT À EXPLOITER LA DIFFÉRENCE

Les mécanismes d'exclusion qui exploitent la différence sont la discrimination, la ségrégation et le racisme.

La **discrimination** est un « acte individuel ou collectif de rejet systématique et répété à l'égard d'une personne ou d'un groupe qui a pour effet la perte de droits pour la ou les victimes » (Barrette, Gaudet, Lemay, 1996). Sur le plan juridique, la discrimination est définie à l'article 10 de la *Charte des droits et libertés de la personne* du Québec comme une distinction, exclusion ou préférence fondée sur un des motifs de discrimination reconnus par celle-ci, et a pour effet de détruire ou de compromettre le droit d'une personne à la reconnaissance et à l'existence, en pleine égalité, de ses droits et libertés. Il existe trois formes de discrimination : la discrimination directe, la discrimination indirecte et la discrimination systémique.

La *discrimination directe*, forme la plus connue, résulte d'un acte ou d'un traitement inégal imposé à un individu ou à un groupe de personnes. Par exemple, un propriétaire refuse de louer un logement à une femme latino-américaine qui reçoit de l'aide sociale. Dans ce cas, il y a double motif de discrimination : l'origine ethnique et la condition sociale.

La *discrimination indirecte* est le résultat d'une règle apparemment neutre qui s'applique également à tout individu, mais qui, dans les faits, exclut ou désavantage les membres d'un groupe. Par exemple, l'exigence d'une expérience de travail canadienne peut exclure des candidats intéressants et qualifiés. Des études ont prouvé que plusieurs facteurs peuvent exclure des membres des minorités ethniques, dont le fait d'être né à l'étranger ou d'avoir un nom étranger, la différence d'accent, la différence de religion, la différence physique (Ledoyen, 1992).

La *discrimination systémique* ou *institutionnelle* s'observe dans des pratiques qui semblent légitimes au sein des organisations, mais qui ont pour effet de désavantager certains membres issus de minorités. Ce type de discrimination est soumis à un examen rigoureux dans les situations où il existe des écarts importants entre le groupe majoritaire et les groupes minoritaires. On peut alors tenter d'atténuer ces écarts en adoptant des mesures dans les secteurs du travail, du logement, des services sociaux, de l'éducation. Par exemple, les données des derniers recensements révèlent que le taux de chômage au Québec (2001) est beaucoup plus élevé chez les jeunes des minorités visibles, notamment les groupes jamaïcain et haïtien. Des études ont prouvé que cette situation s'explique, entre autres, par des obstacles discriminatoires.

« Il est arrivé que les autres travailleurs du chantier me demandent : "Tu es africain et tu travailles dans la construction ? Depuis quand ?" Des fois au chantier, on me dit : "On ne construit pas des maisons en terre battue, ici, on fait du ciment." »

(cité dans Bizzari, 1994)

La **ségrégation** est la séparation et l'isolement de groupes dans une société. Elle s'apparente souvent à la discrimination, dans la mesure où un groupe, à force de subir une discrimination, finit par être mis à l'écart. La ségrégation consiste à tenir les individus à distance, généralement dans des espaces territoriaux différents. Cette ségrégation peut être choisie par le groupe lui-même, mais elle est plus souvent imposée par des attitudes et des actions de la société au sein de laquelle ils doivent vivre. Par exemple, au Canada, les Amérindiens — avec la *Loi sur les Indiens* de 1876 — ont été mis à l'écart de la société canadienne et placés sous la tutelle du gouvernement fédéral. Les Noirs américains ont aussi été victimes de ségrégation, et ce, jusque dans les années 1960, particulièrement dans le sud des États-Unis.

Le **racisme** est un ensemble de pratiques et de discriminations, mais aussi une idéologie qui en justifie l'existence au moyen d'un prétendu fondement biologique de l'inégalité sociale.

La définition qu'en donne Albert Memmi nous paraît pertinente : « Le racisme est la valorisation, généralisée et définitive, de différences réelles ou imaginaires, au profit de l'accusateur et au détriment de sa victime afin de justifier ses privilèges ou son agression » (Memmi, 1994).

La pensée raciste repose sur trois caractéristiques qui doivent être présentes simultanément :

> **La mise en relief des différences** biologiques (la peau noire, les yeux bridés), sociales (les différences dans les règles de politesse), culturelles (manger tel ou tel aliment), religieuses (le port du voile islamique, la kippa juive) **et la catégorisation des individus et des groupes** qui fait de l'individu un représentant de son groupe d'appartenance. En plus d'être rigide, cette catégorisation se révèle irréversible.

> **L'exclusion symbolique des individus ainsi catégorisés et la mise en valeur de stéréotypes négatifs.** Par exemple, on attribue à un groupe d'individus une nature dangereuse, démoniaque ou proche de l'animal. Ainsi, les expressions « le laid » et « le sale » sont souvent utilisées dans les stéréotypes attribués à des groupes ethniques.

> **La conviction que certaines catégories d'individus ne peuvent pas être intégrées socialement.** Selon cette conception, un certain nombre d'individus, en plus d'être considérés comme « différents » et inutiles, représentent un danger potentiel pour la société d'accueil.

La pensée raciste, définie par la présence de ces trois éléments, se transforme en comportement raciste quand elle dégénère en l'une ou l'autre des dérives suivantes : d'abord, la ségrégation, la discrimination et l'exclusion des *indésirables*; ensuite, la persécution de ceux-ci en raison non pas de leurs actes mais de leur groupe d'appartenance; enfin, l'extermination des représentants de la catégorie visée (Taguieff, 1997).

La figure 11.1 nous aide à comprendre le processus dans lequel s'insèrent les trois types de mécanismes d'exclusion de la différence. Ils forment un continuum allant des phénomènes perceptuels (perception, ethnocentrisme, stéréotype) à des actions ou à des gestes empreints de discrimination. Dans la première phase de ce continuum, l'individu fait comme si la différence n'existait pas ou il s'en accommode en la niant. Rares sont les personnes qui dépassent cette limite de la neutralisation de la différence. Toutefois, lorsque des personnes vont plus loin dans leurs mécanismes d'exclusion en adoptant des comportements de

SAVIEZ-VOUS QUE...

On a exigé pendant très longtemps une taille et un poids minimaux pour pouvoir travailler dans les services policiers. Ces critères, discriminatoires pour les femmes et certains membres de communautés ethniques, ont été abolis.

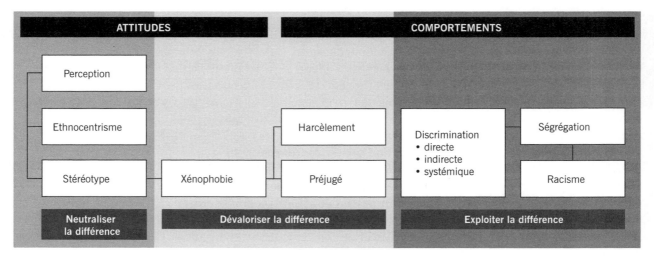

Figure 11.1 Les mécanismes d'exclusion de la différence.

dévalorisation de la différence, les préjugés et le harcèlement peuvent se transformer en gestes et en actions. Les individus ne supportant pas la différence tentent parfois de l'exploiter en l'éliminant. Dès lors les gestes qu'ils feront pourront être discriminatoires et racistes. Tout ce continuum ne doit pas être banalisé. La lutte contre la discrimination est une lutte de tous les instants, qui doit être inscrite dans les lois, mais qui doit aussi relever de la responsabilité de chacun.

Des manifestations racistes

Le mot *race* apparaît au XVIᵉ siècle. Il est d'abord un dérivé du latin *ratio* qui signifie « ordre », « catégorie », puis de l'italien *razza* qui signifie « sorte », « espèce ». Déjà, à la fin du XVIIᵉ siècle, les récits des voyageurs font état d'êtres laids, repoussants, différents… Qui dit différent dit souvent inférieur. Ainsi, la thèse de l'infériorité raciale remonte loin dans le temps et a servi les intérêts des plus forts.

SAVIEZ-VOUS QUE...

« […] [les Noirs africains ont des] cheveux qui ne sont pas proprement des cheveux, mais plutôt une espèce de laine qui approche du poil de quelques-uns de nos Barbets […]; [les Américains sont pour] la plupart olivâtres et ont le visage tourné d'une autre manière que nous; [les Asiatiques] ont un nez écaché, de petits yeux de porc, longs et enfoncés et trois poils de barbe. »

(Journal des Savants, 1684; cité dans Jacquard, 1986)

LES DOCTRINAIRES DU RACISME

C'est surtout à partir du XVIIIᵉ et du XIXᵉ siècle que l'on assiste aux premières classifications dites « scientifiques » qui dérivent du mot « race ». Les plus célèbres doctrinaires de cette époque se nomment Linné, Gobineau, Vacher De la Pouge, Chamberlain. Faisons un survol de leurs théories sur cette question.

Dans un ouvrage intitulé *Système de la nature* (*systema naturae*), le Suédois Carl Von Linné (1707-1778), médecin, biologiste et botaniste, élabore une hiérarchie de l'espèce humaine en quatre groupes : l'*Europaeus albus*, l'*Americanus rubescens*, l'*Asiaticus luridus* et l'*Afer niger*. Ce classement qui nous apparaît aujourd'hui dérisoire, voire fantaisiste, est précisé par l'attribution de caractéristiques sociales et politiques à chacun de ces groupes : l'*Europaeus albus* est blanc, sanguin, ingénieux, inventif et se gouverne par des lois ; l'*Americanus rubescens* est basané, irascible, il est content de son sort, aime la liberté et se gouverne par les usages ; l'*Asiaticus luridus* est jaunâtre, orgueilleux, avare et gouverné par l'opinion ; l'*Afer niger* est noir, rusé, paresseux, négligent et gouverné par la volonté arbitraire de ses maîtres. Dans le contexte idéologique d'une Europe absorbée par l'aventure coloniale, l'idée de faire ces classifications n'est pas neutre ; elles servent rapidement à hiérarchiser et à juger. Par exemple, on légitimera l'esclavage par la thèse de l'infériorité raciale. C'est en vertu de leur statut de race inférieure, de sous-hommes, que les Noirs d'Afrique sont mis en esclavage. Pendant plus de trois siècles (du XVe au XIXe siècle), on estime à plus de dix millions le nombre de Noirs africains réduits à l'esclavage et déportés vers l'Amérique (Tarnero, 2003).

Au siècle suivant, dans un ouvrage intitulé *Essai sur l'inégalité des races humaines*, le Français Arthur de Gobineau (1816-1882), diplomate et homme de lettres, distingue trois races : la blanche, la noire et la jaune. On se trouve ici devant les premières théories sur le racisme et la hiérarchisation des races, car ces dernières sont associées au développement des civilisations : la race noire est au bas de l'échelle, la jaune est médiocre et la blanche est la meilleure. Gobineau défend l'idée que seule la race blanche issue des « Aryens » possède les éléments essentiels du monde civilisé.

Ce théoricien influencera Georges Vacher De la Pouge (1854-1936), un Suisse, professeur et docteur en médecine, qui tentera d'appliquer les principes de la biologie darwinienne à l'évolution des sociétés. Il propose une hiérarchie dont l'*homoeuropaeus* est l'élite, car il est grand, blond, nordique et protestant, dominateur et créateur. Ce théoricien fournira les éléments fondateurs de l'antisémitisme. En mesurant des crânes, il en distingue deux types : le « brachicéphale », qui a le crâne plus large que long, et le « dolichocéphale », qui a le crâne plus long que large. Le type « dolichocéphale » est la figure de la race blanche et aryenne, porteuse de grandeur ; par contre, le type « brachicéphale », dont le Juif est la pire figure, est inerte, médiocre et impuissant à créer.

Houston Stewart Chamberlain (1855-1927) est l'inspirateur des théories nazies. La pureté du sang allemand est au centre de sa théorie. Britannique d'origine, il est fasciné par l'Allemagne dont il prendra la nationalité. Pour Chamberlain, ce sont des critères moraux qui déterminent l'appartenance à une race. Il y a donc des races « nobles », comme les Aryens, et de moins « nobles », comme les Juifs.

À la fin du XXe siècle, les biologistes et les généticiens ne retiennent plus le mot *race* pour désigner les différences des individus dans le monde et les catégories hiérarchiques aberrantes du racisme « dit » scientifique. Par contre, de nouvelles théories, dont la sociobiologie, prétendent que le comportement d'un être humain est commandé par son capital génétique, et certains scientifiques remettent en cause les principes politiques d'égalité dans l'organisation sociale des sociétés démocratiques. Cependant, d'autres scientifiques essaient de contrer ces théories. Par exemple, le Français Albert Jacquard, statisticien, généticien et biologiste, défend le droit à la différence et fait ressortir les dangers de l'utilisation des tests de QI (quotient intellectuel) et d'une définition simpliste de l'intelligence.

Selon Jacquard, la recherche d'une mesure de l'intelligence résulte du besoin irrationnel de situer les individus sur une échelle représentant leur capacité intellectuelle. Par exemple, il y a régulièrement des chercheurs qui affirment que le QI moyen des Noirs américains est inférieur à celui des Blancs. Ces résultats sont bien utiles pour justifier la situation inférieure des Noirs dans la société américaine.

SAVIEZ-VOUS QUE...

Au Québec, jusque dans les années 1960, les livres d'histoire apprenaient aux enfants qu'il y avait trois races : la blanche, la noire et la jaune. Quelquefois, on ajoutait la race rouge pour les Amérindiens.

DES CAS DE GÉNOCIDE ET D'EXCLUSION

C'est au xxᵉ siècle que le racisme en tant que théorie atteint son apogée. Le projet d'extermination d'un groupe dans sa totalité ou sa presque totalité en vertu de son appartenance ethnique est la manifestation la plus extrême du racisme. Le xxᵉ siècle a été témoin de plusieurs génocides. Voici quelques cas particulièrement troublants.

Quelques cas de génocide

Le génocide arménien　Le génocide des Arméniens par les Turcs est désormais reconnu comme le premier génocide moderne. De 1915 à 1917, prétextant que les Arméniens menaçaient la sécurité de l'armée ottomane, les dirigeants turcs décidèrent de la déportation et du massacre d'environ 1,2 million d'Arméniens de Turquie, chrétiens pour la plupart. Près de 300 000 d'entre eux sont toutefois parvenus à échapper au massacre et à se réfugier en Russie et en Syrie. On parle bel et bien de génocide dans ce cas puisqu'un programme précis d'extermination avait été pensé, conçu et organisé par l'Empire turc (Tarnero, 2003).

Le 18 juin 1987, le Parlement européen adopta la résolution voulant que « les événements tragiques qui se sont déroulés entre 1915 et 1917 contre les Arméniens établis sur le territoire de l'Empire ottoman constituent un génocide, au sens de la convention adoptée par l'Assemblée générale des Nations Unies (ONU) le 9 décembre 1948 ». Jusqu'à ce jour, la Turquie n'a pas reconnu ce génocide.

> ### SAVIEZ-VOUS QUE...
>
> Le génocide a été juridiquement défini par la *Convention pour la prévention et la répression du crime de génocide*, adoptée par l'Assemblée générale des Nations Unies le 9 décembre 1948. Le concept de génocide signifie l'extermination de groupes humains entiers, crime collectif commis par un pouvoir d'État, en temps de paix comme en temps de guerre.

L'Holocauste　Pour l'Allemand Adolf Hitler (1889-1945), la race est la pierre angulaire de l'organisation des sociétés. En 1925, dans son ouvrage *Mein Kampf*, il présente les Juifs comme les « pires bacilles » qui empoisonnent les âmes (cité dans Tarnero, 2003). En 1933, Hitler prend le pouvoir et promulgue des lois anti-juives. On commence d'abord par exclure les Juifs des principales fonctions publiques et professions (médecins, avocats, professeurs), on les prive ensuite de tout droit politique. On promulgue une loi d'hygiène de la « race », imposant la stérilisation de certains malades (maladies héréditaires) et l'euthanasie des malades mentaux ; on interdit tout mariage et toute relation sexuelle entre Juifs et Aryens. En septembre 1939, une politique de déportation et d'extermination des Juifs est mise en place. En 1941 ont lieu les premiers massacres au gaz ; en 1942, la Conférence de Varsovie précise les modalités de la solution finale à la question juive en Europe : plus de cinq millions de Juifs seront tués.

Le génocide tibétain　En 1950, l'armée chinoise envahit le Tibet, jusqu'alors un pays indépendant, et la Chine l'intègre à son territoire. Pendant les 15 années qui suivent cette invasion et cette annexion forcée, l'armée chinoise tue des milliers de moines et de civils tibétains et saccage la presque totalité des monastères et des temples bouddhistes, réduisant à néant des siècles de culture religieuse. La population tibétaine subit les pires sévices, de la stérilisation forcée des femmes à la déportation massive de la population, des détentions arbitraires au travail forcé des enfants. On estime que plus de un million de Tibétains ont été tués depuis 1950. Le chef spirituel et politique du peuple tibétain, le dalaï-lama, est contraint de quitter son pays en 1959 et doit se réfugier en Inde, où il habite toujours. Défenseur de la vie culturelle et religieuse du peuple tibétain, de son autonomie et du respect des droits humains au Tibet, le dalaï-lama cherche depuis à faire connaître la situation du Tibet partout dans le monde.

Le génocide rwandais   Le 6 avril 1994, l'avion transportant les présidents du Rwanda et du Burundi est abattu. Cet événement déclenche une des plus grandes tragédies du xxᵉ siècle. En trois mois, plus de 800 000 Rwandais, surtout des Tutsis, hommes, femmes, enfants, vieillards, sont tués de façon atroce parce qu'ils font partie d'un groupe ethnique qu'il s'agit d'éliminer totalement. Des Hutus sont aussi tués parce qu'ils s'opposent aux massacres ou essaient de protéger leurs compatriotes.

Ce génocide avait été préparé de longue date : des listes avaient été dressées dans toutes les communes et préfectures, des armes avaient été distribuées, des milices avaient été recrutées parmi les jeunes gens sans travail et sans avenir. On leur avait appris à tenir un fusil, mais surtout à se servir d'une machette. « Nous serons capables de tuer 1000 Tutsis en 20 minutes », avertissait-on déjà en janvier 1994. Partout le modèle est le même, ce qui atteste la planification. Des miliciens font fuir leurs victimes vers de supposés refuges (églises, dispensaires, écoles), puis encerclent ces lieux devenus des abattoirs, y jettent des gaz lacrymogènes, des grenades et tirent pour briser toute résistance, puis y pénètrent pour déloger les réfugiés à la fois terrorisés et résignés ; d'autres attendent à la sortie avec des machettes, des lances et des gourdins. Des dizaines de milliers de personnes sont ainsi massacrées instantanément, souvent sous le regard des autorités locales (Braeckman, 2000). À ces 800 000 morts s'ajoutent 2 millions de réfugiés (particulièrement au Zaïre) et 1,5 million de personnes déplacées à l'intérieur du Rwanda. Un tribunal pénal international (à Bruxelles) essaie, depuis, de faire la lumière sur ce génocide et de juger les coupables.

La tragédie yougoslave   Les républiques yougoslaves étaient au nombre de six : la Slovénie, la Croatie, la Bosnie-Herzégovine, la Serbie (qui comprend deux provinces autonomes, la Voïvodine et le Kosovo), le Monténégro et la Macédoine. En 1991, la Bosnie-Herzégovine vote sa souveraineté politique. Les Serbes de Bosnie refusent la partition et réclament le droit de se rattacher à la République yougoslave présidée par Slobodan Milošević. La guerre éclate à Sarajevo, capitale de la Bosnie, en avril 1992. Les Serbes, soutenus par l'armée fédérale, entreprennent la conquête des territoires majoritairement serbes avec pour objectif la « purification ethnique », c'est-à-dire chasser de ces territoires les Croates et les musulmans. Les Serbes massacrent, violent et envoient dans des camps aux conditions inhumaines les Croates et les musulmans. En 1995, les Croates reprennent le contrôle de leurs territoires et près de 200 000 Serbes sont à leur tour victimes de la « purification ethnique ». C'est finalement en décembre 1995 que l'accord de Dayton est signé à Paris par les présidents serbe, croate et bosniaque ; cet accord maintient les frontières de la Bosnie-Herzégovine et entérine le partage de celle-ci en deux entités : la Fédération croato-musulmane et la République serbe. Une force multinationale composée de 63 000 hommes et dirigée par l'OTAN est déployée entre les deux entités. Slobodan Milošević est inculpé de crimes de guerre par le Tribunal pénal international de La Haye (Feron, 1996).

Quelques cas d'exclusion

L'apartheid en Afrique du Sud   Tout de suite après la Seconde Guerre mondiale, en 1948, un régime politique raciste s'installe en Afrique du Sud et promulgue les lois de l'apartheid qui seront en vigueur jusqu'en 1992. *Apartheid* est un mot afrikaans qui signifie « séparation ». Les lois de l'apartheid interdisent les mariages de même que les relations sexuelles entre Noirs et Blancs et imposent aux Métis et aux Noirs d'habiter des zones séparées. Le pouvoir politique appartient à la minorité blanche et seuls les Blancs peuvent siéger au Parlement. Pour

Martin Luther King.

circuler en territoire blanc, on doit être muni d'un laissez-passer. En 1976, des émeutes sanglantes à Soweto marquent le début d'un mouvement de résistance face à l'apartheid. Le leader de ce mouvement, Nelson Mandela, sera incarcéré pendant 27 ans. Il sortira de prison en 1990 et deviendra président de l'Afrique du Sud en 1994. Il a reçu le prix Nobel de la paix en 1993.

Les Noirs américains   Aux États-Unis, même si l'esclavage est aboli à la fin du XIXᵉ siècle, on continue à maintenir les Noirs dans une situation d'infériorité et, au début du XXᵉ siècle, un véritable régime d'apartheid prévaut dans les États du sud des États-Unis. Le Ku Klux Klan torture et lynche des Noirs sur la place publique. Les Noirs n'ont accès qu'à certains wagons des trains et des places leur sont attribuées dans les autobus ; lorsqu'ils vont au cinéma, ils doivent entrer par la porte de derrière.

C'est à partir des années 1950 que les Noirs américains commencent à revendiquer des droits. En 1955, Rosa Park, une jeune Noire de Montgomery dans l'État de l'Alabama, refuse de céder sa place à un Blanc dans un autobus. Elle est aussitôt arrêtée. Pendant un an, les Noirs boycottent les autobus de la ville. Acculée à la faillite, la compagnie de transport mettra fin aux mesures discriminatoires. Un jeune pasteur, Martin Luther King, prend la relève : il organise des manifestations et se prononce en faveur d'une lutte non violente. En 1963, le mouvement des droits civiques organise une marche à Washington : devant plus de 250 000 personnes, King prononce un discours qui deviendra célèbre : *"I have a dream […] I have a dream that my four children will one day live in a nation where they will not be judged by the color of their skin but by the content of their character. I have a dream […]."*

L'année suivante, une loi sur les droits civiques est signée. Cette loi assure l'égalité de tous dans les lieux publics, dans les écoles, dans les restaurants et les services publics. Martin Luther King sera assassiné le 4 avril 1968.

LES CRIMES HAINEUX AU CANADA ET AU QUÉBEC

On appelle *crimes haineux* des actes criminels commis contre des personnes ou leurs biens sur la seule base de la race, de l'origine nationale ou ethnique, de la langue, de la couleur, de la religion, du sexe, de l'orientation sexuelle, de l'âge, des déficiences physiques ou intellectuelles, ou de tout autre facteur du genre. Les crimes haineux se distinguent des autres actes criminels par leur nature habituellement plus violente et traumatisante pour la victime, et par leur tendance à s'accroître au fil des ans. Les agressions motivées par la haine peuvent terroriser et déstabiliser des communautés entières. La législation canadienne interdit la communication de propos haineux ou la distribution de matériel de propagande haineuse, elles aussi considérées comme des atteintes aux droits de la personne.

Une hausse des crimes haineux

Le rapport annuel de l'unité de prévention des crimes haineux du Service de police de Toronto fait état de 338 crimes haineux en 2001, soit 134 de plus que l'année précédente. Selon ce rapport, les actes terroristes perpétrés le 11 septembre 2001 aux États-Unis seraient responsables de cette hausse importante des cas déclarés de crimes haineux. Dans les trois semaines qui ont suivi les attentats du World Trade Center, la Fondation canadienne des relations raciales a recensé plusieurs incidents haineux perpétrés contre des Canadiens d'origine musulmane, arabe et sud-asiatique, ainsi que des critiques incessantes à l'endroit des Juifs, des immigrants et des réfugiés.

En ce qui concerne les groupes racistes, on estime que le Québec comptait en 1996 une trentaine de membres du Ku Klux Klan, dont le quart étaient des *skinheads* (cité dans Noivo et McAndrew, 1996). Leur programme idéologique est simple : à la lutte contre les Noirs s'ajoutent un combat raciste violent contre les Juifs, les immigrants et les membres des minorités ethniques, ainsi qu'une opposition aux communistes et aux catholiques. On commence à entendre parler du mouvement *skinhead* au début des années 1980, en Colombie-Britannique, en Ontario et au Québec. Au début, c'est plutôt un mouvement contre-culturel (caractérisé par un code vestimentaire, un esprit de groupe et un style musical), mais une tendance raciste se développe progressivement et amène des membres de ce groupe à commettre des agressions dans les années 1980 et 1990. Les *skinheads* visent particulièrement les Noirs, les Latinos, les Juifs et les homosexuels. Les *skinheads* posent des gestes violents aussi bien contre des individus que contre des groupes. Ils se sont déjà livrés à la profanation de synagogues et de cimetières juifs (Hubert et Claudé, 1991).

La propagande haineuse a pour objectif de présenter un groupe comme inférieur. Les cibles et victimes de la haine sont souvent dépeintes comme des gens qui profitent de la société et qui sont donc une menace qu'il faut supprimer. Les personnes qui commettent des crimes haineux ont généralement l'impression d'être elles-mêmes des victimes. Les périodes économiques ou politiques difficiles entraînent la recherche de boucs émissaires, et bien des groupes minoritaires sont alors visés (Mock, 2001).

Heureusement, les individus et les groupes qui luttent contre les crimes haineux peuvent de plus en plus s'appuyer sur des mesures législatives internationales, canadiennes et québécoises. Le tableau 11.1 se veut le plus exhaustif possible dans la présentation de ces mesures.

SAVIEZ-VOUS QUE...

À la suite d'une altercation entre jeunes Blancs et Noirs, le journal *Photo Police* (début des années 1990) titre un article : « Les Blancs en ont assez des Noirs. » La Commission des droits de la personne, la Communauté urbaine de Montréal et diverses associations déposent des plaintes après la parution de cet article. Le 15 décembre 1993, le Conseil de presse du Québec reconnaît que ce titre discrédite un groupe social et entretient des préjugés à son égard. Il blâme sévèrement le journal ainsi que ses journalistes.

Un Juif hassidim poignardé à mort à Toronto

La police est à la recherche de trois suspects impliqués dans ce qui pourrait être un crime haineux survenu, hier, quand un Juif, père de six enfants, a été assassiné devant une pizzeria, dans un quartier juif de Toronto.

Selon la police, la victime portait la barbe et la kippa au moment du meurtre, ce qui l'identifiait clairement comme Juif.

(*La Presse*, juillet 2002.)

Tableau 11.1 Les mesures législatives contre la propagande haineuse.

Convention internationale sur l'élimination de toutes les formes de discrimination raciale	Le Canada a ratifié cette convention en 1970.
Charte canadienne des droits et libertés	▪ **Article 1 :** énonce que les droits et libertés peuvent être restreints par une règle de droit, dans des limites raisonnables et justifiées dans le cadre d'une société libre et démocratique. Par exemple, la liberté de pensée, de croyance, d'opinion et d'expression pourrait être restreinte dans des cas de propagande haineuse. ▪ **Article 15 :** interdit la discrimination.
Code criminel	▪ **Article 318 :** criminalise l'encouragement au génocide ; par exemple, quiconque préconise ou fomente le génocide est coupable d'un acte criminel et passible d'un emprisonnement maximal de cinq ans. ▪ **Article 319 :** criminalise l'acte d'inciter à la haine en public. Celui-ci comporte quelques éléments, comme communiquer des déclarations haineuses dans des endroits publics, inciter à la haine envers un groupe identifiable, violer la paix. ▪ **Article 320 :** criminalise la possession de matériel de propagande haineuse à des fins de vente ou de distribution.
La Cour suprême du Canada	Confirme la constitutionalité des mesures d'interdiction de la haine.
Charte des droits et libertés de la personne	▪ **Article 9.1 :** énonce que les libertés et droits fondamentaux s'exercent dans le respect des valeurs démocratiques, de l'ordre public et du bien-être général. ▪ **Article 10 :** interdit la discrimination et le harcèlement.
Code civil	Interdit la diffamation portant atteinte à la réputation.

LE RACISME AU QUOTIDIEN

Les manifestations du racisme se perçoivent aussi dans le quotidien, que ce soit dans le travail, l'accès à la santé, l'appareil judiciaire et policier, ou la recherche d'un emploi ou d'un logement ; c'est ce qu'on appelle le « racisme ordinaire ».

Le secteur du travail

Le racisme dans l'industrie du taxi à Montréal est l'un des plus frappants. Au début des années 1980, une crise éclate entre chauffeurs blancs et chauffeurs noirs. On assiste à de nombreux événements discriminatoires : des chauffeurs blancs tiennent des propos racistes à l'endroit des chauffeurs noirs ; on salit leur réputation auprès de la clientèle (saleté des véhicules, méconnaissance de la ville et de la langue). À cela s'ajoutent les attitudes de certains clients (refus de monter avec un chauffeur noir, plaintes, propos racistes), les comportements douteux de certains propriétaires de taxi et répartiteurs (congédiement sans raison, indication de mauvaises adresses aux chauffeurs noirs...), sans oublier la brutalité policière. La Commission des droits de la personne a été saisie de ce dossier et a fait enquête.

Le milieu manufacturier est souvent lui aussi une enclave ethnique d'emploi. L'exploitation de la main-d'œuvre, notamment des femmes immigrantes dans le secteur du vêtement, y est chose courante. Le type de production (travail à la pièce), les difficultés de communication (souvent les immigrantes ne connaissent pas la langue), le peu de contacts entre les travailleuses et la méconnaissance des lois du pays font d'elles des proies faciles pour les employeurs.

Un crime raciste?

Un couple d'immigrants poursuit ses agresseurs pour 100 000 $

Un couple d'immigrants originaires de l'Inde, victime de crimes racistes, intente une poursuite de 100 000 $ contre ses agresseurs. C'est la première fois qu'une telle action est faite en vertu de la *Charte des droits et libertés de la personne* du Québec, disent les représentants du Centre de recherche-action sur les relations raciales (CRARR) qui s'adressera au tribunal au nom du couple Chowdhury.

Somen et Sumita Chowdhury, de Kirkland, vivent au Canada depuis maintenant 20 ans. Le 27 juillet dernier, le couple s'est rendu au parc Angrignon, dans l'arrondissement de LaSalle, pour pique-niquer avec des amis. Sur les lieux, cinq jeunes adultes aux allures de punks et de skinheads ont soudainement surgi de nulle part et ont fait passer un bien mauvais moment aux deux immigrants : injures racistes, coups de poing, bouteille de bière au visage et coups de pied.

[...]

Le CRARR profitera de cette tribune pour dénoncer les crimes racistes et réitérera ses revendications auprès des autorités afin de mettre de l'avant des «mesures concrètes pour prévenir et combattre les crimes haineux». Par exemple, on souhaite la création d'une division des crimes haineux au Service de police de la Ville de Montréal et l'adoption d'une stratégie de sensibilisation pan-québécoise contre les crimes racistes.

Source : Sophie Allard, *La Presse*, novembre 2002.

Le secteur du logement

Trop fréquemment, l'accès au logement est restreint par des comportements discriminatoires. Plusieurs cas ont été répertoriés au cours des dernières années et la crise du logement qui sévit depuis quelque temps n'améliore pas la situation. Pour mesurer l'ampleur de la discrimination dans ce secteur, on utilise le plus souvent le «testing», ou expérimentation sur le terrain : on demande à deux candidats — un Noir et un Blanc — de solliciter le même logement auprès de propriétaires.

D'abord utilisée à Toronto, cette méthode a été reprise par la Commission des droits de la personne du Québec (Garon, 1988) pour démontrer qu'une partie des inégalités reliées au logement pouvait être attribuée à de la discrimination. Le «testing» a été effectué à l'étape de la demande de visite de 200 logements à louer. Les candidats noirs étaient francophones (surtout des Haïtiens) et anglophones (Caraïbéens et Africains). Lors d'un premier contact par téléphone, des candidats noirs et blancs demandaient à visiter le logement. Résultats : 12,2 % des Noirs francophones se sont vu refuser un rendez-vous, alors que le candidat blanc en obtenait un rapidement. À l'étape de la visite du logement, 12 % des Noirs francophones se sont vu refuser cette visite, 11 % des Noirs anglophones ont subi le même sort, alors que le candidat blanc pouvait voir le logement sans problème. Selon la couleur de la peau de la personne, le prix demandé était de 10 $ à 150 $ plus élevé. L'étude révèle aussi qu'on demandait plus de références et de renseignements personnels (employeur, ressources financières, nombre de personnes dans la famille) aux personnes noires.

SAVIEZ-VOUS QUE...

Aux États-Unis, les gens dont le nom est typiquement anglo-saxon ont plus de chances de décrocher un emploi que ceux qui portent un prénom ethnique, révèle une étude menée par des chercheurs de la Chicago Institute School of Business et du Massachusetts Institute of Technology.

À Montréal, un immigrant maghrébin a répondu aux offres d'emploi sous un faux nom, avec des références québécoises équivalant à son expérience tunisienne. Il a ensuite fait des demandes sous sa véritable identité. Il a reçu trois fois plus de réponses favorables et de convocations en entrevue avec un nom québécois (Roux, 2003).

La Commission des droits de la personne estime que les plaintes de citoyens se disant victimes de discrimination dans leur recherche d'un logement ne cessent d'augmenter.

Le développement d'instruments de lutte

Ils sont d'abord venus chercher les Juifs, et je n'ai pas protesté, car je ne suis pas juif. Puis ils sont venus chercher les communistes, et je n'ai pas protesté, car je ne suis pas communiste. Puis, ils sont venus chercher les syndicalistes, et je n'ai pas protesté, car je ne suis pas syndiqué. Mais quand ils sont venus me chercher, personne n'a protesté ; car il ne restait plus personne.

Attribué au pasteur Martin NIEMOELLER

Quels sont actuellement les instruments de lutte et de promotion des droits ? Cette partie du chapitre explique les spécificités des deux chartes (canadienne et québécoise) qui régissent les droits sur le plan national. Mais voyons d'abord comment se sont historiquement développés les droits de la personne.

UN PEU D'HISTOIRE

Le code d'Hammourabi (1750 av. J.-C.)

On considère que le code d'Hammourabi est le premier document codifié sur les droits et libertés. Il s'agit d'un ensemble de lois gravées sur de la pierre et qui sont fondées sur le principe du talion : œil pour œil dent pour dent. Ces lois décrivent les châtiments et dénotent un certain souci de justice.

La *Magna Carta* (1215)

En Angleterre, les abus du roi Jean sans Terre provoquent une guerre civile entre lui et ses barons (soutenus par le peuple et le clergé). En 1215, le roi se verra imposer une loi, la *Magna Carta*. Premier grand texte en matière de droits (63 articles), la *Magna Carta* codifie des droits et des libertés, notamment la liberté de l'Église d'Angleterre et de la ville de Londres, la protection contre les arrestations et les détentions arbitraires, le droit à un jugement loyal et à des amendes proportionnées au délit, la jouissance des biens et l'intégrité de la personne. Elle restreint le pouvoir jusqu'alors absolu du roi sur ses sujets (le droit de vie ou de mort, par exemple).

La *Déclaration d'indépendance* des colonies des États-Unis (1776)

À la fin du XVIIIe siècle, la Nouvelle-Angleterre réclame son autonomie de l'Angleterre. Rédigée par Thomas Jefferson et Benjamin Franklin, la *Déclaration d'indépendance* est basée sur le principe suivant : « Tous les hommes sont créés égaux ; ils sont doués par le Créateur de certains droits inaliénables ; parmi ces droits se trouvent la vie, la liberté et la recherche du bonheur » (cité dans Loslier et Pothier, 1999). Cette déclaration de principe entre en vigueur lors de l'adoption de la Constitution américaine qui instaure une démocratie basée sur l'égalité, la liberté et la responsabilité du citoyen.

La *Déclaration des droits de l'homme et du citoyen* (1789)

La Révolution française entraîne la chute de la monarchie, qui sera remplacée par une Assemblée nationale qui vote la *Déclaration des droits de l'homme et du citoyen*. Le premier article de cette déclaration est le suivant : « Les hommes naissent et demeurent libres et égaux en droits. » On y déclare aussi que le but de toute association politique est de conserver les droits de l'individu. « Ces droits sont la liberté, la propriété, la sûreté et la résistance à l'oppression. » Ce texte sera remplacé en 1793 par un autre qui introduit les notions de droits économiques et sociaux. Le principe de l'égalité est reconnu comme un droit fondamental. Cette déclaration est souvent considérée comme l'ancêtre de la *Déclaration universelle des droits de l'homme*.

La *Déclaration universelle des Droits de l'homme* (1948)

La mise sur pied en 1945 de l'Organisation des Nations Unies (ONU) marque une étape importante dans la reconnaissance des droits et libertés sur le plan international. En effet, en 1948, la Commission des droits de l'homme de l'ONU rédige la *Déclaration universelle des droits de l'homme*. Plusieurs personnalités représentant de nombreux pays ont participé à la rédaction de ce document. Parmi les plus importantes, mentionnons René Cassin (France), Peng-Chun Chang (Chine), Fernand Dehousse (Belgique), John Humphrey (Canada), Charles Malik (Liban), Hernan Santa Cruz (Chili) et Eleanor Roosevelt (États-Unis), qui était la présidente de la Commission des droits de l'homme.

Cette déclaration a été adoptée le 10 décembre 1948 par l'Assemblée générale des Nations Unies (48 pays votent pour, 8 pays s'abstiennent et 2 pays sont absents lors du vote).

Les grands principes de liberté et d'égalité et la prescription générale des discriminations constituent les piliers de la Déclaration. Viennent ensuite les droits et libertés d'ordre personnel : droit à la vie, droit à la sûreté de la personne (condamnation de l'esclavage et de la torture) et droits judiciaires qui garantissent ces droits personnels (Loslier, Pothier, 1999).

D'autres conventions liées à cette déclaration ont été signées. Voici les plus importantes : *Convention pour la prévention et la répression du crime de génocide* (votée en 1948, entrée en vigueur en 1951) ; *Convention contre la torture et autres peines ou traitements cruels, inhumains ou dégradants* (votée en 1984, entrée en vigueur en 1987) ; *Convention relative au statut des réfugiés* (votée en 1951, entrée en vigueur en 1954) ; *Convention internationale sur l'élimination de toutes les formes de discrimination raciale* (votée en 1965, entrée en vigueur en 1969).

LA *CHARTE DES DROITS ET LIBERTÉS DE LA PERSONNE* DU QUÉBEC (1975)

La *Charte des droits et libertés de la personne* du Québec est une loi fondamentale qui prévaut sur toute autre loi ou tout règlement relevant de la compétence législative du Québec. Elle a été adoptée le 27 juin 1975 par l'Assemblée nationale du Québec. Axée sur le respect de la dignité de tout être humain, elle affirme et protège les libertés et droits fondamentaux, le droit à l'égalité sans discrimination ainsi que les droits politiques, judiciaires, économiques et sociaux de toute personne.

La *Charte des droits et libertés de la personne* du Québec est précédée du préambule suivant :

Préambule

Considérant que tout être humain possède des droits et libertés intrinsèques, destinés à assurer sa protection et son épanouissement ;

Considérant que tous les êtres humains sont égaux en valeur et en dignité et ont droit à une égale protection de la Loi ;

Considérant que le respect de la dignité de l'être humain et la reconnaissance des droits et libertés dont il est titulaire constituent le fondement de la justice et de la paix ;

Considérant que les droits et libertés de la personne humaine sont inséparables des droits et libertés d'autrui et du bien-être général ;

Considérant qu'il y a lieu d'affirmer solennellement dans une Charte les libertés et droits fondamentaux de la personne afin que ceux-ci soient garantis par la volonté collective et mieux protégés contre toute violation.

La Charte présente dans sa première partie les libertés et droits fondamentaux, le droit à l'égalité et à l'exercice des droits et libertés, les droits politiques, les droits judiciaires, les droits économiques et sociaux.

Les libertés et droits fondamentaux

Les libertés fondamentales sont les suivantes : la liberté de religion, de conscience, d'opinion, d'expression, d'association, de réunion pacifique, le droit à la sauvegarde de sa dignité, de son honneur et de sa réputation, le droit à la vie privée, le droit à la jouissance paisible et à la libre disposition de ses biens, le droit au respect du secret professionnel.

Les droits fondamentaux sont les suivants : le droit à la vie, à l'intégrité, à la liberté de sa personne, le droit au secours quand notre vie est en danger.

Le droit à l'égalité et à l'exercice des droits et libertés

Ce droit est sans doute l'élément le plus important de la Charte dans le sens où il définit la discrimination ou le harcèlement et les motifs de discrimination et de harcèlement.

Article 10   Toute personne a droit à la reconnaissance et à l'exercice, en pleine égalité, des droits et libertés, sans distinction, exclusion ou préférence fondée sur la race, la couleur, l'origine ethnique ou nationale, le sexe, la grossesse, l'orientation sexuelle, l'état civil, l'âge (sauf dans la mesure prévue par la loi), la religion, les convictions politiques, la langue, la condition sociale, le handicap ou l'utilisation d'un moyen pour pallier ce handicap. Il y a discrimination lorsqu'une telle distinction, exclusion ou préférence a pour effet de détruire ou de compromettre ce droit.

Article 10.1   Nul ne doit harceler une personne en raison de l'un des motifs visés dans l'article 10.

Comment définit-on ces motifs de discrimination ?

La race, la couleur, l'origine ethnique ou nationale : le pays d'origine, l'ethnie d'origine, la couleur de la peau.

Le sexe : féminin, masculin.

La grossesse : l'état de grossesse, le congé de maternité.

L'orientation sexuelle : l'hétérosexualité, l'homosexualité, la transsexualité.

L'état civil : le célibat, le mariage, l'adoption, le divorce, l'appartenance à une famille monoparentale, le lien de parenté ou d'alliance.

L'âge : l'âge que l'on a ou le groupe d'âge auquel on appartient (des exceptions prévues dans certaines lois peuvent cependant ne pas être discriminatoires : par exemple, le droit de vote à 18 ans).

La religion : l'appartenance à une religion, le droit de pratiquer telle ou telle religion, le droit de n'en pratiquer aucune.

Les convictions politiques : les convictions exprimées par l'adhésion manifeste à une idéologie politique, le militantisme en politique ou dans un groupe de revendication ou de pression.

La langue : toute langue parlée (incluant les accents). Le statut du français, reconnu comme langue officielle, n'est pas discriminatoire.

La condition sociale : la place ou la position occupée dans la société en raison de faits ou de circonstances données (revenu, occupation, scolarité). Par exemple, les bénéficiaires de l'aide sociale, les sans-abri.

Handicap : le désavantage, réel ou présumé, lié à une déficience, soit une perte, une malformation ou l'anomalie d'un organe, d'une structure ou d'une fonction mentale, psychologique, physiologique ou anatomique.

Le moyen pour pallier le handicap : un fauteuil roulant, un chien-guide, une prothèse, etc.

Les droits politiques, judiciaires, économiques et sociaux

Les droits politiques comprennent le droit d'adresser des pétitions à l'Assemblée nationale et le droit de se porter candidat lors d'une élection et d'y voter. Les droits judiciaires énumèrent un ensemble de principes et de règles régissant le fonctionnement de la justice ainsi que les comportements des policiers lors d'une arrestation et d'une détention. Les droits économiques et sociaux regroupent des droits tels que le droit à la protection pour l'enfant, le droit à l'instruction publique gratuite, le droit à l'information, le droit à un niveau de vie décent et le droit à des conditions de travail justes et raisonnables. Il y a aussi des dispositions spéciales et interprétatives (article 49 à 56) qui contiennent, par exemple, le droit à la réparation pour toute personne atteinte dans un droit ou une liberté.

LA *CHARTE CANADIENNE DES DROITS ET LIBERTÉS* (1982)

C'est surtout au cours des années 1960 que les provinces canadiennes légifèrent sur la protection des droits de la personne (à titre de précurseur, la Saskatchewan en 1947, puis l'Ontario en 1962, l'Alberta en 1966, la Colombie-Britannique en 1969). En 1978, la *Loi canadienne sur les droits de la personne* entre en vigueur et, en 1982, à l'occasion du rapatriement de la Constitution, la *Charte canadienne des droits et libertés* est adoptée. La Charte canadienne fait partie de la Constitution canadienne et, à ce titre, a préséance sur toutes les lois adoptées au Canada. Par contre, la Charte se limite au domaine législatif et ne couvre pas le domaine des relations privées, des relations entre les citoyens. Pour invoquer la Charte canadienne, on doit mettre en cause une loi ou un règlement (Loslier, Pothier, 2002). C'est la *Loi canadienne sur les droits de la personne* qui traite, par exemple, les situations de discrimination lorsque les personnes ou les organismes en cause relèvent de la compétence fédérale.

La *Loi canadienne sur les droits de la personne* protège quiconque vit au Canada contre la discrimination fondée sur la race, la couleur, l'origine nationale et ethnique, la religion, l'âge, le sexe (comprenant la grossesse et l'accouchement),

Quand, au début des années 1980, Ottawa décide d'entreprendre une réforme constitutionnelle et le rapatriement de la Constitution canadienne de Londres à Ottawa, il doit obtenir l'accord de toutes les provinces. Après deux années de discussion, la Constitution est rapatriée sans l'accord du Québec. Deux tentatives ont été faites pour réparer cette situation : en 1987, l'Accord constitutionnel du lac Meech, qui devait être ratifié en 1990 mais ne l'a pas été, et en 1992, les accords de Charlottetown qui ont eux aussi été rejetés. Depuis, la réforme constitutionnelle est bloquée. En dépit de ce désaccord, la *Charte canadienne des droits et libertés* s'applique partout au Canada.

l'état matrimonial, la situation de famille, la déficience mentale ou physique (y compris la dépendance à l'alcool ou à la drogue), l'état de personne graciée, l'orientation sexuelle.

Les droits et libertés protégés par la *Charte canadienne des droits et libertés* peuvent se résumer ainsi.

> Les libertés fondamentales.
> Les droits démocratiques.
> La liberté de circulation.
> Les garanties juridiques.
> Le droit à l'égalité.
> Le droit à l'instruction dans la langue de la minorité francophone ou anglophone.
> La reconnaissance officielle des deux langues du Canada.
> La promotion du multiculturalisme et la garantie de certains droits et libertés ancestraux pour les peuples autochtones du Canada.

Les relations entre les services policiers et les minorités ethniques

Dans cette dernière partie du chapitre, nous verrons que les relations des corps policiers du Québec avec des membres des minorités ethniques ont parfois été teintées de discrimination et que des mesures visant à éliminer cette discrimination ont été mises en place.

Déjà, au début des années 1980, des études sur les relations entre la police et les minorités ethniques mettaient en lumière différents problèmes des services de police : l'absence de sensibilisation et de formation aux réalités pluriethniques, la non-représentation des membres des minorités, la nécessité pour les corps policiers de se doter de politiques contre la discrimination raciale, etc. (Niemi, 1984).

À la fin des années 1980, un événement tragique (la mort d'Anthony Griffin, un jeune Noir tué par un policier) déclenche une réflexion en profondeur sur les relations entre la police et les minorités ethniques. La question prend une telle ampleur que le ministère de la Justice du Québec et la Commission des droits de la personne décident de former un comité d'enquête publique sur l'ensemble de la situation entre la police de Montréal et les minorités ethniques ; ils en confient la présidence à Me Jacques Bellemarre.

LE RAPPORT BELLEMARRE

Le Comité d'enquête publique sur l'ensemble de la situation entre la police de Montréal et les minorités ethniques avait pour mandat d'examiner cinq éléments : l'exercice des fonctions policières, le système de recrutement et d'embauche des policiers, la formation des aspirants policiers et des agents de la paix, les mécanismes de contrôle et de sanction des atteintes aux droits de la personne par des agents de la paix et les relations avec la communauté. Il devait aussi faire des recommandations en vue d'améliorer les relations entre le Service de police de la Communauté urbaine de Montréal (SPCUM) et les minorités ethniques, lesquelles ont été rendues publiques en 1988. Le tableau 11.2 présente les éléments essentiels du mandat du Comité, les faits prépondérants qu'il a mis en lumière et ses principales recommandations.

Tableau 11.2 Le rapport Bellemarre (Bellemarre, 1988).

Éléments essentiels examinés par le Comité	Mandats du Comité	Les faits qui ressortent de l'étude
L'exercice des fonctions policières	▪ Examiner les politiques et pratiques courantes qui peuvent avoir un effet préjudiciable sur les membres des minorités ethniques. ▪ Examiner les mesures administratives destinées à faire respecter les droits des minorités [...] et à établir des relations harmonieuses entre les policiers et les membres des minorités.	▪ L'image des corps policiers dans le grand public est plutôt négative (64 % des citoyens estiment que les policiers sont brutaux et 53 %, qu'ils traitent mal les citoyens provenant des minorités ethniques). Le rapport confirme aussi que les services policiers traitent différemment les individus des minorités et les personnes du groupe majoritaire.
Le système de recrutement et d'embauche des policiers	▪ Examiner les méthodes de recrutement et de sélection des candidats ainsi que les critères de promotion à l'intérieur des corps policiers pour évaluer la représentation des minorités et les obstacles susceptibles d'entraver l'accès équitable aux emplois.	▪ Le rapport présente des chiffres qui remettent en question le système de recrutement et d'embauche des policiers : alors que 30 % de la population de la Communauté urbaine de Montréal est composée de membres provenant des minorités ethniques, seulement 5 % des policiers en sont issus. Des questions de justice sociale, mais aussi de crédibilité et d'efficacité sont ici en cause.
La formation des aspirants policiers et des agents de la paix	▪ Examiner la formation donnée aux policiers en vue de leur fournir les connaissances, tant pratiques que théoriques, leur permettant de bien s'acquitter de leurs tâches dans un environnement multiethnique et multiracial.	▪ Les policiers ne sont pas préparés, ou sont mal préparés, à travailler et à intervenir dans un contexte urbain multiethnique et multiracial. La formation interculturelle dans les cégeps est trop limitée.
Les mécanismes de contrôle et de sanction des atteintes aux droits de la personne par des agents de la paix	▪ Étudier les mécanismes de contrôle et de sanction des atteintes aux droits de la personne de la part des agents de la paix ainsi que les moyens de favoriser des échanges continus entre la police et les communautés ethniques et visibles.	▪ Le Comité a étudié plus d'une centaine de dossiers de plainte contre des policiers. Cette étude porte sur la discrimination exercée envers des non-Blancs. Par exemple, il y a deux fois plus de plaintes pour recours à la force injustifiée envers des citoyens non blancs ; le plaignant non blanc voit sa plainte rejetée dans 75 % des cas, alors qu'un plaignant blanc voit sa plainte rejetée dans 25 % des cas.
Les relations avec la communauté	▪ Examiner les moyens de favoriser des échanges continus entre la police et les communautés ethniques et visibles.	▪ Les représentants des groupes ethniques sont, en général, insatisfaits de la qualité de leurs relations avec la police. Par contre, le Comité constate, à l'analyse des initiatives concrètes du SPCUM, le sérieux de ses intentions.

Principales recommandations du Comité	
▪ « Que des critères de promotion des services de police [...] tiennent expressément compte de la capacité du candidat à œuvrer dans un milieu multiethnique et multiracial et de sa connaissance des libertés et droits fondamentaux, en particulier du droit à l'égalité. » ▪ « Que le service de police de la Communauté urbaine de Montréal mette sur pied un programme d'accès à l'égalité (PAE), dans le but d'augmenter le nombre de policiers issus des minorités visibles à environ 10 % de ses effectifs policiers. » ▪ « Que le programme des cours obligatoires dans les cégeps soit élargi afin d'y inclure de nouveaux cours conçus en fonction de la diversité	culturelle et adaptés à la fonction policière. Que ces cours soient complétés par des méthodes pédagogiques actives. » ▪ « Que l'on assure un meilleur contrôle et une plus grande surveillance des atteintes aux droits et libertés de la personne en nommant des civils au sein des comités de discipline et de déontologie policières. » ▪ « Que l'on améliore les relations entre les citoyens et la police, en particulier entre les citoyens issus des minorités ethniques et visibles et la police. Que les autorités publiques fassent un effort financier additionnel pour améliorer ces relations. »

LE RAPPORT CORBO

Un autre événement dramatique survient le 3 juillet 1991 : un policier du SPCUM se trompe de suspect et tue Marcellus François, un jeune Noir de 24 ans. Le coroner Harvey Yarosky, chargé de l'enquête, constate que les préjugés et le mépris à l'endroit des Noirs sont monnaie courante chez les policiers : « Je suis perturbé par certains indices démontrant, au sein du Service de police, l'absence de sensibilité, l'ignorance et le manque de respect envers les membres de la communauté noire. La preuve m'amène à constater l'existence d'une mentalité qui est intolérable à l'intérieur d'un corps policier dont l'objectif est de servir et de protéger tous les citoyens. » Il recommande donc qu'un groupe de travail spécial soit formé afin d'élaborer un programme d'action concret pour contrer le racisme au sein du SPCUM (Yardsey, 1992).

La Communauté urbaine de Montréal reconnaît être responsable de l'acte qui a conduit M. Marcellus François à la mort et dédommage la famille du jeune homme. En 1992, le ministre de la Sécurité publique constitue un autre groupe de travail, cette fois sur les relations entre la communauté noire et le SPCUM ; Claude Corbo en est le président.

Déjà, en 1991, la Communauté urbaine de Montréal avait déposé une première version d'un plan d'action. Le mandat du groupe de travail est donc, dans un premier temps, d'examiner ce plan d'action et, dans un deuxième temps, de soumettre des recommandations sur ce plan ou sur toute initiative que le groupe de travail jugera nécessaire afin de contrer ou de prévenir la discrimination raciale au sein du SPCUM.

La réaction du groupe de travail se résume ainsi : la population montréalaise se diversifie et les communautés noires ne veulent pas être perçues comme la cause unique de la nécessaire adaptation du corps policier. Les communautés noires refusent d'être considérées comme une minorité dysfonctionnelle ; elles se composent de citoyens respectueux des lois et des règlements. Par contre, plusieurs de leurs membres ont développé un sentiment de peur généralisée et de méfiance envers l'ensemble du corps policier.

DES PRATIQUES POLICIÈRES DIFFÉRENTES AVEC LES MINORITÉS ETHNIQUES

[...] un seul geste raciste de la part d'un policier est un geste de trop. Le racisme ne se mesure pas en termes de nombre mais à l'aune des perceptions, des attitudes et des comportements (FCRR, 2001).

Bien que la majorité des policiers manifestent une assez grande ouverture d'esprit à une approche juste et équitable avec les citoyens issus de minorités, des études sur les perceptions et les attitudes des policiers (Friday, 1999 ; Jacob, 2000) font état de pratiques policières distinctes selon que l'on s'adresse à des groupes issus des minorités ethniques ou à des groupes issus de la majorité. Voici, tirés de ces études, des exemples de propos, de comportements et d'attitudes de policiers et policières à l'endroit d'individus ou de groupes issus des minorités ethniques.

> Propos et blagues racistes entre policiers.

> Utilisation de termes grossiers pour qualifier des individus issus de minorités ethniques.

❭ Conviction que les membres des minorités ethniques sont plus enclins au crime que les autres.

❭ Méfiance excessive à leur égard.

❭ Stigmatisation de collègues de travail issus de certains groupes ethniques.

❭ Stigmatisation de collègues de travail trop sympathiques aux groupes minoritaires.

❭ Harcèlement démesuré de jeunes issus de minorités ethniques.

❭ Arrestations plus fréquentes d'individus issus de minorités ethniques.

❭ Propension à utiliser plus de force que nécessaire lors de l'arrestation de certains suspects issus de minorités ethniques.

❭ Accusations plus systématiques et plus fréquentes d'individus issus de groupes minoritaires.

❭ Détentions abusives et injustifiées plus fréquentes de membres des minorités ethniques.

❭ Objections au cautionnement plus fréquentes dans le cas d'individus issus des minorités.

❭ Perquisitions sans mandat plus fréquentes chez les membres de ces groupes.

Évidemment, ces pratiques, même si elles ne sont pas généralisées, engendrent une perception négative de la police chez les citoyens et contribuent au maintien des préjugés au sein des corps policiers.

Violence symbolique et violence physique

La police utilise deux types de violence : la violence symbolique et la violence physique. La violence symbolique s'exprime de différentes manières à l'endroit des groupes minoritaires ; ces citoyens sont soumis à une suspicion plus grande et sont traités en conséquence tout en bénéficiant d'une protection moindre. Par ailleurs, la pratique du profilage racial, de plus en plus généralisée au Québec et au Canada, permettrait, selon plusieurs, de prévenir les actes criminels. Le profilage est de plus en plus accepté depuis les événements du 11 septembre 2001 et l'adoption de législations antiterroristes qui donnent plus de pouvoir aux policiers et leur permettent, entre autres, de détenir de façon préventive des prévenus ou des individus qu'ils soupçonnent d'appartenir à des groupes ou des réseaux terroristes (Chalom, 2002).

Le profilage racial se fonde sur un calcul de probabilité à partir du type de délit et du profil de l'auteur. Depuis quelques années, plusieurs recherches ont mené à définir plus adéquatement cette notion.

Quant à la violence physique, les services policiers sont souvent accusés de « surpolicer » (*overpolicing*) les groupes racialisés, préjugeant qu'ils sont plus criminalisés, ou encore de « souspolicer » (*underpolicing*) ces groupes parce que ça demande trop de concessions et que c'est une source de conflits.

MESURES ADOPTÉES POUR AMÉLIORER LES RELATIONS ENTRE LES POLICIERS ET LES MINORITÉS ETHNIQUES

Différentes réponses ou solutions aux problèmes que soulèvent les relations entre les policiers et les minorités ethniques ont été proposées par les services policiers, particulièrement par le SPCUM (maintenant appelé Service de police de la Ville de Montréal ou SPVM). L'une d'elles est un plan d'action assorti de mesures concrètes.

> « Le profilage racial désigne toute action prise par une ou des personnes d'autorité à l'égard d'une personne ou d'un groupe de personnes, pour des raisons de sûreté, de sécurité ou de protection du public, qui repose sur des facteurs tels que la race, la couleur, l'origine ethnique ou nationale ou la religion, sans motif réel ou soupçon raisonnable, et qui a pour effet d'exposer la personne à un examen ou à un traitement différentiel » (gouvernement du Québec, 2003, cité dans Turenne, 2004).
>
> S'appuyant sur cette définition, le SPVM a mis en place, le 22 mars 2004, une politique d'intervention pour prévenir et contrer le profilage racial.

Entre 1985 et 1995, plusieurs initiatives ont suivi les recommandations des comités d'enquête et des études (Bellemarre, Corbo, Jacob), dont la Politique de relations avec la communauté, la mise en place de programmes d'accès à l'égalité et la formation des policiers aux réalités multiculturelles.

La politique de relations avec la communauté

Le 13 juin 1985, le SPCUM rendait publique une politique mettant l'accent sur le respect des droits et libertés de tous les individus, qu'ils soient des témoins, des victimes ou des suspects. Cette politique définit un ensemble de moyens à mettre de l'avant pour atteindre ces objectifs. En voici quelques-uns qui touchent plus particulièrement l'approche interculturelle et antidiscriminatoire :

> l'inventaire des communautés culturelles par district, par région et pour l'ensemble du territoire afin de dresser des listes d'associations, de dirigeants, de médias, d'écoles, pour mieux connaître les milieux de vie de ces communautés ;

> l'établissement, le maintien et l'accroissement des liens avec la population et les communautés, liens qui doivent être adaptés aux caractéristiques multiculturelles des districts ;

> l'élaboration de mécanismes de dépistage de manifestations de racisme chez les employés du Service (particulièrement dans les opérations policières) ;

> l'établissement de liens avec le ministère dans le but de rencontrer les nouveaux arrivants, notamment par les carrefours d'intégration des immigrants, afin d'informer du rôle, de la structure et de la mission du Service de police ;

> la mise à jour d'une liste de policiers qui maîtrisent des langues autres que le français et l'anglais afin d'utiliser leurs services dans les interventions policières et les relations avec la communauté ;

> l'élaboration d'un cours sur le multiculturalisme destiné aux policiers actifs du Service.

La mise en place de programmes d'accès à l'égalité

Depuis 1991, année où les programmes d'accès à l'égalité ont été implantés par le SPCUM, le Service a travaillé à éliminer toute forme d'exclusion ou de discrimination dans le système de recrutement, d'affectation et de promotion de personnes appartenant aux quatre groupes désignés aux fins de l'équité en emploi : les femmes, les communautés ethnoculturelles, les membres des minorités visibles et les Autochtones.

Plusieurs efforts ont porté sur le recrutement des aspirants policiers : présentation de conférences sur la carrière de policier auprès d'étudiants issus de diverses communautés, tenue de kiosques d'information et de promotion lors d'événements jeunesse (comme le salon Formation emploi), organisation de stages d'immersion dans les postes de quartier pour les candidats potentiels, maintien d'un processus continu et prioritaire pour les candidats issus des minorités visibles et autochtones, etc. (Van Dam, 2002). Quelques statistiques confirment que l'embauche de membres des communautés ethnoculturelles a beaucoup augmenté et qu'elle a même atteint l'objectif de 10 % que s'était fixé le SPCUM. On sait aussi que de plus en plus de policiers appartenant aux communautés ethnoculturelles accèdent à des promotions. Quant à l'embauche de membres de minorités visibles, elle a aussi augmenté, même si elle n'a pas encore atteint les objectifs fixés.

L'embauche de policiers de diverses origines ethniques en vertu des programmes d'équité en emploi s'avère intéressante, car la présence de collègues de diverses cultures peut favoriser un changement des attitudes et une plus grande acceptation de l'autre. Par contre, ce n'est pas la réponse à tous les problèmes.

En 2001, le SPVM a reçu du gouvernement du Québec le Prix québécois de la citoyenneté en reconnaissance des efforts et des résultats obtenus par l'implantation de programmes d'accès à l'égalité.

La formation des policiers aux réalités multiculturelles

À partir de 1988, les élèves inscrits en Techniques policières ont reçu une première formation sur la pluriethnicité, par le cours intitulé *Sociologie des différenciations sociales*. Ce cours, donné particulièrement dans les cégeps de Montréal, différait souvent de ceux offerts ailleurs en province. La révision du programme de Techniques policières a doté ce dernier de la formation à une nouvelle compétence intitulée *Interagir avec des clientèles appartenant à diverses communautés culturelles et ethniques*, offerte dans l'ensemble des cégeps en 1997.

En ce qui concerne les policiers en service de la Communauté urbaine de Montréal, une première sensibilisation aux réalités des relations interculturelles leur a été proposée en 1987. Par des rencontres entre les policiers et des associations ethniques, on les a informés sur l'histoire des communautés immigrantes et sur la discrimination. Par la suite, d'autres sessions d'initiation interculturelle se sont données, qui se poursuivent encore aujourd'hui. Ces sessions se déroulent en trois phases : des membres d'une communauté sont d'abord invités à rencontrer les policiers à leur lieu de travail, puis c'est au tour des policiers de les rencontrer dans leur milieu de vie, après quoi des activités conjointes sont planifiées en fonction des besoins que les partenaires ont définis.

L'adoption de politiques visant à améliorer les relations entre policiers et membres de minorités est essentielle, mais, pour Jacob (2000), ces relations ne pourront pas être harmonieuses si l'on ne pose pas la question de l'éthique professionnelle chez les policiers. Il est indispensable, selon cet auteur, de développer un agir moral critique et un sens individuel de la responsabilité. Il propose, entre autres, qu'on instaure, au-delà de la formation de base des policiers, des mécanismes de formation continue et qu'on établisse une politique de tolérance zéro quant aux attitudes et propos porteurs de racisme.

Bien qu'il y ait de plus en plus de dialogue et de contacts interculturels entre les policiers et les groupes issus des minorités, la méconnaissance de l'un et l'autre, les stéréotypes que chaque groupe entretient envers l'autre entraînent encore trop souvent de la discrimination ou tout simplement un traitement différent et inégal.

En résumé, plusieurs solutions visant le développement de relations harmonieuses entre les policiers et les membres de groupes minoritaires ont été proposées et certaines sont déjà adoptées. À la base du changement de mentalité au sein des services policiers, il y a sans aucun doute l'aptitude à l'autodiagnostic : il faut pouvoir reconnaître clairement les attitudes et les comportements répréhensibles.

CHAPITRE 12

La rencontre interculturelle

La notion de l'interculturel apparaît lors d'une conférence générale de l'UNESCO en 1976. Elle repose sur deux caractéristiques essentielles : d'une part, la reconnaissance de particularismes culturels et, d'autre part, l'ouverture à des relations générant des changements chez les partenaires en présence. Ainsi, la communication interculturelle se définit comme « l'ensemble d'interactions et d'interrelations qui se produisent lorsque des cultures différentes entrent en contact ainsi que l'ensemble des changements et des transformations qui en résultent » (Clanet, 1993). Le processus de communication entre des personnes qui ont le même univers de significations se révélant déjà très complexe, il est facile d'imaginer les difficultés qui se posent lorsque la communication implique des gens de cultures différentes.

Dans ce chapitre, nous verrons d'abord à définir la notion de culture. Cette définition sera complétée par la présentation de deux modèles culturels, l'un basé sur une conception individualiste de la société et l'autre sur une conception plus communautaire. Nous traiterons ensuite, dans le cadre de ces deux modèles culturels, de l'individu dans ses rapports avec la communauté, des rapports familiaux, des relations sociales et interpersonnelles, et de la communication interculturelle.

La culture

C'est à Edward Burnett Tylor que l'on doit la première définition du concept de culture. Pour lui, la culture est d'abord l'expression de la totalité de la vie sociale de l'individu ; elle se caractérise par sa dimension collective et relève d'un apprentissage (cité dans Cuche, 1996). En effet, on peut définir la culture comme l'ensemble de ce qui est appris, produit et créé par la société. La culture comprend donc « des éléments de stabilité (ce qui est appris et transmis) et des éléments de changement (ce qui est produit et créé) » (Denis *et al.*, 1995). La culture est ainsi « l'ensemble lié de manières de penser, de sentir et d'agir plus ou moins formalisées qui, étant apprises et partagées par une pluralité de personnes, servent d'une manière à la fois objective et symbolique à constituer ces personnes en une collectivité particulière et distincte » (Rocher, 1970). La culture comprend donc les coutumes, les croyances, les connaissances, la langue, les idées et les convictions, les valeurs, les lois et la production matérielle d'une société.

Pour mieux comprendre ce qu'est la culture, comparons-la à un iceberg. Il y a deux parties dans un iceberg : la partie visible et la partie cachée.

Comme l'illustre la figure 12.1, la partie visible correspond au **connu de la culture**, qui est composé d'un certain nombre de comportements visibles, de manières d'être, d'us et coutumes, de savoir-faire. Il est aussi composé de connaissances, comme l'histoire, la langue, les arts… On y trouve également les codes de communication verbaux, écrits et non verbaux, les modes d'organisation collectifs formels et informels.

La partie cachée de l'iceberg correspond à l'**inconnu de la culture**, qui est composé des valeurs sociales et religieuses, des présomptions, du mode de pensée et de la vision du monde que nous intériorisons plus ou moins consciemment. En raison de la forte charge émotive qu'ils comportent, ces acquis sont difficiles à atteindre et à changer. C'est souvent l'inconnu d'une culture qui provoque des jugements tendancieux et incomplets (Kohls, 1990).

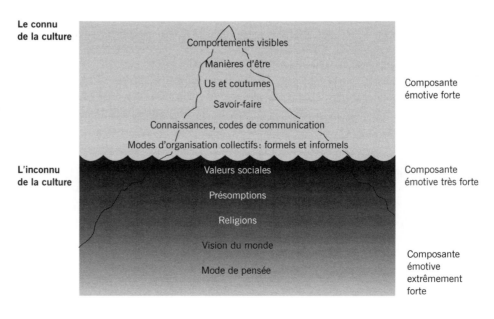

Figure 12.1 Le connu et l'inconnu d'une culture.

La culture immigrée

Lorsqu'on évoque la culture des immigrants, on fait souvent référence à la culture de leur pays d'origine. Cette conception n'est pas tout à fait juste. Premièrement, on oublie souvent que la culture d'origine n'est pas homogène d'un individu à l'autre et que l'appartenance à une classe sociale, par exemple, peut être très signifiante dans la description de la culture d'une personne. On a aussi tendance à définir la culture nationale comme une culture figée dans le temps, qui ne change pas ou qui le fait très lentement (pourtant, un immigrant qui retourne dans son pays d'origine ne pourra jamais retrouver le pays et les gens tels qu'il les a quittés). Enfin, on est porté à oublier que l'immigrant change au contact de la culture de la société d'accueil (les immigrants ressentent ce changement lorsqu'ils retournent dans leur pays d'origine ; ils ont souvent l'impression d'être des touristes et on leur fait sentir qu'ils sont différents). Alors, comment peut-on décrire la culture des immigrants ? On le fait souvent en parlant de l'exotisme ou du folklore, en ne mentionnant que les traditions, les coutumes, les traits culturels extérieurs (pratiques alimentaires, vestimentaires, religieuses), mais on oublie alors une grande partie de la vie des gens.

C'est à Marco Micone (1990) que l'on doit la définition de « culture immigrée ». Selon lui, dans une société qui accueille des immigrants, il n'y a pas de culture grecque, portugaise, italienne, mais plutôt des modes de vie et des façons de penser qui ne sont pas tout à fait ceux du pays d'origine, ni tout à fait ceux de la culture d'accueil. Cette culture immigrée rend compte à la fois du passé et des origines de l'immigrant, de la rupture qu'il a effectuée en immigrant et de son cheminement à l'intérieur de la société d'accueil.

À la lecture de ce chapitre, il ne faut pas oublier que les individus appartenant aux modèles culturels dont il y est question n'en partagent pas nécessairement les valeurs ni les comportements. Si beaucoup d'immigrants ont aussi déjà intériorisé des modèles culturels différents de ceux de leur culture d'origine, d'autres, au contraire, redécouvrent des éléments de cette culture qui leur sert de pôle identitaire. On ne peut donc pas prédire et interpréter le comportement d'une personne parce qu'on pense connaître sa culture d'origine. Il s'agit plutôt d'un point de repère et il faut l'utiliser en tant que tel (Verbunt, 2001).

Les modèles culturels de type individualiste et de type communautaire

Pour comprendre un ensemble de valeurs et de comportements, mais surtout pour essayer de les classifier, plusieurs auteurs ont proposé différents modèles. Ceux que nous avons retenus semblent faire consensus : le modèle culturel de type individualiste et le modèle culturel de type communautaire (Legault, 2000).

Le modèle culturel de type individualiste se caractérise par l'autonomie et l'indépendance de la personne. Dans ce modèle, chacun veille à ses propres intérêts et on laisse une grande liberté à l'individu. Les notions d'estime de soi et de dépassement personnel sont valorisées.

Dans le modèle culturel communautaire, la personne est définie selon ses relations sociales et il n'y a pas de coupure entre le lien familial et le groupe d'appartenance. Le « nous » prédomine sur le « je ». Les individus sont liés les uns aux autres par des liens très forts qui viennent de leur sentiment d'appartenance à leur communauté d'origine et le renforcent. Dans ce modèle, on encourage le développement de valeurs comme la patience, la coopération et la conciliation.

Voyons de plus près quels sont, dans chacun de ces modèles, les valeurs et les comportements associés à la conception de soi et des autres.

LA CONCEPTION DE SOI : L'INDIVIDU DANS SES RAPPORTS AVEC LA COMMUNAUTÉ

Dans les sociétés de type individualiste, l'individu est responsable de sa destinée ; il est autonome et indépendant. Il est en compétition avec les autres et est appelé à se dépasser continuellement. On valorise la prise de décision, l'initiative. Les valeurs véhiculées par l'individualisme sont donc l'indépendance, la réussite, la compétition, le plaisir, la liberté et l'autonomie. Par exemple, à l'école, on développe rapidement l'autonomie des enfants : on leur demande leur opinion, on leur apprend à tenir un agenda… Très jeunes, ils décident de l'achat de leurs vêtements, de leurs jeux, etc. Plus tard, pendant leurs études, plusieurs jeunes ont un travail rémunéré pour avoir une certaine autonomie financière.

Dans les sociétés de type communautaire, le groupe a beaucoup plus d'importance et l'intérêt de celui-ci passe en premier. On est d'abord membre d'une collectivité, d'une famille, d'une entreprise, d'un village… La société développe chez les individus un fort sentiment d'appartenance à la famille, à la communauté, lesquelles leur assurent protection en retour. Les valeurs véhiculées dans ce type de société sont la loyauté, l'unité, la conformité, l'interdépendance, le sens du devoir, l'harmonie du groupe, l'obéissance.

De façon générale, dans les sociétés de type communautaire, où tout le monde connaît tout le monde, le regard de l'autre est très important. La réputation de l'individu est une forme de contrôle social. La bonne ou mauvaise réputation d'une personne dépend de la façon dont elle a assumé ses responsabilités dans les rôles qui lui sont dévolus : l'homme doit gagner sa vie et celle de sa famille, la femme doit avoir des enfants, l'enfant doit être studieux, les gens âgés doivent conseiller de la meilleure façon les membres de la famille. Dans les sociétés de type individualiste, le regard de l'autre est aussi important, mais surtout face aux rôles professionnels. Ainsi, on exigera d'un policier qu'il soit compétent, au service de la population, mais on se préoccupera beaucoup moins des rôles qu'il joue dans sa vie personnelle et du fait, par exemple, qu'il soit marié ou célibataire.

La hiérarchie, l'autorité

Les sociétés de type individualiste valorisent l'égalité entre les individus dans tous les aspects de la vie. Au travail, par exemple, on consulte ses collègues avant de prendre des décisions, on ne valorise pas nécessairement ce qui symbolise le statut social. Souvent les patrons et les employés sont vêtus de façon identique, se tutoient. Les hiérarchies basées sur les origines sociales ou familiales sont remises en question.

Dans les sociétés de type communautaire, la hiérarchie est considérée comme normale et doit s'afficher publiquement. L'autorité et la soumission sont marquées par les gestes, le langage, les salutations, les vêtements… Dans les pays plus pauvres ou de type communautaire, le fait de se promener en auto peut être un signe de richesse et de prestige. Un individu qui se promène avec les clés de son auto pourra même bénéficier de certains privilèges, comme passer avant quelqu'un chez le médecin ou joindre plus rapidement un fonctionnaire.

La perception de la police

Plusieurs immigrants viennent de pays où les droits de la personne sont bafoués, où il y a des dictatures ; plusieurs sont des réfugiés qui se sont enfuis après avoir été emprisonnés, torturés… Quand ils arrivent au Canada ou au Québec, ils peuvent encore craindre des représailles. Dans de nombreux pays, la police n'assure pas toujours la protection des gens ; son rôle est plutôt répressif. Dans des sessions de formation avec les policiers, on entend souvent des histoires comme celle de ce Sri Lankais qui doit aller au poste de police et dont la conjointe est terrorisée, car elle est persuadée qu'il ne ressortira jamais de ce poste. Il en est de même pour ce Chilien qui demande bien candidement : « Si on se fait arrêter par la police au Québec, est-ce qu'on se fait torturer ? » (session de formation dans un Centre d'intégration des immigrants, donnée par Jean-Sébastien Fleury, agent de concertation communautaire, SPVM, 2002).

LES RAPPORTS FAMILIAUX

La notion de famille

Depuis les années 1960, le Québec a subi des mutations profondes qui ont transformé les modèles familiaux. Ces transformations se sont traduites par une diminution de la taille de la famille, une augmentation des unions de fait et des ruptures conjugales ; on assiste ainsi à une diversité de types de familles, dont les familles biparentale, monoparentale et recomposée (Valois, 1998). L'autorité parentale et les soins de l'enfant, qui étaient entre les mains de la famille élargie, relèvent aujourd'hui presque exclusivement des parents et il y a une concertation limitée entre les membres de la famille.

Dans plusieurs sociétés de type communautaire, c'est la famille élargie qui prévaut et les liens entre parents et enfants sont forts mais non exclusifs (Verbunt, 1996). Les liens avec les oncles, tantes ou cousins sont si forts que ceux-ci peuvent être considérés comme des pères et des mères. On peut voir, par exemple, une mère haïtienne immigrer avec sa sœur et son beau-frère, et ce dernier s'occuper de ses neveux et nièces comme s'ils étaient ses propres enfants. Le grand frère ou la grand-mère peuvent aussi représenter les parents s'il faut rencontrer un enseignant à l'école ou aller chercher un adolescent au poste de police. Les

---

Pour qui me prenez-vous ?

Quelques semaines après son arrivée, un ingénieur iranien ayant obtenu asile au Canada se rend dans un bureau du gouvernement dans le but d'obtenir des équivalences de ses diplômes. À la réception, il demande à être reçu immédiatement, car il a laissé ses enfants seuls à la maison. La réceptionniste lui réplique froidement : « Prenez un numéro et attendez votre tour. » L'homme demande à voir le responsable du bureau. La réceptionniste refuse en disant qu'on ne dérange pas le directeur pour n'importe quoi. Furieux, l'ingénieur sort du bureau et se demande comment il a pu venir dans un pays si peu civilisé (Daoust et al., 1992).

Pourquoi cet homme réagit-il ainsi ? Cet ingénieur avait probablement un statut social important dans son pays d'origine et bénéficiait de privilèges inhérents à ses fonctions. Il n'a peut-être jamais eu à attendre pour recevoir des services. En venant au Québec, il a perdu une partie des privilèges liés à son statut social.

tantes, les oncles discutent de l'éducation des enfants. Les adultes sont responsables de tous les enfants qui les entourent. Un individu peut même corriger un enfant dans la rue parce qu'il juge son comportement inacceptable ou le protéger dans des situations où il le croit en danger.

Les enfants, mêmes majeurs, demeurent les enfants de leurs parents. Bien que les liens se distendent lorsque les enfants fondent à leur tour un foyer, les contacts sont fréquents entre les membres de la famille immédiate. Les enfants sont éduqués avec le sens de l'« obligation familiale ». On s'attend à ce qu'ils agissent de telle ou telle façon, qu'ils étudient dans tel ou tel domaine, qu'ils fassent « honneur » à leur famille.

SAVIEZ-VOUS QUE...

Les membres de la famille vietnamienne s'adressent les uns aux autres en fonction de leurs relations plutôt que par leur nom. Un Vietnamien parlera de sa sœur n° 2 pour désigner la deuxième fille de la famille. Une maxime vietnamienne illustre cela : « Si tu rencontres un aîné, appelle-le grand-père, s'il est un peu plus jeune, appelle-le oncle et s'il a à peu près ton âge, appelle-le frère aîné. »

Les relations avec les personnes âgées

Dans les sociétés de type communautaire, les personnes âgées sont valorisées ; on les associe à la sagesse et elles méritent le respect. Les personnes âgées demeurent avec leurs enfants et leurs petits-enfants, dont elles s'occupent pendant que les parents travaillent. En fait, dans plusieurs sociétés, être jeune n'est pas nécessairement un atout.

Par exemple, un homme d'origine africaine qui vit au Québec n'hésitera pas à téléphoner à sa mère qui vit en Afrique pour lui demander conseil dans l'achat d'une maison, le choix de sa conjointe ou des études de ses enfants.

Dans les sociétés de type individualiste, on ne valorise pas le fait de vieillir, on glorifie plutôt la jeunesse. Les personnes âgées, financièrement autonomes pour la plupart, vivent dans leur propre maison ou appartement et mènent une vie active à l'extérieur de leur famille. Elles peuvent cependant entretenir avec les membres de leur famille des liens très étroits basés sur l'entraide et le respect.

Les relations entre les hommes et les femmes

Dans les sociétés de type communautaire et plus traditionnelles, le dicton « la femme au foyer, l'homme au café » symbolise une distribution traditionnelle des rôles entre les hommes et les femmes qui subsiste encore dans plusieurs régions (Verbunt, 1996). La femme a une fonction reproductrice et l'homme lui assure, à elle et à sa progéniture, nourriture, toit, soins et protection. L'éducation des enfants, surtout en très bas âge, relève des femmes. Elles sont aussi responsables des décisions concernant l'organisation matérielle de la maison. Elles ont généralement des amies à elles, dont sont souvent exclus les hommes.

Dans les sociétés de type individualiste, les hommes et les femmes occupent souvent à la fois l'espace privé et l'espace public. Les tâches ménagères sont un peu mieux réparties entre les conjoints (bien que les femmes s'occupent encore un peu plus de l'organisation familiale et que les chefs de famille monoparentale soient surtout des femmes). La répartition des tâches domestiques relève plus du goût et des compétences de chacun que d'un modèle culturel traditionnel.

Les relations entre les adultes et les enfants

On s'étonnera de la liberté de parole des enfants issus des sociétés de type individualiste, qui seront souvent vus, par les membres de sociétés plus traditionnelles, comme des enfants mal éduqués, qui répondent à leurs parents. Les parents qui discutent à table avec leurs enfants, qui leur demandent leur avis, les enfants qui ont des droits, qui participent à leur propre éducation, qui achètent leurs propres produits de consommation, tout cela semble bien étrange pour les parents issus de sociétés de type communautaire.

Dans plusieurs sociétés de type communautaire ou plus traditionnelles, les châtiments corporels sont une composante normale du processus éducatif au sein de la famille et même de l'école. Dans la société québécoise, comme dans d'autres sociétés de type individualiste, le châtiment corporel d'un enfant est souvent balisé par la loi.

LES RELATIONS SOCIALES ET INTERPERSONNELLES

La sociabilité

Chaque culture a ses façons d'aborder une personne, ses sujets de conversation, ses façons de remercier... Par exemple, chez les Vietnamiens, la distance et la discrétion priment. L'exubérance et le fait de parler fort et trop vite les mettent souvent mal à l'aise. La politesse étant très importante pour eux, les Vietnamiens évitent d'interrompre leurs interlocuteurs. Se laisser aller à la colère est aussi mal vu dans cette culture qui valorise le contrôle de soi.

Dans plusieurs cultures de type communautaire, les conversations portent d'abord sur des détails avant de déboucher sur des considérations plus personnelles. On ne va pas tout de suite à l'essentiel ; on amorce la conversation en s'informant de la santé des membres de la famille, des enfants, des grands-parents, ensuite du travail... Dans les sociétés de type individualiste, la façon d'amorcer la conversation est beaucoup plus directe ; on va droit au but, sans préambule. D'ailleurs, on interprète souvent le fait de s'exprimer indirectement comme de l'hypocrisie.

Les salutations

Contrairement à ce que l'on pense, la poignée de main des Occidentaux n'est pas universelle. Il existe beaucoup d'autres façons de se saluer. Par exemple, plusieurs personnes joignent leurs mains et baissent la tête. Les Européens, et particulièrement les Français, s'embrassent sur les joues trois ou quatre fois. Les Asiatiques préfèrent le salut de la taille fait à une distance respectable. Dans plusieurs cultures, se prosterner devant son invité est un signe de politesse ; pour d'autres, c'est la

SAVIEZ-VOUS QUE...

Une étude sur la discrimination en matière d'emploi (Bourque et Rioux, 1991) a révélé que la manière d'utiliser le nom des immigrants ou le fait de se moquer de leur accent peuvent constituer une façon détournée de les rejeter. Il est donc primordial, pour un intervenant social, de se doter d'une première « compétence interculturelle » qui touche les noms des personnes. Cela peut se faire en deux temps : d'abord apprendre à prononcer les noms de façon adéquate, puis s'intéresser au nom des personnes.

Excès ou manque de politesse ?

Un immigrant récemment arrivé au Québec téléphone au ministère du Revenu pour demander un renseignement. Lorsque la préposée lui répond, il lui demande comment elle va. Surprise, elle lui dit qu'elle va très bien. Il enchaîne en lui demandant si elle est mariée et si elle a des enfants. Offusquée devant tant de sans-gêne, elle lui raccroche au nez.

Pourquoi ces personnes agissent-elles ainsi ?
Les deux parties sont en état de choc culturel : d'un côté, la préposée ne peut pas comprendre qu'un inconnu lui pose ces questions qu'elle juge personnelles ; de l'autre, l'immigrant considère que la plus élémentaire des politesses lui commande de s'informer sur la vie de la personne qui lui répond au téléphone.

marque d'une soumission indigne. Pour plusieurs, une petite tape sur l'épaule ou dans le dos est un signe de gentillesse ; pour d'autres, c'est une insulte.

Dans toute rencontre interculturelle, outre la façon de saluer, l'utilisation adéquate du nom et du prénom de la personne à qui nous nous adressons est primordiale. Nous côtoyons de plus en plus de gens issus de différentes ethnies et nous avons souvent tendance à confondre leur nom et prénom. D'ailleurs, comment prononcer ces noms sans insulter les personnes, sans susciter la moquerie des autres ? Comment réagirions-nous si on modifiait notre nom sous prétexte qu'il est trop long ou trop difficile à prononcer, si on nous interpellait uniquement par notre nom de famille, si on mélangeait constamment nos nom et prénom ?

Les tabous

Les tabous relèvent de la partie cachée de l'iceberg. Est tabou tout sujet dont on ne peut pas traiter, qu'on ne peut critiquer sans encourir la réprobation sociale. Par exemple, de façon générale, les Européens n'aiment pas se faire demander combien d'argent ils gagnent, alors que les Nord-Américains le disent volontiers. La mort est souvent taboue dans les sociétés de type individualiste ; on en parle le moins possible. Dans les sociétés de type communautaire, la mort fait partie de la vie ; on fait référence aux morts, on leur demande conseil. Par exemple, au Mexique, le jour de la fête des Morts (le 1er novembre), on mange des gâteaux en forme de crâne et de tombe, et l'on se recueille dans les cimetières.

La sexualité est aussi un sujet tabou dans plusieurs sociétés ; alors que certaines cultures en font un étalage systématique, d'autres sociétés ont une attitude plus réservée vis-à-vis d'elle et considèrent qu'elle relève du domaine privé.

Les cadeaux et les pourboires

Dans certaines cultures, lorsqu'on offre un cadeau — à l'hôte qui reçoit par exemple —, on s'attend à ce que la personne l'ouvre sur-le-champ pour montrer qu'elle est sensible à cette attention ; dans d'autres cultures, on n'ouvre pas le cadeau devant la personne qui l'a donné, pour ne pas créer de malaise.

Qui est-ce ?

Pour chacun des noms suivants, tentez d'identifier le sexe, le prénom et le nom ainsi que l'origine ethnique ou nationale de la personne qui le porte.

> Ajit Singh Kalsi
> Ganesh Kumar Sharma
> Nguyen Van Thuy
> Mohandas Karamchand Ghandi
> Ali ibn Cheikh
> Gerardo Lopez Nuñez
> Panagiota Macrisopoulos

Un pot-de-vin ?

Une policière arrête un automobiliste qui roule dans une voiture dont les feux arrière ne fonctionnent pas. Elle lui demande ses papiers d'immatriculation et lui explique la raison de son arrestation. L'homme, qui comprend très mal le français et l'anglais, ne sait pas trop ce qui lui arrive et semble étonné qu'on l'arrête pour si peu. Lorsque la policière lui remet une contravention, il lui tend un billet de 50 $ en lui demandant si c'est suffisant pour l'annuler. La policière est offusquée. Comment devrait-elle réagir ?

(Omaïra Falcone, intervenante à la Maison l'Hirondelle)

Au Québec, accepter de l'argent pour faire annuler une contravention, c'est percevoir un pot-de-vin et c'est illégal. Pourquoi cet automobiliste lui offre-t-il cet argent ? Il vient probablement d'un pays où cela fonctionne ainsi. Dans plusieurs pays, en effet, la profession de policier n'est pas valorisée et de nombreux agents ne sont pas bien payés ou ne sont pas payés du tout. Ils sont souvent obligés d'accepter de l'argent, des cadeaux, pour subsister.

Que devrait faire la policière dans ce cas ? Après avoir vérifié les antécédents de l'automobiliste, elle devrait lui expliquer que cela ne se passe pas ainsi au Québec et qu'il doit payer la contravention.

Comment distinguer un pourboire d'un pot-de-vin ? Dans plusieurs sociétés occidentales, on glisse un petit montant en argent, un pourboire, au coiffeur, au serveur dans un restaurant, à la femme de chambre dans un hôtel… Un petit cadeau peut être offert à un enseignant, à un camelot… Dans plusieurs sociétés de type communautaire, il est aussi normal de donner de l'argent à un fonctionnaire pour qu'il fasse passer notre dossier avant les autres, d'offrir un montant d'argent au policier pour qu'il ne nous donne pas de contravention…

L'humour

S'il est un domaine où l'on perçoit les différences culturelles entre les sociétés ou même les individus, c'est bien celui de l'humour. L'humour est local. On rit d'une blague ici, on ne la trouve pas drôle ailleurs. On s'étonne que tel humoriste réussisse alors qu'on le trouve si ennuyant. Encore là, les thèmes abordés, les mots utilisés, la grivoiserie par exemple, peuvent être bien perçus ou paraître vulgaires, disgracieux…

L'alimentation

Manger est culturel. Les heures de repas et la composition de ceux-ci diffèrent selon les cultures. En Amérique du Nord, la journée commence souvent par un déjeuner où l'on consomme de la viande. En Europe, le petit-déjeuner est léger : un café, un croissant. Dans plusieurs pays, après le petit-déjeuner et le déjeuner, on prend un goûter vers 17 heures, puis un repas plus copieux vers 22 heures. En général, les Américains prennent le repas du soir très tôt, vers 18 heures. Dans toutes les cultures, il y a des rituels spécifiques au déroulement d'un repas : dans certains pays, les plats se succèdent dans un ordre rigide (potage, entrée, mets principal, salade, fromage, dessert) ; dans d'autres, on met tout sur la table et chacun se sert. Comment mange-t-on ? Avec des baguettes, avec un couteau et une fourchette, avec ses mains. Les Européens trouvent qu'au Québec on mange beaucoup avec ses mains ; en France, on vous donnera un couteau et une fourchette pour manger une pomme après le repas. Dans certaines cultures, on jette par terre ce qui n'est pas comestible et l'on ramasse après ; dans d'autres, on met les déchets dans

Humour ou mépris ?

L'humour peut aussi dénoter une certaine forme de mépris dans la relation interculturelle, comme l'illustre l'exemple suivant.

Deux policiers arrêtent un automobiliste qui vient d'effectuer un virage interdit. Le conducteur explique, avec un fort accent, qu'il ne connaît pas la ville et qu'il cherche une adresse. En vérifiant les papiers, un des policiers constate que l'automobiliste vient d'Égypte. À son collègue, il dit : « En Égypte, ils sont plus habitués à conduire des chameaux que des autos. » L'automobiliste, qui est médecin, est très blessé par la remarque du policier et adresse une plainte au directeur de la police pour manque de savoir-vivre de ses agents (Daoust, 1992).

Qu'en pensez-vous ? Cette blague dénote évidemment une méconnaissance de l'Égypte. Il y a 14 millions d'habitants dans la ville du Caire et des millions d'automobiles y circulent quotidiennement. Il faut sûrement être un très bon conducteur pour s'y aventurer. La blague dénote aussi un peu d'ethnocentrisme et de mépris de la part du policier qui a pour seule référence les chameaux, qu'il associe aux pays arabes. Cette blague est-elle si grave ? Ce qui est grave, c'est que le policier a dit cette blague alors qu'il était en service.

Les bonnes manières à table

Vous invitez des gens à manger chez vous. Les énoncés suivants reflètent leurs façons de se comporter à table. Selon vous, lesquelles sont de mauvaises manières ?

1. Attend qu'on lui assigne une place.
2. Prend une aile de poulet avec ses doigts.
3. Trempe son pain dans la sauce.
4. Commente l'excellence de la nourriture.
5. Met son coude sur la table.
6. Refuse une deuxième assiette.
7. Lèche la sauce avec ses doigts.
8. Rote après le repas.
9. Jette ses arêtes de poisson par terre.
10. Récite une prière avant le repas.
11. Mélange la nourriture qui est dans son assiette.
12. Se propose pour faire le service.
13. Raconte des histoires grivoises.
14. Parle la bouche pleine.
15. Laisse de la nourriture dans son assiette.

Source: Bourque, 1995.

des plats sur la table. Même la façon de faire savoir qu'un mets est bon varie selon les cultures ; par exemple, faire du bruit avec la langue en mangeant peut constituer un signe d'appréciation.

Dans certaines cultures, on détermine ce qui est bon à manger et ce qui ne l'est pas. Par exemple, les lois alimentaires kascher spécifient comment les animaux destinés à la consommation doivent être tués, interdisent de mélanger le lait à la viande, etc. En Inde, on fait une distinction entre les aliments *pakka* (bien cuits, pelés et frits dans du beurre clarifié) et les aliments *kaccha* (simplement bouillis).

La propreté et les odeurs

La propreté est une question de culture. En Amérique du Nord, on prend un bain ou une douche tous les jours ; on se lave tellement que plusieurs médecins disent que cela peut causer un vieillissement prématuré de la peau… Telle personne insiste sur la propreté du corps, telle autre sur la propreté de l'environnement.

Les règles de propreté et d'hygiène sont des éléments importants dans les codes non verbaux entre les individus et elles font l'objet de préjugés tenaces. Les conditions de vie, par exemple, peuvent influer sur la propreté : si l'on n'a pas d'eau courante et qu'il faut marcher une heure pour aller en chercher, on ne prend pas un bain chaque jour ; on se lave autrement.

Les odeurs font aussi partie d'un univers gouverné par la subjectivité et les valeurs culturellement transmises et apprises. Qu'est-ce qu'une bonne odeur ? Répondre à cette question, c'est arriver à la conclusion que ce qui sent bon pour l'un peut être nauséabond pour l'autre. Lorsqu'on dit « cela sent mauvais », on parle souvent d'une odeur à laquelle on n'est pas habitué, qu'on ne connaît pas ou qu'on n'aime pas.

Dans plusieurs sociétés, on camoufle, on masque les odeurs naturelles du corps en utilisant un arsenal de déodorants, de savons, de lotions après-rasage, de dentifrices rafraîchissants. Les odeurs naturelles sont bannies. Dans d'autres sociétés, on se méfie des excès de propreté ; on utilise moins de savon et plus de parfum.

La vie quotidienne : l'habitat et l'espace

Dans les sociétés de type individualiste, la notion d'espace personnel est très importante. *Une chambre à soi*, a écrit Virginia Woolf. Dans les sociétés plus occidentalisées, une norme culturelle sociale dicte l'espace : une pièce par personne, tant de mètres carrés pour tant de personnes. Une famille de deux adultes et deux enfants peut ainsi occuper un logement de quatre ou cinq pièces. On ne pourrait imaginer moins d'espace. Par ailleurs, il n'est pas rare de voir un couple sans enfants ou une personne seule habiter une maison de deux étages.

Dans plusieurs sociétés de type communautaire, la cohabitation intergénérationnelle est valorisée : les grands-parents s'occupent des jeunes enfants et vivent sous le même toit que leurs enfants et leurs petits-enfants. Les maisons disposent d'une grande pièce centrale où tout se passe et qui peut devenir à certains moments de la journée un espace de recueillement, un lieu où l'on reçoit et, le soir, un endroit où l'on dort. Souvent les nouveaux arrivants issus de ces sociétés s'inquiètent de ne pas trouver d'appartement assez grand pour loger les grands-parents.

Dans les sociétés de type individualiste, les espaces de la maison peuvent être divisés de multiples façons. Ainsi, dans les sociétés modernes, les habitations comportent des zones de repos (les chambres à l'étage dans un cottage), des zones plus conviviales (la cuisine et la salle à manger), des zones de travail, des aires pour les enfants (le sous-sol, par exemple). Dans ce type de société, l'individu aimera un appartement où il peut s'isoler. On apprendra d'ailleurs à l'enfant à s'isoler dans sa chambre pour réfléchir ou se calmer.

Dans une société de type communautaire, le silence signifie l'absence des autres, et cela est insupportable, parce que les autres, c'est le réconfort. Par exemple, dans quelques sociétés asiatiques ou arabes, il n'y a pas nécessairement de portes ni de cloisons étanches. Souvent les individus qui viennent de ces cultures trouvent étrange la coutume de fermer les portes dans les bureaux ou dans les maisons ; pour eux, c'est une barrière à la communication... Au Québec, on ferme sa porte de bureau lorsqu'on veut travailler tranquille, mais si quelqu'un cogne à la porte, ce n'est pas un problème. En Allemagne, par contre, on ferme les portes, car on considère qu'une porte laissée ouverte suggère un certain laisser-aller (Bourque, 1995). En Amérique latine, les gens se sentent plus à l'aise devant une porte ouverte. Dans les petites communautés, dans les villages, on ne ferme pas à clé la porte de sa maison, car on connaît tout le monde. C'est souvent le passage à la ville qui incite les gens à mettre des serrures à leurs portes.

Dans des sociétés de type plus communautaire, l'habitat est conçu différemment ; il comporte un grand espace qui peut remplir de multiples fonctions : manger, recevoir, s'amuser, discuter et dormir. Dans les pays où il fait chaud presque toute l'année, la vie se passe à l'extérieur, au vu et au su de tout le monde. Il y a une grande proximité physique et affective. Le besoin d'espace personnel et d'intimité ne se fait pas sentir de la même façon que dans les sociétés de type individualiste. Dans plusieurs types de sociétés plus communautaires, l'espace est divisé, par exemple, entre les femmes et les hommes : l'intérieur de la maison est réservé à la femme, l'extérieur est occupé par l'homme.

LA COMMUNICATION INTERCULTURELLE

La notion de distance sociale

Dans plusieurs sociétés de type communautaire, les gens se tiennent par la main, par le bras, se rapprochent pour se parler. Dans chaque culture, des normes culturelles régissent nos comportements. Prenons le cas de deux hommes qui se tiennent par le cou ou par le bras. Dans la culture arabe, un tel comportement est tout à fait normal ; dans une société comme la nôtre, on est enclin à penser qu'il s'agit d'homosexuels. À l'inverse, une femme et un homme qui adoptent le même comportement seront mal vus, et ce, dans plusieurs cultures arabes ou asiatiques.

Edward Hall (1979) a parlé d'une « dimension cachée » de la communication interculturelle. Cette dimension cachée se nomme la *distance sociale*, qui est une sorte de « bulle » que les individus se créent pour se protéger de l'intrusion des autres. Les caractéristiques de cette « bulle » varient d'une culture à l'autre. Par exemple, dans certaines cultures, les gens se parlent en se collant au visage de leur interlocuteur, alors que dans d'autres cultures la conversation se fait à une distance appréciable. Hall a défini trois types de distance culturelle : la distance intime (de 7 à 60 cm), la distance sociale (de 60 cm à 1,5 m) et la distance publique (de 2 à 30 m). En Amérique du Nord, la distance idéale pour converser avec une personne est d'environ un mètre, ce qui équivaut à la notion de distance sociale. Si l'interlocuteur transgresse cette règle implicite, son vis-à-vis peut se sentir mal à l'aise, voire agressé.

La conception du temps

S'il est un domaine où les valeurs, les visions se heurtent, c'est bien la conception que l'on a du temps.

Les cycles du temps

Dans certaines sociétés, les gens vivent au rythme des différents cycles de la vie avec ses naissances, ses mariages et ses décès. Pour les parents, les enfants seront souvent une façon de se situer dans le temps : « Julien avait cinq ans quand nous avons acheté la maison », « C'est l'année où Manon est entrée à l'université ». La façon de se représenter le temps et de le « découper » varie d'une culture à l'autre. Les peuples habitant des régions climatiques où se succèdent quatre saisons ont adapté leurs activités à chacune de ces périodes de l'année : sortir les vêtements d'hiver, faire poser des pneus d'hiver ; pour plusieurs nordiques, la folie du printemps signifie la fin de l'hiver, la liberté des gestes et du corps, et l'on en profite pour faire le ménage de la maison, laver les carreaux des fenêtres pour laisser entrer le soleil, raccourcir les jupes, sortir les sandales ; c'est un peu l'euphorie après tous ces mois d'hiver. D'autres sociétés ne connaissent que deux saisons, la saison sèche et la saison des pluies, et le découpage de la vie quotidienne suit ces saisons.

Les gens vivent aussi selon différents calendriers. Par exemple, au Québec, dans plusieurs communautés culturelles, le congé de Noël ne signifie rien. On fête le Nouvel An à différents moments de l'année selon que l'on est chinois, juif, bouddhiste, etc. À cela s'ajoutent d'autres rites hebdomadaires qui varient aussi selon les communautés : pour les juifs pratiquants, le samedi est un jour sacré ; pour les musulmans, c'est le vendredi ; pour les chrétiens, c'est le dimanche...

La notion de retard

La notion de retard est complexe, même pour des gens de même culture vivant dans la même société. Il y a des moments, des situations où l'on ne peut pas être en retard et où l'on doit même être un peu en avance ; c'est le cas notamment lorsque l'on est convoqué à une entrevue pour un emploi, que l'on assiste à un cours ou que l'on va voir une pièce de théâtre. Dans d'autres situations, on peut avoir un léger retard sans que cela soit mal vu, par exemple quand on est invité à un repas entre amis.

Dans les sociétés plus traditionnelles, le temps est plus élastique ; on ne prend pas toujours rendez-vous avec la personne ; on passe chez elle et si elle est là, tant mieux.

SAVIEZ-VOUS QUE...

Téléphoner pour annoncer son arrivée est quelque chose de bizarre pour plusieurs immigrants issus de communautés où tout le monde se connaît, où les portes sont toujours ouvertes. Souvent, les immigrants trouvent que les Québécois sont bien peu chaleureux et qu'il faut prendre rendez-vous plusieurs jours à l'avance pour les voir. Pour un Québécois, arriver chez quelqu'un à l'improviste est quelque chose d'un peu étrange et, parfois, de carrément impoli.

La communication écrite, verbale et non verbale

Outil de communication entre les individus, le langage ne se résume pas à la parole ; il inclut aussi l'écriture et la communication non verbale.

L'écriture dans la communication interculturelle

Plusieurs immigrants viennent de sociétés où l'écrit a peu d'importance et est même accessoire. On s'entend de gré à gré pour habiter un logement, on se prête des choses sans signer de papiers. L'honneur d'une personne, c'est sa parole. Souvent ces immigrants sont offusqués de devoir signer ici et là. Ils imaginent qu'on met en doute leur honnêteté. Le choc culturel est encore plus grand pour l'immigrant qui ne maîtrise ni le français ni l'anglais à son arrivée. Le choc culturel est aussi vécu par l'intervenant social qui a du mal à croire qu'on puisse ne tenir compte que de conventions orales.

Le langage verbal dans la communication interculturelle

Les mots peuvent avoir des sens différents selon les contextes où ils sont utilisés. Dans le dialogue interculturel, même si l'immigrant connaît la langue de la société d'accueil, il est important de répéter l'énoncé sous une forme différente afin d'en faciliter la compréhension, et de demander à son interlocuteur de reformuler ce que l'on vient de dire. Souvent, ça ne donne pas grand-chose de demander « Avez-vous bien compris ? » à une personne qui ne maîtrise pas bien la langue. La réponse sera presque toujours positive. Dans les cultures où la politesse est une valeur importante, dire *non* ne se fait pas, de peur d'insulter son interlocuteur. Les Chinois, par exemple, ne disent jamais *non* ; ils disent *oui* et essaient ou non par la suite de faire ce qu'on leur a demandé. Se faire répondre *oui, demain, mañana* équivaut souvent à un non, mais permet de sauver la face.

Le nouvel arrivant qui tente de parler le français a souvent de la difficulté à bien articuler les mots, à mettre les accents à la bonne place. Les Chinois et les Haïtiens ont de la difficulté à prononcer notre « r » , les arabes notre « u », les Espagnols nos « é », « è » et « j ». De plus, l'accent québécois cause bien des problèmes de compréhension à plusieurs immigrants.

Dans toute forme de communication, le vouvoiement sert à éviter la familiarité, invite à une distanciation, à un respect, mais il n'existe pas dans toutes les langues.

La structure grammaticale de la langue québécoise est quelquefois difficile à saisir ; par exemple, dans la forme interrogative, on utilise deux fois le « tu » : *Tu t'en viens-tu ?* On utilise aussi des phrases négatives en leur donnant un sens affirmatif ; par exemple, la phrase : *Il ne fait pas trop beau aujourd'hui !* signifie qu'il fait vraiment mauvais temps. Dire une phrase comme *Il n'est pas laid, cet homme !* signifie qu'on le trouve plutôt beau.

Le style se distingue dans la façon de construire son discours, le choix des expressions et des formes utilisées. Dans certaines cultures, on renforce souvent ses propos en les appuyant de mots comme *certainement, absolument,* de superlatifs comme *le plus gros, le plus beau* ; dans d'autres cultures, on aura plutôt tendance à minimiser en employant des mots comme *peut-être, probablement, quelque peu.*

Le langage non verbal dans la communication interculturelle

Les gestes, les expressions faciales, les mouvements des yeux, le froncement des sourcils, le haussement des épaules, le hochement de la tête font partie du langage non verbal, comme d'ailleurs tout ce qui fait la manière de parler.

Dans toutes les cultures, il y a des parties du corps qu'on montre et d'autres qu'on ne montre pas. Dans certaines cultures, on cache la chevelure des femmes (par exemple, certaines religieuses catholiques, certaines musulmanes). Pendant longtemps, dans les cultures occidentales, les femmes devaient porter les cheveux longs, et la coupe des cheveux féminins a été, au début du XXᵉ siècle, une véritable révolution. Dans d'autres, on ne touche pas la tête des gens, des enfants en particulier, parce qu'elle est sacrée. Dans d'autres encore, les hommes qui portent les cheveux longs sont associés à certains groupes marginaux ; dans certaines, comme chez les sikhs, les hommes ne coupent pas leurs cheveux pour des raisons religieuses.

La notion de silence doit elle aussi être prise en compte dans la communication interculturelle. Le silence peut avoir plusieurs significations. Pour les uns, il est signe de respect, de réflexion ; pour les autres, il est signe de résistance. Il est valorisé ou non selon les cultures et les circonstances. Ainsi, un Japonais qui observe des moments de silence dans une conversation montre qu'il réfléchit aux propos de son interlocuteur, au lieu de répondre du tac au tac, sans respect pour ce dernier. Pour un Nord-Américain, le silence est insupportable dans une conversation et il faut le meubler à tout prix.

Les croyances et les visions du monde

Les types de croyances

Chaque être humain a acquis et développé un système d'idées, de valeurs, de croyances qui relèvent à la fois de sa propre vision des choses et de celle de la société dans laquelle il évolue, de sa religion et de la place qu'il occupe dans cette société. Ce système de croyances est nécessaire, car il permet à l'individu de donner sens et cohérence à sa vision du monde.

Dans une société, les croyances des individus peuvent se ranger dans quatre catégories : les croyances religieuses, les croyances cosmiques, les croyances reliées au moi intérieur et les croyances sociales (Dontigny, 1990). On peut croire en un Dieu ou en plusieurs divinités, aux anges, aux prophètes, à la résurrection ; on peut croire en la détermination de son destin par des forces extérieures (astrologie, réincarnation) ; on peut avoir confiance en la force d'un « moi intérieur » pour se réaliser et résoudre des problèmes ; on peut enfin avoir des croyances sociales : croire en l'amour, en l'amitié, à la solidarité, au respect des autres. Les croyances d'une personne peuvent appartenir à plusieurs de ces catégories.

Ces croyances façonnent notre vision du monde. Par exemple, à la question « Pourquoi un individu développe-t-il une maladie comme le cancer ? » certains apporteront une réponse d'ordre génétique, d'autres diront que c'est à cause de la bonne ou de la mauvaise vie qu'il a vécue antérieurement, d'autres encore que l'équilibre physique ou psychologique est rompu. Ici, trois visions du monde s'opposent : la première est basée sur une approche scientifique, la deuxième sur une approche spirituelle et la troisième sur une approche holistique.

Les croyances religieuses

Dans les sociétés de type communautaire, la religion donne un sens à tous les aspects de la vie quotidienne et aux événements qui s'y rattachent, comme la naissance, les relations amoureuses, la maladie, la mort. Dans ces sociétés, les croyances religieuses ou cosmiques influencent toute la vie de l'être humain. Celle-ci est contrôlée en grande partie par des forces surnaturelles : « *Inch Allah (Si Dieu le veut).* » Dans plusieurs religions, l'acceptation de sa vie fait partie d'un plan divin (le *karma* par exemple). La personne ne s'attend pas à être heureuse sur terre, convaincue qu'elle sera mieux dans une vie ultérieure. Cela détermine aussi le pouvoir qu'ont les gens sur leur vie, leur destinée. Comme ils ne peuvent rien changer aux événements qui ne relèvent pas de l'être humain, ils se doivent d'accepter la vie comme elle leur est présentée.

Dans des sociétés de type individualiste, la religion est plutôt considérée comme une affaire personnelle et l'on a développé l'idée d'un certain contrôle et d'une grande responsabilité face à son destin.

Dans les sociétés de type communautaire, on accepte plus facilement l'ordre naturel des choses et l'on ne doit pas défier la nature. Dans plusieurs religions, on trouve le sacré dans la nature : l'eau, les arbres, les animaux… Par exemple, dans la religion hindouïste, on se baigne dans les fleuves sacrés et l'on ne consomme pas de viande. Les sociétés de type individualiste essaient pour leur part de contrôler la nature, car elle doit leur servir. Il leur faut donc la transformer afin de pouvoir utiliser ses ressources au maximum. Ces sociétés sont plus axées sur le confort et le matérialisme.

Le tableau 12.1 synthétise les informations présentées dans ce chapitre.

Tableau 12.1 Les sociétés à modèle culturel de type individualiste et de type communautaire.

L'INDIVIDU DANS SES RAPPORTS AVEC LA COMMUNAUTÉ		
	Modèle culturel de type individualiste	**Modèle culturel de type communautaire**
Notion d'individu	▪ Modèle qui prône l'autonomie et l'indépendance de l'individu.	▪ Modèle axé sur les relations de l'individu avec sa communauté.
Hiérarchie et autorité	▪ Modèle qui prône l'égalité entre tous les individus. ▪ Perception de la police : assure la sécurité des individus.	▪ Modèle basé sur la hiérarchie. ▪ Perception de la police : peur, représailles.
RAPPORTS FAMILIAUX		
	Modèle culturel de type individualiste	**Modèle culturel de type communautaire**
Notion de famille	▪ Modèle fondé sur la famille immédiate (nucléaire, monoparentale, recomposée). ▪ Concertation limitée entre les membres de la famille.	▪ Modèle fondé sur la famille élargie. ▪ Concertation entre tous les membres de la famille élargie (notion d'obligation familiale).
Relations avec les personnes âgées	▪ Modèle qui valorise la jeunesse. ▪ Valorisation de l'autonomie des personnes âgées.	▪ Modèle qui valorise la sagesse associée à l'âge. ▪ Prise en charge des personnes âgées par la famille.
Relations hommes–femmes	▪ Modèle basé sur l'égalité des hommes et des femmes.	▪ Modèle qui divise les rôles et les tâches entre les hommes et les femmes.
Éducation des enfants	▪ Sous la responsabilité des parents.	▪ Sous la responsabilité de tous les adultes de la communauté.
Rapport avec l'autorité	▪ Chacun peut avoir une opinion. On sollicite l'opinion de tous les membres. C'est une autorité partagée et diffuse.	▪ Autorité assumée par un individu qui a la responsabilité de prendre des décisions ; les membres du groupe ont le devoir d'obéissance.
RELATIONS SOCIALES ET INTERPERSONNELLES		
	Modèle culturel de type individualiste	**Modèle culturel de type communautaire**
Relations interpersonnelles	▪ Modèle qui valorise les contacts directs, sans détour.	▪ Modèle qui valorise le contact par des intermédiaires considérés comme essentiels à toute relation importante ; communication axée sur le rituel et la retenue.
Sociabilité	Diffère d'une société à l'autre. ▪ Salutations ▪ Cadeaux et pourboires ▪ Alimentation ▪ Tabous ▪ Humour ▪ Propreté et odeurs	
Vie quotidienne : habitat et espace	▪ Importance accordée à l'espace personnel. ▪ Besoin de silence et d'isolement.	▪ Cohabitation intergénérationnelle valorisée. ▪ Besoin de proximité physique et affective.

COMMUNICATION INTERCULTURELLE		
	Modèle culturel de type individualiste	**Modèle culturel de type communautaire**
Notion de distance sociale	Diffère d'une société à l'autre. ▪ Distance intime ▪ Distance sociale	▪ Distance publique
Conception du temps	Diffère d'une société à l'autre. ▪ Cycles du temps : saisons, calendriers ▪ Notion de retard	
Communication écrite	▪ Société surtout basée sur l'utilisation de conventions écrites.	▪ Société surtout basée sur l'utilisation de conventions verbales.
Communication verbale	Diffère d'une société à l'autre. ▪ Sens des mots et accents de la langue ▪ Structure grammaticale ▪ Style du discours	
Communication non verbale	Diffère d'une société à l'autre. ▪ Rapports au corps ▪ Silence	
Croyances et visions du monde	▪ La religion est plutôt une affaire individuelle. ▪ Relation avec la nature : contrôle de l'environnement.	▪ La religion est au centre de la vie communautaire. ▪ Relation avec la nature : respect de l'ordre naturel des choses.

CHAPITRE 13

L'intervention interculturelle

Les policiers et policières sont de plus en plus confrontés, dans leur pratique quotidienne, à des valeurs et à des façons de faire qui diffèrent des leurs et qui parfois s'y opposent. Il devient donc très important d'apprendre à mieux communiquer et à mieux intervenir auprès d'une population de plus en plus pluriethnique. Dans ce chapitre, nous nous intéresserons à la résolution d'incidents critiques. Nous présenterons d'abord dix cas à résoudre, allant du plus simple au plus complexe. Pour être en mesure de proposer des éléments de solution à ces cas, vous devrez chercher dans l'ensemble du présent ouvrage des informations sur différentes communautés, sur des valeurs, des croyances, des modes de vie et des comportements. Plus loin dans ce chapitre, nous suggérerons des propositions de réponse qui pourront être discutées avec l'enseignant ou l'enseignante.

Lorsqu'un problème devient plus complexe et qu'il nécessite une approche plus rigoureuse, la méthode SARA (Situation–Analyse–Réponse–Appréciation) est intéressante. Cette méthode, qui est à la fois une philosophie de travail et une technique, peut être appliquée quotidiennement dans les pratiques policières. Nous proposerons donc un cas qui a été traité à l'aide de cette méthode. Enfin, vous serez amené à évaluer votre connaissance de vous-même et de votre culture, ainsi que vos habiletés en matière d'interventions interculturelles.

Le choc culturel et la méthode de résolution d'incidents critiques

Faire face à des valeurs différentes produit un choc culturel, lequel se définit comme une « réaction de dépaysement, plus encore de frustration ou de rejet, de révolte et d'anxiété, en un mot une expérience émotionnelle et intellectuelle, qui apparaît chez ceux qui, placés par occasion ou profession hors de leur contexte socioculturel, se trouvent engagés dans l'approche de l'étranger » (Cohen-Émérique, 1984). De nombreux intervenants, dont les policiers, vivent quotidiennement ce genre d'expérience.

Le choc culturel vécu par les immigrants est différent puisqu'il fait partie du processus d'intégration, ces derniers ayant à adapter leurs valeurs et leurs comportements à ceux de la société d'accueil. Le choc culturel est aussi souvent vécu par des personnes qui appartiennent à la majorité d'accueil ; c'est alors une rencontre avec la différence qui peut susciter des réactions de refus, de frustration et d'incompréhension (Barrette, Gaudet et Lemay, 1996).

Pour intervenir efficacement dans les situations où entrent en jeu des chocs culturels, Margalit Cohen-Émérique a développé une méthode qui repose sur le principe de la décentration. Voyons quelles en sont les étapes.

1. Identifier les comportements et les valeurs en cause.

Il importe de cerner ce qui cause la réaction de choc culturel. Le policier ou la policière doit comprendre que personne n'a tort ni raison dans cette situation.

2. Préciser les cadres de référence des acteurs en présence.

Il s'agit ici de chercher à comprendre comment l'un et l'autre interprètent la situation. Quel est le contexte global de l'événement ? Il est très important que chacun soit conscient de ses valeurs, de ses normes et de ses comportements. À certains moments, le policier n'aura qu'à expliquer les règles de sa culture ou de sa sous-culture pour les faire connaître à un interlocuteur nouvellement arrivé. À d'autres moments, il pourra accepter le fait que l'autre personne a besoin de plus de temps pour comprendre la situation ; enfin, dans d'autres situations, on doit en arriver à un compromis.

3. Déterminer les actions possibles et trouver un compromis.

Il faut distinguer, dans une situation de négociation ou de compromis, ce qui relève du domaine juridique de ce qui relève de la culture publique commune et des accommodements raisonnables. Quelles sont les obligations juridiques (*Charte des droits et libertés de la personne*, lois) ? Hormis la contrainte juridique, où se situe la limite de la tolérance et de l'ouverture à d'autres codes culturels ?

La résolution de problèmes : présentation de cas

Pour chacun des cas présentés dans cette partie du chapitre, vous aurez à identifier les comportements et les valeurs en cause, à préciser les cadres de référence de chacune des parties et à déterminer les actions possibles. À la fin du chapitre, nous apporterons des propositions de réponse qui pourront être discutées.

Cas n° 1   *Le stationnement à l'hôpital*

Un préposé à l'entrée d'un hôpital appelle les policiers. À leur arrivée, il est en pleine discussion orageuse avec un homme qui est Juif hassidique. Le véhicule de cet individu est stationné devant l'entrée de l'hôpital, où c'est interdit ; il nuit à la circulation des voitures et des ambulances. L'homme explique qu'il vient de reconduire sa conjointe qui va accoucher bientôt, mais qu'il ne peut pas déplacer son automobile puisque c'est jour de sabbat. Il a demandé au préposé de le faire pour lui, mais celui-ci a refusé en disant que cela ne faisait pas partie de son travail. Que doivent faire les policiers ?

(Incident suggéré par Jean-Sébastien Fleury, agent de concertation communautaire, Service prévention et relations communautaires, SPVM, 2000.)

Cas n° 2   *La gifle*

Les policiers reçoivent l'appel d'une jeune fille de 16 ans, d'origine pakistanaise, qui se dit victime de violence de la part de son père. Les policiers interrogent tous les membres de la famille ; le père leur dit qu'il aurait réprimandé et giflé sa fille après l'avoir entendue traiter sa mère de « folle ». Les parents refusent que leur fille se maquille, fume et sorte le soir avec des amis qu'ils ne connaissent pas. Par ailleurs, la mère et le père ne comprennent pas que les policiers leur demandent des comptes sur ce qui se passe dans leur famille ; ils désapprouvent le comportement de leur fille et entendent bien lui faire entendre raison. Les policiers ont de la difficulté à saisir ce qui se passe. Comment interpréter le comportement des parents et de la jeune fille ? Que doivent faire les policiers ?

(Incident suggéré par le commandant Michel Lecompte, poste 25, SPVM, 2000.)

Cas n° 3   *Un enfant battu*

Un homme d'origine syrienne se présente au poste de police et accuse sa femme d'avoir battu leur enfant de quatre ans. Les policiers prennent note de sa version et se rendent au domicile de la femme. Tout est tranquille, mais la mère et l'enfant ont l'air inquiets, et le petit garçon est accroché aux jupes de sa mère. La femme, qui s'exprime difficilement en français, explique qu'elle est séparée de son mari depuis deux ans et qu'il la harcèle depuis. Il a un droit de visite et vient chercher son fils à des moments précis. Ce soir-là, il a ramené l'enfant en retard et elle était très inquiète, car elle craint toujours que le père ne parte avec lui en Syrie. En venant reconduire l'enfant, il l'a traitée de « putain » devant tous les voisins. Les policiers ne voient pas de trace d'agression, mais ils doivent vérifier si l'enfant a été battu ; ils essaient de l'isoler en l'amenant dans sa chambre, mais l'enfant ne parle que l'arabe et il ne veut pas suivre les policiers. Que doivent faire les policiers ?

(Cas observé par l'auteure — patrouille avec policiers du SPVM, 2002.)

Cas n° 4   *Un soir de ramadan*

Il est 22 heures. Un policier et une policière reçoivent l'appel d'un homme qui se plaint du bruit que font ses voisins le matin très tôt et le soir très tard, en précisant que cela dure depuis plusieurs jours. Les policiers se rendent à l'appartement et constatent qu'il y a effectivement beaucoup de bruit. Plusieurs personnes sont en train de manger et de fêter. Ils demandent à parler au locataire de l'appartement. Celui-ci se fait attendre et les policiers commencent à s'impatienter. Finalement, il arrive de très bonne humeur et leur demande ce qu'ils veulent. Les policiers font état de la plainte. Le locataire précise qu'ils ne font pas tant de bruit que cela et que le voisin est intolérant. Il explique que lui-même, ses amis et ses parents sont musulmans, qu'ils ont jeûné toute la journée et que, depuis le coucher du soleil, ils ont le droit de manger et de boire ; ils en profitent donc, car ce jeûne durera trente jours. Intéressés, les policiers posent quelques questions sur cette pratique du ramadan. Tout à coup, l'homme devient plus coopératif et baisse le volume de la musique. Il offre un thé à la menthe aux policiers. Comment expliquer ce changement d'attitude de la part du locataire ? Que doivent faire les policiers ?

(Cas observé par l'auteure — patrouille avec policiers du SPVM, 2002.)

Cas n° 5   *Le départ du foyer parental*

Par une chaude soirée de juillet, un policier et une policière reçoivent un appel concernant un cas de « violence intrafamiliale », dans une famille d'origine salvadorienne. Installée au Québec depuis deux ans, madame Lopez et ses enfants ont de sérieux problèmes avec leurs voisins, qui se sont plaints d'eux à la police à plusieurs reprises en raison du bruit. Ce soir-là, réveillée brusquement par des cris et des pleurs persistants, la voisine de palier des Lopez n'a pas hésité à alerter la police.

Quelques minutes plus tard, les policiers se présentent à l'appartement de la famille en question. Ils remarquent que Maria, l'aînée qui a 17 ans, a des ecchymoses sur le visage. La mère, énervée, explique que sa fille lui a fait part de son projet d'aller vivre avec un copain, un Québécois, qu'il le lui a interdit et que son frère Sandro l'a corrigée.

Madame Lopez rassure les policiers, déclare que tout est normal et qu'il n'y a aucune raison de porter plainte contre son fils. Maria demande elle aussi aux policiers de laisser son jeune frère tranquille. Elle affirme que tout est de sa faute. Refusant de discuter plus longtemps, les deux policiers décident d'amener Sandro au poste pour un interrogatoire. Maria et sa mère se mettent alors à crier et à protester vivement, accusant les policiers de racisme. Que devaient faire les policiers ?

Cas n° 6   *Le loyer impayé*

Les policiers sont appelés par un voisin qui signale qu'une famille d'immigrants récemment arrivée du Pakistan vient d'être évincée de son logement parce qu'elle n'a pas payé son loyer depuis plusieurs mois. À l'arrivée des policiers, tous les membres de la famille, composée de quatre adultes, dont deux personnes plus âgées, et de deux enfants en bas âge, sont sur le trottoir au milieu de leurs maigres possessions. Les policiers tentent de communiquer avec eux mais en vain : personne ne parle suffisamment bien le français ou l'anglais. Ils sont très tendus et n'ont pas l'air de comprendre ce qui leur arrive. L'homme qui semble être le plus âgé leur tend l'avis d'éviction qu'ils ont reçu d'un huissier et le bail qu'ils ont signé. Les policiers lisent les documents et constatent que cette famille a signé un bail de 1000 $ par mois pour un logement de quatre pièces. Que comprendre de cette situation ? Que peuvent faire les policiers ?

(Incident suggéré par le commandant Michel Lecompte, poste 25, SPVM, 2000.)

Cas n° 7   *L'interrogatoire difficile*

À la recherche d'un témoin dans une affaire de vol, un policier et une policière se rendent chez des citoyens originaires du Viêt-nam qui auraient vu quelque chose. Il y a plusieurs personnes dans la même pièce : deux parents âgés, le père, la mère et leurs enfants, dont deux semblent dans l'adolescence. Tout le monde parle en même temps dans une langue que les policiers ne comprennent pas ; les policiers s'adressent alors à une jeune fille qui semble parler le français. Le père semble mécontent de cela, et la jeune fille s'esquive. Un de ses frères, qui vient d'arriver et est donc peu au courant du vol, s'impose pour répondre aux policiers, même s'il ne parle pas mieux le français que les autres. Peu de temps après, le policier et la policière se retrouvent devant une dizaine d'adultes subitement arrivés qui veulent savoir ce qui se passe et qui leur posent des questions. Le père dispute sa fille et adresse des reproches au policier. Il ignore complètement la policière. Les policiers ne comprennent pas ce qui se passe et se demandent à quoi rime tout ce cirque. Comment interpréter le comportement des différents acteurs ? Que doivent faire le policier et la policière ?

(Inspiré de J. Daoust *et al.*, *Cours de formation sur les relations interculturelles et interraciales*, Programme de formation élaboré pour la Sûreté du Québec et l'Institut de police du Québec, 1992.)

Cas n° 8   *La jupe trop courte*

Des policiers répondent à l'appel d'une locataire qui leur dit que son voisin, un immigrant d'origine marocaine, a agressé sa conjointe et que celle-ci a réussi à fuir. Lorsque les policiers arrivent à l'adresse donnée, ils trouvent un homme dans la trentaine qui est fortement agité. Celui-ci, un ingénieur actuellement sans travail, affirme que sa conjointe, qui s'est rapidement trouvé un emploi dans une entreprise montréalaise, le trompe puisqu'elle revient de plus en plus tard de son travail et qu'elle prend plaisir à se vêtir d'une jupe trop courte à son goût. Lorsque la dame revient au domicile, elle ne comprend pas ce qui se passe. Elle dit s'être enfuie et avoir « fait le tour du bloc » afin de permettre à son mari de reprendre ses esprits. Mais son mari s'empresse de l'accuser d'avoir porté plainte contre lui. La dame nie fermement et refuse de porter une accusation contre son mari. Mais en s'approchant d'elle les policiers remarquent qu'elle porte des traces évidentes d'agression et que le mari s'agite encore davantage. Comment expliquer le comportement des différents acteurs et que doivent faire les policiers ?

(Inspiré d'un incident suggéré par Zarah Gallem, travailleuse sociale, 2001.)

Cas n° 9   *La salle de prière*

À la suite d'une plainte, des policiers se rendent chez une famille bouddhiste qui vient d'arriver du Cambodge. Cette famille de dix enfants vit dans un logement de cinq pièces. Lors de la visite, les policiers constatent qu'une pièce de l'appartement est transformée en salle de prière où l'on trouve un autel et différentes figurines, et où brûle de l'encens. Il n'y a aucun meuble dans les autres pièces, que des boîtes pour ranger des effets. Dans la cuisine, il y a un poêlon électrique et quelques assiettes. Les policiers ne voient pas de lit, mais des matelas empilés dans une pièce. Comment les membres de cette famille peuvent-ils vivre ainsi, sans le moindre confort, entassés les uns sur les autres ? Les policiers signalent le cas à la Direction de la protection de la jeunesse en disant : « Des gens civilisés ne vivent pas de cette façon. » Les parents ne comprennent pas pourquoi les policiers agissent ainsi. Comment interpréter le comportement des membres de la famille et des policiers ? Les policiers ont-ils bien agi ?

(Inspiré de Margalit Cohen-Émérique, « Choc culturel et relations interculturelles dans la pratique des travailleurs sociaux », *Cahiers de sociologie économique et culturelle*, 1984.)

Cas n° 10   *Une chicane de voisins*

Les policiers sont appelés par un universitaire d'origine sénégalaise qui accuse son voisin de le menacer et de vouloir détruire son jardin. Ce voisin, tout en traitant l'autre de « nègre », raconte aux policiers que l'homme d'origine africaine a frappé à la figure son fils de dix ans parce qu'il avait traversé son jardin avec sa bicyclette et abîmé ses plantes et ses fleurs. Le citoyen d'origine africaine est visiblement choqué que les policiers se mêlent de cette histoire de correction ; il explique qu'il avait averti l'enfant et son père à plusieurs reprises et qu'il a simplement donné une correction bien méritée à l'enfant. Il ajoute que c'est un enfant mal élevé et que son père ne s'en occupe pas comme il le devrait. Les policiers trouvent bien étrange le comportement de cet homme qui se croit dans son droit d'avoir corrigé l'enfant. Comment expliquer le comportement des différents acteurs et que doivent faire les policiers ?

(Inspiré de J. Daoust *et al.*, *Cours de formation sur les relations interculturelles et interraciales*, Programme de formation élaboré pour la Sûreté du Québec et l'Institut de police du Québec, 1992.)

La résolution de problèmes : propositions de réponse

Cas n° 1   *Le stationnement à l'hôpital*

1. Identifier les comportements et les valeurs en cause.

Religion, communication, intolérance.

2. Préciser les cadres de référence des acteurs en présence.

Le Juif hassidique

C'est samedi, jour de sabbat. Du vendredi soir au coucher du soleil jusqu'au samedi au coucher du soleil, les Juifs pratiquent le sabbat ; ils ne peuvent pas se servir de l'électricité, cuisiner, conduire leur voiture, etc. Ils doivent se reposer et prier. Il est donc interdit à cet homme de conduire son automobile, sauf en cas d'urgence (c'est pour cela qu'il a pu reconduire sa conjointe à l'hôpital). Maintenant que son épouse est en sécurité, il ne peut plus déplacer son véhicule. Il a demandé au préposé de le faire, mais celui-ci a refusé. Il le trouve peu compréhensif.

Le préposé

Il trouve que cet homme est complètement irresponsable, car il met en danger la vie de personnes qui ne peuvent pas entrer à l'hôpital. De plus, il trouve qu'il manque de courtoisie et de savoir-vivre. Il ne comprend pas comment une religion peut interdire de conduire une auto. Il lui semble que l'individu pourrait se montrer plus accommodant. Quant à son refus de déplacer lui-même l'auto, le préposé le justifie en précisant qu'on ne l'a pas engagé pour déplacer les véhicules, mais pour faire respecter le règlement.

3. Déterminer les actions possibles et trouver un compromis.

Ce qui relève du domaine juridique

La sécurité des personnes est effectivement menacée si l'entrée de l'hôpital est bloquée. Les policiers pourraient donner une contravention à l'homme qui refuse de déplacer sa voiture, ou encore la faire remorquer si la réglementation municipale le permet.

Que peuvent faire les policiers ?

> Les policiers pourraient essayer de négocier avec l'individu pour qu'il déplace son véhicule.

> Les policiers pourraient aussi demander à l'individu s'il a des amis qui pourraient venir déplacer l'auto, ou s'il est membre du CAA.

> À long terme, les policiers pourraient demander à la direction de l'hôpital de permettre au préposé de déplacer les voitures les jours de sabbat (quand il y a une urgence). Ils pourraient aussi conseiller au Juif hassidique de se déplacer en taxi, la prochaine fois.

Cas n° 2   *La gifle*

1. Identifier les comportements et les valeurs en cause.

Violence familiale, relations adolescents–parents, statut social des femmes, autorité paternelle, présence d'un étranger dans les affaires familiales.

2. Préciser les cadres de référence des acteurs en présence.

Les parents

Ils sont préoccupés par le fait que leur fille ne les respecte pas. Comment peut-elle les traiter ainsi, eux qui ne songent qu'à son bien ? Selon eux, une fille bien éduquée ne se maquille pas, ne fume pas et ne sort pas avec des gens que ses parents ne connaissent pas. Ils ne comprennent pas comment leur fille a pu appeler la police et rendre public ce qui devrait se régler au sein de la famille.

L'adolescente

Elle veut vivre comme tous ses amis de l'école. Ses amies québécoises se maquillent, fument et sortent avec des gens que leurs parents ne connaissent pas. Elle conteste l'autorité de ses parents et refuse de vivre comme s'ils étaient encore dans leur pays d'origine. Elle voudrait leur faire comprendre, mais ils ne veulent pas dialoguer avec elle. Elle sait qu'au Québec elle a des droits et elle entend les faire respecter.

3. Déterminer les actions possibles et trouver un compromis.

Ce qui relève du domaine juridique

Le *Code criminel* permet aux parents la réprimande dans l'éducation de leurs enfants. Évidemment, il faut vérifier s'il s'agit d'une gifle ou d'un comportement répétitif ou abusif.

Ce qui relève du domaine culturel

Ce problème est lié à la deuxième génération d'immigrants, celle des enfants nés au Québec, ou qui y sont arrivés très jeunes, et qui ont adopté les codes culturels de la société tout en continuant d'utiliser ceux de la société d'origine de leurs parents. Ils sont souvent déchirés entre ces deux cultures et adoptent des stratégies identitaires parce qu'ils veulent faire plaisir à leurs parents, mais aussi parce qu'ils ont des valeurs différentes des adolescents québécois.

Il faut aussi faire attention aux préjugés à l'endroit des parents québécois et de leur permissivité vis-à-vis de leurs enfants. Les immigrants ont parfois tendance à penser que les jeunes Québécois peuvent tout faire. Ils sont étonnés de voir que les parents québécois établissent souvent des règles avec leurs adolescents, par exemple en ce qui a trait aux sorties.

Que peuvent faire les policiers ?

Les policiers isolent la jeune fille et la questionnent : a-t-elle reçu une gifle ou est-elle maltraitée par ses parents ? Les policiers rédigent un rapport sur le conflit familial pour assurer un suivi. Des copies sont envoyées au centre opérationnel.

Les policiers peuvent tenter de réconcilier l'adolescente avec ses parents et les diriger vers des organismes qui pourraient les aider (comme le CLSC). Ils pourraient ainsi expliquer aux parents qu'au Québec les filles peuvent se maquiller et fumer sans pour autant être « dévergondées ». Il faudrait aussi conseiller à la jeune fille de faire attention à ses fréquentations et lui rappeler qu'à 16 ans les jeunes Québécois ont aussi des règles à suivre.

Cas n° 3 *Un enfant battu*

1. Identifier les comportements et les valeurs en cause.

Relations hommes–femmes, violence conjugale et familiale, difficultés avec la langue, communication non verbale, autonomie de la femme.

2. Préciser les cadres de référence des acteurs en présence.

L'homme

Il n'approuve pas la séparation avec sa conjointe. Il se sent lésé. On ne sait ni pourquoi il n'a qu'un droit de visite ni pourquoi sa conjointe a peur qu'il parte avec l'enfant en Syrie.

La femme

Elle semble traumatisée par son ex-conjoint. Il l'a traitée de putain devant tout le monde ; pour elle, c'est de la violence psychologique. De plus, il lui fait du trouble depuis qu'ils sont séparés. Elle ne comprend pas que des policiers se mêlent de leur vie privée.

L'enfant

Il semble traumatisé par l'altercation entre son père et sa mère, puis l'intrusion des policiers ; il ne veut pas les suivre, car il ne comprend pas le français. Il semble fragile et proche de sa mère.

3. Déterminer les actions possibles et trouver un compromis.

Ce qui relève du domaine juridique

On soupçonne ici un cas de violence familiale et conjugale. Les policiers tiennent compte de la version de l'homme et de celle de la femme. Ils font un rapport et peuvent enquêter auprès des voisins. Les policiers pourraient vérifier auprès de la femme si elle a l'adresse de son ex-conjoint, s'il est allé chercher son passeport récemment, s'il la menace d'enlever l'enfant. A-t-il déjà agressé l'enfant ? A-t-il déjà menacé d'enlever l'enfant ?

Ce qui relève du domaine culturel

Les policiers doivent d'abord vérifier si l'enfant a été battu. Pour ce faire, ils doivent isoler l'enfant et arriver à communiquer avec lui. Il leur faudrait trouver un interprète ou un policier qui parle l'arabe. Si l'enfant a été battu, il faut chercher à savoir par qui. Si l'enfant n'a pas été battu, pourquoi l'homme accuse-t-il son ex-conjointe de l'avoir fait ?

Les policiers doivent sécuriser la mère et l'enfant. Lorsqu'elle dit que son ex-conjoint lui fait du trouble, de quels troubles s'agit-il ? Vraisemblablement, cette femme a honte d'être séparée, n'aime pas que des personnes qui ne font pas partie de la famille soient au courant de ce qui se passe entre elle et son ex-conjoint, et a peur des représailles de sa part.

Autres questions à poser

Comment se fait-il que cette femme ne parle pas bien le français ? Est-elle complètement seule ici ? Comment se fait-il aussi que son enfant, à quatre ans, ne parle que l'arabe ? A-t-il des contacts avec des enfants qui parlent le français ? Est-ce qu'il va dans une garderie ? Les policiers pourraient diriger la mère vers des organismes d'aide juridique et sociale pour elle et son enfant.

Cas n° 4 *Un soir de ramadan*

1. Identifier les comportements et les valeurs en cause.

Religion et pratique religieuse, convivialité et voisinage, communauté, perception de la police, perception du temps.

2. Préciser les cadres de référence des acteurs en présence.

Les musulmans

Ils ont jeûné toute la journée ; le soir, ils reçoivent parents et amis afin de s'encourager mutuellement. Ils prennent tout leur temps pour répondre aux policiers, car ils pensent qu'ils seront aussi intolérants que leurs voisins. Ils sentent qu'ils ne sont pas tellement acceptés en tant que musulmans au Québec. Par contre, lorsqu'ils constatent l'intérêt des policiers, ils leur offrent du thé et baissent le volume de la musique.

Les policiers

Les policiers ont reçu une plainte de bruit excessif, ils doivent donc procéder. Ramadan ou pas, ils doivent appliquer la loi. Ils trouvent que les gens prennent leur temps pour leur répondre. Ils trouvent bien bizarre de se faire offrir un thé alors qu'ils viennent leur interdire de faire du bruit. Ils ne savent pas trop comment se comporter.

3. Déterminer les actions possibles et trouver un compromis.

Ce qui relève du domaine juridique

Le bruit excessif relève de la réglementation municipale ; après avoir constaté qu'il y a infraction, les policiers peuvent émettre une contravention. Par contre, si c'est une première fois, ils peuvent donner un avertissement et faire un historique de la plainte. Si, à l'intérieur d'une semaine, il y a une autre plainte, alors ils émettront une contravention.

Ce qui relève du domaine culturel

Le ramadan est un rituel religieux mais aussi communautaire. Dans les pays musulmans, la vie sociale et professionnelle est organisée en fonction de ce rituel. Par exemple, après le jeûne, les gens se retrouvent dans les restaurants pour manger ensemble. Ici, les musulmans doivent s'organiser entre amis et parents.

Le fait que les policiers se sont intéressés au ramadan les a aidés à entrer en relation avec ces gens. Dans plusieurs cultures, le fait d'offrir quelque chose à un invité est une façon de préparer la communication, de favoriser la convivialité. Les policiers peuvent accepter de prendre le thé s'ils en ont le temps.

Cas n° 5   *Le départ du foyer parental*

1. Identifier les comportements et les valeurs en cause.

Famille élargie, rôles dans la famille, châtiments corporels, violence intra-familiale, obligation familiale.

2. Préciser les cadres de référence des acteurs en présence.

La mère

Pour la mère, lorsqu'on quitte le foyer parental, c'est pour se marier. Comment sa fille peut-elle penser aller vivre avec son copain sans se marier ? Elle tient aussi à ce que sa fille reste vierge jusqu'au mariage. Elle contrôle donc ses sorties. Par ailleurs, elle trouve normal que son fils aîné corrige sa fille ; le père n'étant pas là, c'est le fils aîné qui est responsable de l'éducation des enfants et de la cohésion de la famille.

La jeune femme

Elle est amoureuse d'un Québécois qui, lui, ne veut rien savoir du mariage. Elle a parlé de son projet d'aller vivre avec lui à sa mère et à son frère, mais comme ils ne sont pas d'accord, elle ne le fera pas. Elle n'est pas du tout sûre de ses choix. Elle sait qu'elle doit aider les siens et a conscience de son rôle au sein de sa famille. Elle préfère renoncer à son projet. Elle ne veut pas que son frère soit pénalisé pour l'avoir frappée, car il l'a fait pour lui faire entendre raison.

Les policiers

Ils trouvent bizarre d'être accueillis dans cette famille comme si rien ne s'était passé. Les policiers ne comprennent pas qu'un projet aussi banal que de vouloir cohabiter avec son copain déclenche toute cette violence.

La jeune fille ayant été violentée, pourquoi la mère et la fille les traitent-ils de racistes alors qu'ils veulent porter assistance à la jeune fille ?

3. Déterminer les actions possibles et trouver un compromis.

Ce qui relève du domaine juridique

La loi sur la violence intrafamiliale demande qu'il y ait un plaignant. Les policiers expliquent la réglementation. Le frère n'a pas d'autorité sur sa sœur. Il a commis une voie de fait et pourrait être poursuivi. On isole la jeune fille. Les policiers doivent faire un rapport qui sera archivé.

Ce qui relève du domaine culturel

Les jeunes des familles immigrées ont souvent des obligations familiales. Le fait de vivre chez leurs parents, même après la majorité, est quelque chose de normal et même de souhaitable dans plusieurs communautés. Les intérêts de la famille passent avant tout. Normalement, un jeune doit faire preuve de maturité avant de se marier. La stabilité financière est un préalable au départ du foyer. Dans plusieurs sociétés, le départ des enfants en dehors du mariage est souvent envisagé comme quelque chose de blessant ou d'humiliant pour les parents. On ne valorise pas l'autonomie des jeunes à l'extérieur du foyer parental. De plus, pour plusieurs, le mariage est un engagement religieux qu'il ne faut pas prendre à la légère.

Les policiers peuvent adresser cette famille à des organismes d'aide.

Cas nº 6   *Le loyer impayé*

1. Identifier les comportements et les valeurs en cause.

Immigrant de récente arrivée, famille élargie, communication verbale et écrite, perception de la police, méconnaissance des lois québécoises.

2. Préciser les cadres de référence des acteurs en présence.

La famille

Cette famille, récemment arrivée au Canada, regroupe trois générations. En raison de la langue, ses membres ne comprennent pas l'avis d'éviction, comme ils n'ont probablement pas compris le bail qu'on leur a fait signer. Ils se demandent ce qui leur arrive, n'ont presque rien et sont stressés car ils ne savent pas où aller. Ils ne savent pas s'ils doivent faire confiance aux policiers.

Les policiers

Ils ne comprennent pas comment cette famille a pu louer un logement si cher. Ils ne comprennent pas pourquoi ces gens ont signé un bail s'ils ne sont pas capables de lire et, surtout, pourquoi ils n'ont pas payé le loyer. Est-il trop cher ?

Se sont-ils fait flouer par le propriétaire du logement ? Savaient-ils à quoi ils s'engageaient en signant un bail ?

3. Déterminer les actions possibles et trouver un compromis.

Ce qui relève du domaine juridique

Selon la loi, les locataires doivent payer leur loyer et respecter leur bail. Les policiers, après avoir vérifié les documents remis, pourraient les adresser à des ressources communautaires qui les aideront dans leur démarche de location d'un appartement.

Ce qui relève du domaine culturel

Les membres de cette famille font probablement partie des gens qui entrent au Canada sans savoir parler ni le français ni l'anglais. Au Pakistan, il y a deux langues officielles : l'ourdou et l'anglais (qui est enseigné à l'école). S'ils ne comprennent pas bien l'anglais, ces gens parlent fort probablement l'ourdou, mais ils peuvent aussi parler le panjabi (très utilisé comme langue maternelle) ou le sindhi. L'écriture ourdoue utilise l'alphabet arabe ; donc ils ne connaissent probablement pas l'alphabet latin.

La notion de bail est reliée à la culture de l'écrit, que l'on trouve dans les pays de droits, industrialisés et modernes. Dans plusieurs pays, la location d'un logement se fait de gré à gré, oralement, entre les personnes que cela concerne.

Que peuvent faire les policiers ?

Les policiers doivent demander l'intervention d'un interprète. Avec l'aide de ce dernier, ils peuvent diriger les membres de cette famille vers des ressources dans leur communauté qui les renseigneront sur le logement au Québec.

Cas n° 7   *L'interrogatoire difficile*

1. Identifier les comportements et les valeurs en cause.

Famille élargie, communauté, rôles à l'intérieur de la famille, relations hommes–femmes, autorité du père, méconnaissance de la langue française, perception de la femme en situation d'autorité.

2. Préciser les cadres de référence des acteurs en présence.

Les membres de la famille

L'intervention de la police est un événement important et tous les membres du groupe (famille élargie) se sentent touchés par cette histoire. La présence d'un véhicule de police devant le domicile et la réaction du voisinage peuvent susciter un malaise chez ces gens.

Dans une famille élargie, le problème de l'un devient rapidement le problème de l'autre, et tout le monde tente d'apporter son soutien à l'individu en difficulté.

Le père rabroue sa fille parce qu'à ses yeux une fille n'a pas à se mêler de cela. Il propose plutôt que son fils aîné parle avec les policiers.

Le père ne prête aucune attention à la policière parce qu'il ne reconnaît pas l'autorité d'une femme.

Les policiers

Ils ne sont pas habitués à faire affaire avec tant de personnes à la fois. Comme tout le monde parle en même temps dans une langue qu'ils ne connaissent pas, ils ne savent pas à qui s'adresser. Ils ne comprennent pas pourquoi le père rabroue la jeune fille qui parle le français mais laisse son fils intervenir.

3. Déterminer les actions possibles et trouver un compromis.

Ce qui relève du domaine culturel

Dans plusieurs cultures, il faut respecter la hiérarchie au sein de la famille. Si les policiers n'en tiennent pas compte, ils n'obtiendront aucune collaboration. Chez de nombreux immigrants, les enfants qui fréquentent l'école française apprennent la langue beaucoup plus rapidement que leurs parents et grands-parents, ce qui a pour effet d'inverser les rôles dans la famille. Les enfants jouent rapidement des rôles d'adultes, car ce sont eux qui remplissent les formulaires, qui traduisent les journaux, qui vont faire les achats.

Les policiers ont-ils bien agi ?

Les policiers ont commis un impair en s'adressant à la jeune fille sans essayer de parler au père ou au grand-père. Les policiers doivent le plus possible s'adresser à la personne mandatée par le groupe. Dans ce cas-ci, ils auraient dû parler au père en premier et lui demander la permission de parler à sa fille, qui semble la seule à parler le français. Le père se serait senti respecté dans son rôle d'autorité et aurait probablement consenti à ce que les policiers parlent à sa fille. Il est important pour lui de ne pas perdre la face devant tout le monde.

La policière doit évaluer si elle s'affirme ou non en tant que femme et professionnelle. Si elle considère que cela peut retarder indûment le cours des choses, elle peut laisser son partenaire mener l'enquête. Si elle considère que c'est important qu'elle s'affirme, elle doit le faire.

Cas n° 8 *La jupe trop courte*

1. Identifier les comportements et les valeurs en cause.

Violence conjugale, statut social, relations hommes–femmes, intégration à la société d'accueil.

2. Préciser les cadres de référence des acteurs en présence.

L'homme

L'homme ne s'est pas encore trouvé d'emploi, contrairement à sa conjointe. Il est très frustré de cette situation. Dans plusieurs cultures, l'homme et la femme ont des rôles définis : l'homme est pourvoyeur économique et détient une autorité morale sur la femme, qui s'occupe de la maison et de l'éducation des enfants. Il trouve que sa femme s'émancipe beaucoup trop à son goût. Elle s'est fait un réseau social et elle vit comme les Québécoises, elle sort et elle s'habille à la mode. Il sent que son autorité est contestée et il ne comprend pas cela. Comme il n'a pas beaucoup de contacts avec l'extérieur, il lui est peut-être plus difficile d'adhérer aux valeurs et aux comportements de la société d'accueil.

La femme

Elle refuse de porter plainte contre son mari, car elle comprend probablement dans quel état il se trouve. Elle s'est engagée dans un processus d'intégration plus rapidement que son conjoint (adaptation sociale) et elle a déjà adopté des valeurs (égalité des femmes) et des comportements différents (sortir avec des collègues, s'habiller à la mode) propres à son nouveau pays. Par contre, elle ne veut pas affronter cette violence ni envisager une séparation, car elle a peur d'être rejetée de sa communauté ou de sa famille, ce qui lui est peut-être plus difficile à supporter que la violence.

Le couple immigrant se retrouve souvent privé du soutien et de l'aide concrète de la famille élargie. Il doit alors faire l'apprentissage de la famille nucléaire (père, mère et enfants), parfois sans aucune aide financière ni psychologique.

3. Déterminer les actions possibles et trouver un compromis.

Ce qui relève du domaine juridique

Si les policiers constatent qu'il y a eu violence, ils n'ont pas besoin d'un plaignant. Ils doivent expliquer à l'homme qu'ils vont l'amener au poste et qu'une plainte sera déposée contre lui. On mènera alors une enquête et l'on gardera l'homme jusqu'à sa comparution devant un juge ou on le libérera avec promesse de comparution (mais il n'aura pas le droit de retourner chez lui).

Ce qui relève du domaine culturel

Les policiers peuvent expliquer à l'homme qu'au Québec les hommes et les femmes sont égaux, à l'intérieur du ménage, dans la vie professionnelle et sociale. Les femmes peuvent s'habiller comme elles le veulent…

Les policiers peuvent peut-être proposer au mari de consulter des organismes d'aide et d'information. Ils peuvent aussi orienter la femme vers des ressources d'aide contre la violence conjugale (CLSC, maisons d'hébergement pour femmes violentées).

Cas n° 9   *La salle de prière*

1. Identifier les comportements et les valeurs en cause.

Religion, valeurs culturelles et matérielles, habitat et distance sociale, nombre d'enfants, préjugés.

2. Préciser les cadres de référence des acteurs en présence.

La famille

Les enfants sont la valeur la plus importante pour cette famille. Dans plusieurs sociétés à modèle culturel communautaire et plus traditionnelles, on ne peut pas imaginer une famille qui n'aurait qu'un ou deux enfants.

Pour ces gens, il est souhaitable de vivre tous ensemble, même dans un espace restreint, car ce qui prime, ce n'est pas le confort ou l'intimité, mais la cohésion du groupe et le support que chaque membre en tire. La définition du confort n'est pas strictement matérielle pour eux ; ils ont des biens essentiels, ils peuvent faire à manger, ils ont des boîtes pour ranger leurs effets et couchent sur des matelas par terre. Ils n'ont pas besoin de plus.

Le confort comprend aussi une partie spirituelle ; la religion est pour eux une valeur essentielle et il est important d'avoir un endroit chez soi pour prier. Ils considèrent que leurs enfants ne manquent de rien, car ils sont entourés par tous les membres de leur famille et ils mangent à leur faim.

Les policiers

Les policiers comprennent mal qu'une famille puisse avoir dix enfants. Ils sont préoccupés par le fait que douze personnes vivent dans un appartement qui compte cinq pièces. Ils trouvent que ces gens vivent entassés les uns sur les autres. Ils sont aussi préoccupés par le fait qu'il n'y a pas vraiment de meubles dans l'appartement ; il devrait y avoir au moins un poêle, un réfrigérateur, une table, des chaises, des lits…

Les policiers sont choqués par le fait que des gens puissent transformer une pièce en lieu de prière alors qu'ils manquent tellement d'espace.

Enfin, ils se demandent si le bien-être des enfants est assuré, celui-ci étant défini par les biens matériels nécessaires (espace, meubles, vêtements, nourriture) et des normes de santé physique et mentale (temps à consacrer aux enfants, aux loisirs) propres à la société québécoise.

3. Déterminer les actions possibles et trouver un compromis.

Ce qui relève du domaine juridique

Une enquête doit être faite pour s'assurer du bien-être physique et psychologique des enfants : par exemple, on pourrait aller à l'école rencontrer des professeurs afin de vérifier si les enfants évoluent dans un milieu sécuritaire, s'ils ont à manger, s'ils sont en santé, etc.

Ce qui relève du domaine culturel

Les policiers pourraient se poser ces questions avant de prendre position :

❭ Les parents manquent-ils d'argent pour acheter des meubles ou est-ce un choix ?

❭ La famille aimerait-elle avoir un logement plus grand ?

❭ La famille peut-elle prier ailleurs et utiliser cette pièce pour loger les enfants ?

❭ Est-ce que des organismes communautaires pourraient aider cette famille ?

Les policiers ont-ils bien agi ?

Ils ont pris une décision un peu rapide… Ils auraient pu poser quelques questions avant d'adresser ce cas à la Direction de la protection de la jeunesse. Une meilleure connaissance de ce que vit cette famille aurait pu s'avérer utile. De plus, ils auraient pu éviter la phrase : « Des gens civilisés ne vivent pas de cette façon. » Cette phrase est teintée de stéréotypes et de préjugés. Il y a plusieurs façons de vivre, plusieurs façons d'avoir une vie spirituelle, plusieurs façons de s'approvisionner, plusieurs façons de cuisiner… Par exemple, beaucoup de gens ont l'habitude de faire leur marché tous les jours parce qu'ils veulent manger des aliments frais.

Cas n° 10   *Une chicane de voisins*

1. Identifier les comportements et les valeurs en cause.

Propriété privée, responsabilité des adultes, racisme, châtiments corporels.

2. Préciser les cadres de référence des acteurs en présence.

L'homme d'origine sénégalaise

Cet homme a constaté que l'enfant était mal éduqué et, selon ses valeurs, il se devait d'intervenir. Dans sa société d'origine, tous les adultes sont responsables des enfants et ils doivent leur assurer encadrement et protection. De plus, pour lui, un châtiment corporel de ce type ne pose pas problème. Il n'a pas battu l'enfant, il l'a giflé pour qu'il se souvienne du méfait qu'il a commis.

Le père

Le père est offusqué, car il trouve qu'un étranger n'a pas à corriger son enfant. Il trouve insultant qu'un étranger lui dise comment l'éduquer ; il ne l'accepterait peut-être même pas de parents proches ou d'amis. Depuis quelques années, les châtiments corporels à l'endroit des enfants sont fortement réprimés. Il a traité son voisin de « nègre » sous l'impulsion de la colère.

Les policiers

Ils ne comprennent pas et n'approuvent pas le comportement de l'homme d'origine sénégalaise, mais ils doivent procéder, car c'est lui qui a déposé la plainte. Le voisin est-il raciste ?

3. Déterminer les actions possibles et trouver un compromis.

Ce qui relève du domaine juridique

Le père de l'enfant est responsable des méfaits de celui-ci. L'homme d'origine sénégalaise peut être accusé de voie de fait et le voisin de racisme.

Ce qui relève du domaine culturel

Les policiers devraient vérifier comment se porte l'enfant et indiquer à l'homme d'origine sénégalaise qu'au Québec ce sont seulement les parents ou des personnes mandatées qui s'occupent de l'éducation des enfants.

Ils pourraient aussi suggérer au voisin d'empêcher son fils d'aller dans le jardin de cet homme.

Les policiers devraient aussi vérifier si le voisin comprend la composante affective du mot *nègre* qui est très insultante pour l'Africain.

Les policiers devraient amener les deux voisins à se parler et à comprendre qu'ils ont tous les deux des torts dans cette affaire et qu'ils gagneraient à chercher à se respecter mutuellement.

La résolution de problèmes plus complexes : le modèle SARA

Le niveau d'intervention policière varie selon le type de problèmes. En fait, ce sont les caractéristiques des problèmes (dangerosité, fréquence…) qui permettent de distinguer les situations faciles à régler de celles qui exigent une analyse rigoureuse avant d'intervenir. Le tableau 13.1 présente les critères permettant d'évaluer la gravité et l'ampleur d'un problème.

Les cas que nous avons présentés jusqu'ici dans ce chapitre relèvent pour la plupart du premier niveau, parfois du deuxième. Lorsqu'un problème atteint un

Tableau 13.1 Critères pour évaluer la gravité d'un problème.

Critères	Les dimensions d'un problème		
	Niveau 1	**Niveau 2**	**Niveau 3**
Dangerosité	**Modérée :** intervention du premier intervenant ou du premier répondant	**Élevée :** intervention de nombreux policiers	**Très élevée :** intervention de brigades spécialisées
Branche du droit	**Privé :** intervention limitée à la négociation, à la pacification, à l'information	**Pénal :** moyens d'intervention limités par les lois pénales	**Criminel :** vaste éventail de moyens d'intervention
Fréquence	**Isolée :** intervention ponctuelle	**Sporadique :** approche préventive ou communautaire	**Fréquente :** approche proactive et prévention en partenariat avec les citoyens
Complexité	**Simple :** procédure prescrite par le service policier	**Difficile :** nécessité d'analyser systématiquement le problème pour intervenir efficacement	**Complexe :** plan d'intervention des services policiers en cas d'accidents graves
Position de l'intervenant	**Interne :** analyse du problème et adoption de solutions comportementales	**Externe :** utilisation des ressources du service et des techniques qui permettront de résoudre le problème	**Mixte :** supervision adéquate de l'intervention (appel aux ressources d'un autre service policier, par exemple)

Source : Lionel PRÉVOST, *Résolution de problèmes en milieu policier*, Mont-Royal, Modulo, 1999, 181 p.

niveau de complexité plus élevé, les policiers et policières peuvent recourir au modèle SARA, lequel suggère une démarche en quatre étapes :

> **S**ituation : identification du problème ;
> **A**nalyse : mesure de l'ampleur du problème et recherche de ses causes ;
> **R**éponse : élaboration d'un plan d'action ;
> **A**ppréciation : validation des stratégies et ajustement.

Pour illustrer comment cette méthode peut s'appliquer, nous vous présentons un problème complexe qui a fait l'objet d'une étude par la section Prévention et relations communautaires du Service de police de la Ville de Montréal (Néron, 2000). Une fois que vous aurez pris connaissance de la situation et de l'analyse qui en a été faite, vous devrez chercher à résoudre ce problème complexe. Les solutions proposées et l'appréciation des stratégies et ajustements seront présentées par la suite.

RÉSOLUTION D'UN PROBLÈME COMPLEXE : GANGS DE RUE ET CONFLITS INTERETHNIQUES

Situation   Identification du problème

Plusieurs événements violents impliquant des jeunes issus de diverses communautés et s'identifiant à des gangs de rue se sont produits dans les secteurs Villeray, Petite-Patrie et Plateau Mont-Royal. Le 2 avril 1999, 27 jeunes sont arrêtés au moment où un affrontement armé se prépare. Des armes blanches sont saisies ainsi que des bâtons et des barres de métal. Des 61 jeunes associés à ces événements, 59 sont d'âge mineur et 23 fréquentent la même école secondaire.

Les intervenants du milieu (YMCA, centres jeunesse, enseignants) estiment que la situation se dégrade et que les actes de violence sont en recrudescence, de même que le désordre public (graffitis, méfaits, etc.). De plus, plusieurs jeunes décrochent des activités scolaires, parascolaires, communautaires et de loisir. Les citoyens du quartier, les passants et les commerçants notent de plus en plus de comportements arrogants chez certains jeunes ainsi qu'une augmentation des affrontements entre groupes de jeunes.

Analyse   Mesure de l'ampleur du problème et recherche de ses causes

« La présence d'armes blanches est très inquiétante et des événements majeurs viennent appuyer cette préoccupation au cours des mois de mars et d'avril (tentative de meurtre à coups de machette et saisies de diverses armes blanches). Mais c'est sans doute le fond de conflit interethnique à l'origine de ces événements qui fait craindre une escalade de violence, comme en témoignent les faits suivants :

a) La tentative de meurtre du 2 avril, commise par de jeunes Asiatiques, vise de jeunes Latino-Américains et fait suite à des altercations antérieures. Les informations obtenues lors de l'enquête sur cet affrontement confirment qu'il s'agit d'un règlement de comptes entre de jeunes Noirs et de jeunes Asiatiques.

b) Dans un événement antérieur survenu dans le secteur du PDQ 39, ce sont des jeunes d'origine asiatique qui sont venus à la rescousse d'un des leurs pris à partie par de jeunes Haïtiens. Les membres d'un gang impliqués dans cet événement sont d'origines étrangères diverses (Sud-Américains, Polonais, Grecs, Haïtiens) et se sont ligués contre les jeunes Vietnamiens.

c) Les éléments suivants doivent également être pris en considération dans la présente analyse :

> La presque totalité de ces jeunes n'ont pas de dossier judiciaire ou d'antécédents criminels au moment des événements. Certains d'entre eux ne semblent pas encore être des membres en règle des gangs.

> Le YMCA du secteur doit fermer le Centre des jeunes pour une période de trois semaines en raison des conflits entre des jeunes fréquentant le Centre et d'autres jeunes ayant des activités à proximité.

> Les membres d'un de ces groupes se rencontrent dans une « arcade » (salle de jeux vidéo-électroniques) du secteur. Tout autour de cette arcade, sur les murs intérieurs et dans la ruelle arrière, on retrouve les graffitis du gang. Plusieurs commerçants et citoyens s'en plaignent. Les intervenants du milieu sont fortement préoccupés par la situation. Les travailleurs de rue cherchent à mieux adapter leurs activités et leurs approches afin d'offrir des solutions à ces jeunes. De son côté, les intervenants du YMCA constatent que la clientèle du Centre des jeunes est de plus en plus interpellée par les membres des gangs, ce qui occasionne des altercations verbales et physiques. Les intervenants doivent fréquemment s'interposer entre les jeunes.

> La présence de nombreux jeunes provenant des quartiers environnants et n'ayant aucune attache avec ce milieu vient compliquer la situation. Le quartier est devenu un territoire de vente de stupéfiants, ce qui entraîne des conflits et une augmentation des tensions entre les gangs.

> En ce qui concerne l'école, les enseignants notent un changement d'attitude chez les jeunes. Ils sont plus hostiles et arrogants. Plusieurs d'entre eux se rassemblent après les classes et se livrent à de l'intimidation auprès d'autres élèves. Peu d'élèves sont prêts à porter plainte contre qui que ce soit. »

(Néron, 2000.)

Réponse Élaboration d'un plan d'action

Pour ce qui est de la prévention, plusieurs objectifs sont visés :

> **Rencontrer les parents** des jeunes identifiés dans le dossier afin de les informer du phénomène des gangs de rue et de l'attrait que celui-ci exerce sur leur jeune, de même que des différentes formes qu'il peut prendre. Cette démarche vise à **rendre ces parents plus aptes** à comprendre pourquoi leurs enfants agissent ainsi et comment ils peuvent intervenir auprès d'eux. On renseigne également les parents sur les différentes ressources sociales et communautaires qui existent.

> **Rencontrer les jeunes** le même soir que leurs parents mais dans des locaux différents. Il s'agit ici de les **sensibiliser aux conséquences des gangs de rue** sur leurs responsabilités à l'égard des actes criminels qu'ils commettent.

Comment ces rencontres se passent-elles ? Ces rencontres sont animées par des **policiers qui sont déjà connus des jeunes**. On regroupe les jeunes selon leur origine ethnique. Par exemple, les jeunes d'origine asiatique rencontrent un agent d'origine vietnamienne accompagné des enquêteurs du module asiatique de l'antigang. De plus, une dame d'origine vietnamienne qui travaille pour une institution financière et qui possède une formation universitaire participe à la rencontre. On veut par là présenter aux jeunes asiatiques un modèle positif et accessible qui tient compte de leur bagage culturel.

Pour ce qui est de la formation, l'objectif visé est de :

> **Permettre à des policiers et des policières d'acquérir des connaissances** précises sur certaines réalités comme les gangs de rue, l'animation des groupes de jeunes et le travail en collaboration avec des partenaires sociaux. Pour ce faire, on organise un jumelage entre policiers des postes de quartier et agents expérimentés de la Section prévention et Relations communautaires ou enquêteurs sur les « gangs de rue ».

En outre, comme plus de 75 % des jeunes visés viennent de groupes ethniques divers (Grecs, Sud-Américains, Polonais, Chinois, Haïtiens, Vietnamiens, Laotiens, Portugais), il apparaît essentiel d'avoir un plan de travail et de communication visant à rejoindre ces communautés.

Appréciation   Validation des stratégies et ajustement

« Cinq soirées ont été organisées par le groupe Contact pour rencontrer les parents. Les deux premières ne s'adressaient qu'à ceux dont les jeunes composaient le noyau dur. Les trois autres s'adressaient aux parents des jeunes du noyau périphérique et aux jeunes en tant que tels.

« Quelque 45 parents ont été convoqués et 26 d'entre eux se sont présentés aux rencontres. Les parents des jeunes du noyau dur ont été surpris et choqués d'apprendre que leurs enfants étaient si fortement engagés dans des événements et des activités de gang, d'autant plus qu'aucun d'entre eux ne possédait d'antécédents judiciaires avant ces délits. Ils se sont immédiatement mobilisés pour apporter des correctifs. Les collaborateurs internes et externes se sont engagés généreusement du début à la fin du projet. Le travail de concertation ressort comme une des belles réussites de cette intervention. »

(Néron, 2000.)

L'intervention en milieu pluriethnique : une compétence à développer

Une bonne connaissance de soi, sur les plans individuel et social, est très importante dans toute approche interculturelle. Un individu qui se connaît bien, qui a conscience de ses qualités, de ses défauts, de ses limites, pourra plus facilement établir un contact avec les autres. Il en va de même sur le plan culturel. Connaître sa propre culture permettra de s'affirmer, de s'ouvrir plus facilement à d'autres comportements, à d'autres valeurs, à d'autres façons de faire et aidera à surmonter les chocs culturels.

Le questionnement que propose l'encadré ci-contre peut vous aider à identifier quelques traits de votre personnalité, vos expériences de rencontre interculturelle et vos connaissances sur les plans interculturel et international. Il vous permet aussi de connaître vos habitudes de vie, de voir quels sont les emprunts culturels dans votre façon de vivre et de faire ressortir les valeurs auxquelles vous adhérez.

La connaissance de soi, de sa culture et de ses valeurs[1]

Identité

1. Décrivez-vous en quelques mots : âge, sexe, traits de personnalité, intérêts, aspirations, activités.

2. Décrivez votre origine sociale : lieu de naissance, lieu de naissance de vos parents, occupation professionnelle de vos parents.

Expériences de relations interculturelles

3. Dans votre famille,
   a) y a-t-il des individus qui ne sont pas nés au Canada ou qui sont fils et filles d'immigrants ? Identifiez-les.
   b) y a-t-il des mariages ou des unions interethniques ?

4. Dans votre entourage, y a-t-il des individus qui ne sont pas nés au Canada ? Identifiez-les.

Expériences de rencontre interculturelle

5. Avez-vous vécu des expériences de rencontre interculturelle au cours de votre vie (lors de voyages, à travers des films, des romans, une série télévisée) ? Décrivez-les brièvement.

Conscience internationale

6. Écoutez-vous des émissions de télévision ou de radio à caractère international ? Lisez-vous les nouvelles internationales dans les journaux ?

Habitudes de vie

7. Quelles sont vos préférences ?
   a) Quels sont vos aliments et vos boissons préférés ? (nommez-en deux)
   b) Quel type de musique écoutez-vous le plus souvent ? (nommez-en deux)
   c) Quels sont vos chanteurs ou chanteuses préférés ? (nommez-en deux)
   d) Dans quels types de restaurants allez-vous le plus souvent ? (nommez-en deux)
   e) Quels sont les deux derniers films que vous avez vus ?
   f) Quelles sont les deux dernières pièces de théâtre que vous avez vues ?
   g) Quels sont les deux derniers livres que vous avez lus ?
   h) Avez-vous recours à certaines médecines alternatives telles que l'acupuncture, l'homéopathie, la chiropractie… ? Si non, pourquoi ? Si oui, lesquelles et pour quelle(s) raison(s) ?
   i) De façon générale, y a-t-il des emprunts culturels dans votre façon de vivre ? Dites lesquels.

Valeurs

8. Parmi les énoncés suivants, choisissez ceux qui reflètent le mieux les valeurs auxquelles vous adhérez.

a) L'individu seul est responsable de son destin.

b) Le plus important, c'est la coopération et la collaboration entre les individus.

c) Ce qui est important, c'est la stabilité, la tradition et la continuité.

d) Il est important de contrôler le temps et d'en tirer profit.

e) La qualité de vie se définit beaucoup par les objets matériels que l'on possède et que l'on accumule.

f) Il est très important de se rappeler les traditions, les ancêtres, les coutumes.

g) Pour qu'une société change et bouge, il faut valoriser le progrès : c'est la réponse à tous les problèmes sociaux.

h) Ce qui est important, c'est d'abord le groupe, la collectivité, la communauté à laquelle on appartient.

i) Les individus sont tous égaux devant la loi, la santé, l'éducation…

j) On peut évaluer la compétence d'un individu par ses actions, ses gestes.

k) Il ne faut pas dire les choses directement. Il vaut mieux être diplomate, quitte à ne pas tout dire pour ne pas froisser les gens.

l) Il faut avoir les yeux tournés vers l'avenir. Le passé n'a pas vraiment d'importance.

m) Une société hiérarchisée, où le rang et le statut social de chacun sont déterminés à l'avance, est beaucoup plus intéressante et rassurante.

n) L'individu a un destin tracé d'avance ; il subit ce destin.

o) Ce qui est important dans une société, c'est d'abord l'individu. Celui-ci doit être autonome et indépendant sur tous les plans.

p) Une société ne peut pas avancer s'il n'y a pas un esprit de compétition entre ses membres.

q) Il faut dire ce que l'on pense directement, sans détours, et à n'importe qui.

r) L'individu doit pouvoir exprimer ses émotions sans retenue, même en public.

s) Ce qui est important dans une société, c'est que tout soit fait efficacement.

t) Un individu bien éduqué devrait pouvoir retenir ses émotions, du moins en public.

u) L'individu est marqué par la recherche de la spiritualité. Il est en quête de réponses à des questions portant sur le sens de son existence.

---

1. Inspiré de Louise LAFORTUNE et Édithe GAUDET, *Une pédagogie interculturelle dans le cadre d'une éducation à la citoyenneté*, Montréal, Éditions du Renouveau pédagogique, 2000, 324 p.

Pour terminer ce chapitre, nous vous proposons d'évaluer vos habiletés à intervenir en milieu pluriethnique à l'aide de la grille qui suit. Identifiez :

a) les habiletés que vous utilisez déjà ;

b) les habiletés que vous n'utilisez pas ;

c) les habiletés que vous jugez essentielles.

Habiletés reliées à une intervention en milieu pluriethnique

1. Explorer ses propres cadres de référence et ceux des autres

› prendre conscience de ses habitudes, de ses choix, de ses valeurs, de ses attitudes, de ses comportements, et chercher à comprendre ce qui les motive ;

› prendre conscience de son ethnocentrisme, de ses stéréotypes et de ses préjugés ;

› tenir compte de l'influence de sa propre culture sur ses interprétations.

2. Apprendre la décentration

› découvrir les cadres de référence de l'autre, se mettre à sa place pour tenter de voir les choses de son point de vue ;

› éviter de juger une situation choquante selon ses propres critères ou de l'interpréter sans en vérifier le bien-fondé : tolérer l'ambiguïté passagère ;

› chercher des renseignements sur l'autre, sur sa culture, mais aussi sur la façon dont il l'a intériorisée ;

› apprendre à observer, à être attentif à des détails significatifs et porteurs de culture ;

› apprendre une langue ou quelques mots usuels dans quelques langues ;

› lire sur les différentes cultures, sur leur histoire ;

› s'intéresser à l'histoire des différentes communautés installées au Québec ;

› poser des questions à l'autre afin de comprendre son univers de références sociales et symboliques ; chercher à connaître ses relations sociales (famille, travail, communauté), ses expériences, ses valeurs et ses croyances.

3. Apprendre à communiquer

› parler lentement et articuler ;

› formuler des messages précis et structurés et vérifier si ces messages ont été bien compris ;

› tenter d'établir des liens avec les gens qui font partie de l'entourage de la personne à qui l'on s'adresse ;

› être sensible aux rythmes et aux styles de communication propres à différentes cultures ;

› être sensible aux messages non verbaux de la personne à qui l'on s'adresse ;

› si l'on demande l'aide d'un interprète, vérifier que la personne a bien compris le message ;

› faire preuve d'ouverture à l'égard de l'autre, manifester de l'intérêt pour autrui : observer, écouter, poser des questions, décoder le sens des mots et du langage non verbal.

4. Apprendre la négociation interculturelle

Considérer l'autre comme son égal :

› chercher les similitudes entre la culture de son interlocuteur et la sienne plutôt que les différences ;

› prendre une distance par rapport à un problème ;

› se remettre en question ;

› définir les limites qu'on ne veut pas franchir ;

› chercher un compromis.

(Cette grille s'inspire des travaux de Barrette, Gaudet et Lemay, 1996 ; Bourque, 1994 ; Daoust, 1992 ; Lafortune, Gaudet, 2000 ; Legault, 2000.)

BIBLIOGRAPHIE

ABOUD, Brian. *Min Zamaan. Depuis longtemps la présence syrienne-libanaise à Montréal entre 1882 et 1940*, Montréal, Centre d'histoire de Montréal, 2003.

ACHCAR, Gilbert (dir). *L'Atlas du Monde diplomatique*, Paris, Éditions Boris Séméniako, 2003, 194 p.

ALLARD, Sophie. « Un couple d'immigrants poursuit ses agresseurs pour 100 000 $ », *La Presse*, novembre 2002.

ALLARD, Sophie. « Le tiers des Canadiens ont une image négative des Arabes et des Autochtones », *La Presse*, 23 avril 2003.

ANCTIL, Pierre. « Les Chinois de l'Est », *Recherches sociographiques*, janvier-avril 1981.

ANCTIL, Pierre et Gary CALDWELL. *Juifs et réalités juives au Québec*, Québec, Institut québécois de recherche sur la culture, 1984, 371 p.

BAILLARGEON, Stéphane, « L'Été des Indiens », *Le Devoir*, 22 mars 2001.

BARRETTE, Christian, Édithe GAUDET et Denyse LEMAY. *Guide de communication interculturelle*, Montréal, Éditions du Renouveau pédagogique, 1996, 188 p.

BEAULIEU, Alain. *Les Autochtones du Québec : des premières alliances aux revendications contemporaines*, Québec, Musée de la civilisation, 2000, 124 p.

BELLEMARRE, Jacques. *Comité d'enquête sur les relations entre les corps policiers et les minorités visibles et ethniques*, Montréal, Commission des droits de la personne du Québec, ministère de la Justice, 1988, 412 p.

BERNIER, Alain et Dominique DOMPIERRE. *Le rôle de la Grosse-Île dans l'histoire du Canada*, Montmagny, Corporation pour la mise en valeur de Grosse-Île, 1987, 48 p.

BERTHELOT, Jocelyn. *Apprendre à vivre ensemble. Immigration, société et éducation*, Québec, Centrale de l'enseignement du Québec et Éditions Saint-Martin, 1991, 187 p.

BIZZARI, Aoura (dir.). *Je ne suis pas raciste, mais…*, Cahier de réflexion et de sensibilisation sur les relations interculturelles, Montréal, Collectif des femmes immigrantes du Québec, 1994, 98 p.

BOSSET, Pierre. *Le régime alimentaire des détenus de foi hébraïque : obligations des autorités carcérales*, Montréal, Commission des droits de la personne du Québec (cat. 113-2), 31 mai 1991.

BOURHIS, Richard Y., Céline Léna MOÏSE et Stéphane PERREAULT. *Immigration et intégration : vers un modèle d'acculturation interactif*, Cahiers des conférences et séminaires scientifiques, n° 6, Montréal, Chaire Concordia-UQAM en études ethniques, Université de Montréal et Université Concordia, 1998, 52 p.

BOURHIS, Richard Y., Céline Léna MOÏSE, Stéphane PERREAULT et Sacha SENÉCAL. « Toward an Interactive Acculturation Model : A Social Psychological Approach », *International Journal of Psychology*, 1997, vol. 32, n° 6, p. 369-386.

BOURQUE, Renée. *Communication interculturelle verbale et non verbale*. Montréal, Recueil de textes, Université de Montréal, 1994, 212 p.

BOURQUE, Renée. *La communication interculturelle, verbale et non verbale*, Recueil de textes, Montréal, Université de Montréal, Certificat d'intervention en milieu multiethnique, 1995, 104 p.

BOURQUE, Renée. « Les mécanismes d'exclusion des immigrants et des réfugiés », dans LEGAULT, Gisèle, *L'invention interculturelle*, Boucherville, Éditions Gaëtan Morin, 2000, 364 p.

BOURQUE, Renée et Lise RIOUX. *Barrières à l'emploi pour les Québécois des communautés culturelles*, Québec, gouvernement du Québec, ministère des Communautés culturelles et de l'Immigration, 1991.

BRAECKMAN, Colette. « Le génocide qu'on aurait pu stopper », *Le Soir*, Bruxelles, 2000.

CAMPAGNE, Jean-Pierre et Stéphane ORJOLLET. « La ségrégation poursuit les intouchables jusqu'au cimetière », *Le Devoir*, 8 septembre 2001.

CARDINAL, Linda et Claude COUTURE. « L'immigration et le multiculturalisme au Canada : la genèse d'une problématique », dans TREMBLAY, Manon (dir.), *Les politiques publiques canadiennes*, Québec, Presses de l'Université Laval, 1998, 314 p.

CASSE, Pierre. « Expatriation et transfert », *Intercultures*, n° 9, avril 1990.

CAUCHY, Clairandrée. « Un choix strictement économique. L'histoire de l'immigration roumaine a toujours été liée à celle du communisme », *Le Devoir*, 22 décembre 2003.

CHALOM, Maurice. « Police, violence et ethnies au Québec : éléments de réflexion », *Revue internationale de criminologie et de police technique et scientifique*, janvier 2002, p. 70-80.

CHAN, Kwo et Louis-Jacques DORAIS. *Adaptation linguistique et culturelle : l'expérience des réfugiés d'Asie du Sud-est au Québec*, Québec, Centre international de recherche sur le bilinguisme, 1987, 221 p.

CIVARD-RACINAIS, Alexandrine. *Le Liban*, Paris, Éditions Hachette, 1997, 79 p.

CLANET, Claude. *L'interculturel. Introduction aux approches interculturelles en éducation et en sciences humaines*, Toulouse, Presses de l'Université du Mirail, 1993, 234 p.

CLARKE, Peter B. (dir.). *Le grand livre des religions du monde*, Paris, Éditions Solar, 1996, 220 p.

COHEN-ÉMÉRIQUE, Margalit. « Choc culturel et relations interculturelles dans la pratique des travailleurs sociaux », *Cahiers de sociologie économique et culturelle*, n° 2, 1984, p. 183-218.

CONSTANTINIDES, Stephanos. *Les Grecs du Québec*, Montréal, coll. Identités ethnoculturelles, Éditions Le Métèque, 1983, 248 p.

CORNELLIER, Manon, « Les sikhs de la GRC pourront arborer leur turban durant leur travail », *La Presse*, 9 juillet 1994.

CORNU, Philippe. « Tibet : le peuple sacrifié », *L'Histoire*, n° 250, hiver 2001, p. 52-55.

CORRIVEAU, Jeanne. « Un jeune sikh retourne en classe avec son kirpan », *Le Devoir*, 17 avril 2002.

COURVILLE, Valérie. *Portrait des communautés culturelles*, Montréal, Service de police de la communauté urbaine de Montréal, 2000, 152 p.

CUCHE, Denys. *La notion de culture dans les sciences sociales*, Paris, Éditions La Découverte, 1996, 124 p.

DAOUST, Jean, Jean-Paul BRETON et Michel LECLERC. *Cours de formation sur les relations interculturelles et interraciales*, Sûreté du Québec et Institut de police du Québec, 1992, 70 p.

DEJEAN, Paul. *D'Haïti au Québec*, Montréal, Éditions CIDHICA, 1990, 203 p.

DENIS, Claire, Denis DESCENT, Jacques FOURNIER et Gilles MILLETTE. *Individu et société*, Montréal, Éditions Chenelière/McGraw Hill, 2e édition, 1995, 362 p.

DOMINIQUE, Myrka et Fatma-Zohra LEBDIRI. « La communauté juive de Montréal », *Images. Magazine interculturel*, vol. 6, n° 3, avril-mai 1998, p. 18-27.

DONTIGNY, Diane. « Le nouveau crédo des Québécois », *Contact*, hiver 1990, p. 26-29.

DUFOUR, Jean-François. *Le bouddhisme*, Toulouse, Les Essentiels Milan, 1998, 63 p.

DUFOUR, Jules. « Les nations autochtones au Québec. Les enjeux de leur développement à l'aube du XXIe siècle » , dans BRUNEAU, Pierre (dir.), *Le Québec en changement. Entre l'exclusion et l'espérance*, Québec, Presses de l'Université du Québec, 2000, 225 p.

DURANDIN, Catherine. *Nicolae Ceaucescu. Vérités et mensonges d'un roi communiste*, Paris, Éditions Albin Michel, 1990, 260 p.

ÉVENO, Patrick. *L'Algérie dans la tourmente*, Paris, Éditions Le Monde, 1998, 223 p.

FARRINGTON, Karen. *L'histoire des religions*, Paris, Éditions de l'Orxois, 1999, 192 p.

FEHMIU-BROWN, Paul. *La présence des Noirs dans la société québécoise d'hier et d'aujourd'hui*, Québec, ministère des Affaires internationales, de l'Immigration et des Communautés culturelles et ministère de l'Éducation, 1995, 37 p.

FERON, Bernard. *Yougoslavie, Histoire d'un conflit*, Paris, Éditions Le Monde, 1996, 221 p.

FEUILTAULT, Claude. *Le Québec autochtone*, Wendake, Les Éditions La Griffe de l'Aigle, 1996, 288 p.

FINES, David. « La communauté algérienne de Montréal », *Aujourd'hui Credo*, février 2002.

FONDATION CANADIENNE DES RELATIONS RACIALES. *Le racisme et les services policiers*, 2001, 12 p.

FRIDAY, Terry. *Police Race relations/Diversity Management Activities Within Police Services Across Canada*, Ottawa, Canadian Centre for Police Race Relations, 1999.

FRONTEAU, Joël. « Le processus migratoire ; la traversée du miroir », dans *L'intervention interculturelle*, Boucherville, Éditions Gaëtan Morin, 2000, p. 1-39.

GARON, Muriel. *Bilan de recherche sur la situation des minorités visibles et ethniques dans le logement et pistes d'intervention*, Québec, Commission des droits de la personne et des droits de la jeunesse du Québec, 1988, 21 p.

GAUDET, Édithe et Johanne GAUDET. *Porteurs de rêves. Récits de vie de jeunes immigrants étudiant dans les collèges*, Montréal, Éditions collège Ahuntsic et ministère de l'éducation, 1998, 64 p.

GAY, Daniel. « Portrait d'une communauté. Les Noirs du Québec, 1629-1900 », *La revue d'histoire du Québec. Cap-aux-diamants*, automne 2004, n° 79, p. 10-12.

GERMAIN, Annick. « Les quartiers multiethniques montréalais : une lecture urbaine », *Recherches sociographiques*, vol. XL, n° 1, 1999, p. 9-32.

GOUVERNEMENT DU CANADA. *Politique sur la police des Premières Nations*, Ottawa, Approvisionnements et Services Canada, 1996, 20 p.

GOUVERNEMENT DU CANADA. *Comparaison entre les Indiens inscrits, les Indiens inscrits vivant dans les réserves et l'ensemble de la population du Canada*, Ottawa, ministère de Travaux publics et Services gouvernementaux du Canada et ministère des Affaires indiennes et du Nord du Canada, 2001, 10 p.

GOUVERNEMENT DU CANADA. *Statistiques sur l'immigration*, Ottawa, Citoyenneté et Immigration Canada, 2003.

GOUVERNEMENT DU CANADA. *L'immigration noire, Mémoires d'un pays*, Ottawa, Citoyenneté et Immigration Canada, 1998.

GOUVERNEMENT DU CANADA. *Bâtir le Canada pour le XXIe siècle*, Ottawa, ministre des Finances, 1998.

GOUVERNEMENT DU CANADA. *L'immigration indienne, Mémoires d'un pays*, Ottawa, Citoyenneté et Immigration Canada, 1999.

GOUVERNEMENT DU CANADA. *Dynamique de la main-d'œuvre canadienne, immigration, demande accrue de compétence et vieillissement, Recensement de 2001*, Ottawa, Statistique Canada, 2003.

GOUVERNEMENT DU CANADA. *Recensement de 2001 : série Analyse. Les religions au Canada*, Ottawa, Statistique Canada, mai 2003, 35 p.

GOUVERNEMENT DU CANADA. *Population indienne et inuite au Québec 2003*, Ottawa, Affaires indiennes et du Nord du Canada, ministère des Travaux publics et Services gouvernementaux, 2004.

GOUVERNEMENT DU CANADA. *L'immigration juive, Mémoires d'un pays*, Ottawa, Citoyenneté et Immigration Canada, 1998.

GOUVERNEMENT DU CANADA. *Composantes de la croissance démographique, Recensement de 2001*, Ottawa, Statistique Canada, 2004.

GOUVERNEMENT DU CANADA. *Regard sur le Canada*, Ottawa, Citoyenneté et Immigration Canada, 2004.

GOUVERNEMENT DU CANADA. *Comment devenir citoyen canadien*, Ottawa, Citoyenneté et Immigration Canada, juin 2002.

GOUVERNEMENT DU CANADA. *Loi sur l'immigration et la protection des réfugiés au Canada*, Ottawa, Citoyenneté et Immigration Canada, 2002

GOUVERNEMENT DU CANADA. *Le multiculturalisme et le gouvernement du Canada*, Ottawa, ministère des Approvisionnements et des Services, 1980.

GOUVERNEMENT DU CANADA. *Le système d'attribution des noms*, Ottawa, Emploi et Immigration Canada, Module 9, 1990.

GOUVERNEMENT DU QUÉBEC. *Gérer la diversité dans un Québec francophone, démocratique et pluraliste. Principes de fond et procédure pour guider la recherche d'accommodements raisonnables*, Québec, ministère des Communautés culturelles et de l'Immigration, 1993, 103 p.

GOUVERNEMENT DU QUÉBEC. *L'intégration des immigrants et des Québécois des communautés culturelles : document de réflexion et d'orientation*, Québec, Direction des communications, ministère des Communautés culturelles et de l'Immigration, 1990, 18 p.

GOUVERNEMENT DU QUÉBEC. *Mode d'emploi pour immigrer au Québec. Les travailleurs permanents*, Québec, ministère des Relations avec les citoyens et Immigration, 2002.

GOUVERNEMENT DU QUÉBEC, *Migrations internationales et interprovinciales, Québec 1961-2002*, Québec, Institut de la statistique du Québec, 2003

GOUVERNEMENT DU QUÉBEC. *Énoncé de politique en matière d'immigration et d'intégration*, ministère des Communautés culturelles et de l'Immigration, 1990, 88 p.

GOUVERNEMENT DU QUÉBEC. *Profil des communautés culturelles du Québec*, Québec, Les Publications du Québec, 1995, 654 p.

GOUVERNEMENT DU QUÉBEC. *Des valeurs partagées, des intérêts communs. Pour assurer la pleine participation des communautés culturelles au développement du Québec. Plan d'action 2004-2007*, Québec, ministère des Relations avec les citoyens et de l'Immigration, Direction des affaires publiques et des communications, mai 2004, 11 p.

GOUVERNEMENT DU QUÉBEC. *Statistiques sur les communautés culturelles*, Québec, ministère des Relations avec les citoyens et de l'Immigration, 2004.

GOUVERNEMENT DU QUÉBEC. *Tableaux sur l'immigration au Québec, 1999-2003*, Québec, ministère des Relations avec les citoyens et de l'Immigration, Direction de la population et de la recherche, mai 2004, 41 p.

GOUVERNEMENT DU QUÉBEC. *Tableaux sur l'immigration au Québec, 1998-2002*, ministère des Relations avec les citoyens et de l'Immigration, Direction de la population et de la recherche, mai 2003, 41 p.

HALL, Edward T. *La dimension cachée*, Paris, Éditions du Seuil, 1979.

HARVEY, Julien. « Culture publique, intégration et pluralisme », *Relations*, octobre 1991, p. 239-241.

HAUT COMMISSARIAT DES NATIONS UNIES POUR LES RÉFUGIÉS. *Les réfugiés dans le monde. Cinquante ans d'action humanitaire*, Paris, 2000, 338 p.

HELLY, Denyse. *Les Chinois à Montréal*, 1877-1951, Québec, Institut québécois de recherche sur la culture, 1987, 315 p.

HELLY, Denyse. « Les politiques d'immigration au Canada de 1867 à nos jours », *Hommes et migrations*, juillet 1996, p. 6-14.

HIAULT, Denis. *Hong-Kong. Rendez-vous chinois*, Évreux, Éditions Découvertes Gallimard, 1997, 127 p.

HOURANI, Albert. *Histoire des peuples arabes*, Paris, Éditions du Seuil, 1993, 732 p.

HUBERT, Daniel et Yves CLAUDÉ. *Les skinheads et l'extrême droite*, Montréal, VLB, 134 p.

JACQUARD, Albert. « Biologie et théories des élites », *Le Genre humain*, dossier : *La science face au racisme*, Bruxelles, Éditions Complexe, 1986, 124 p.

JACOB, André. « Éthique policière et diversité ethno-culturelle », *Éthique publique*, vol. 2, n° 1, 2000, p. 67-78.

JACOB, André. *Carmen Quintana te parle de liberté*, Montréal, Le Jour, 1990, 135 p.

JUTEAU, Danielle (dir.). *Actes du séminaire sur les indicateurs d'intégration des immigrants*, MAIICC et CEE-TUM, 1994, 353 p.

KALINDA, Léo. « Il y avait une fois un homme... », *Prisme*, n° 28, 1999, p. 170-173.

KATTAN, Guilda. *Les parents québécois d'origine libanaise*, Montréal, Conseil scolaire de l'île de Montréal, 1998, 18 p.

KÉLADA, Henri. *Précis de droit privé québécois*, Québec, SOQUIJ, 1990.

KOHLS, Robert. « Modèles de comparaison des cultures », *Intercultures*, n° 9, avril 1990, p. 89-125.

LABELLE, Micheline, Geneviève TURCOTTE, Marianne KEMPENEERS et Deirdre MEINTEL. *Histoire d'immigrées, Itinéraires d'ouvrières colombiennes, grecques, haïtiennes et portugaises de Montréal*, Montréal, Éditions Boréal-Express, 1987, 275 p.

LAFERRIÈRE, Dany. *Chronique de la dérive douce*, Montréal, Éditions Victor-Lévy Beaulieu, 1994.

LAFORTUNE, Louise et Édithe GAUDET. *Une pédagogie interculturelle pour une éducation à la citoyenneté*, Montréal, Éditions du Renouveau pédagogique, 2000, 324 p.

LAMBIAS-WOLFF, Jaime. *Notre exil pour parler : Les Chiliens au Québec*, Montréal, coll. Rencontre des cultures, Éditions Fidès, 1988, 141 p.

LANGLAIS, Jacques et David ROME. *Juifs et Québécois français : 200 ans d'histoire commune*, Montréal, coll. Rencontre des cultures, Éditions Fidès, 1986, 286 p.

LANGLOIS, Simon. « Le Québec du XXIe siècle. Une société en profonde mutation », dans VENNE, Michel (dir.), *L'Annuaire du Québec*, Montréal, Éditions Fidès, 2004, p. 136-205.

LAPERRIÈRE, Anne. « Les paradoxes de l'intervention interculturelle : une analyse critique des idéologies d'intervention britannique face aux immigrants-es. Migrants : trajet et trajectoire », *Revue internationale d'action communautaire*, n° 14-54, 1985.

LAPERRIÈRE, Anne. « L'apprentissage du français dans un contexte pluriculturel : réflexion sur le rôle de l'école québécoise à la lumière des analyses britanniques », dans Conseil de la langue française, *Le Québec français et l'école pluriethnique : contributions à une réflexion*, n° 29, Québec, Éditeur officiel du Québec, 1987, p. 267-349.

LAZAR, Barry et Tamsin DOUGLAS. *Le guide du Montréal ethnique*, 2e éd., Montréal, Éditions XYZ, 1994, 365 p.

LEBLANC, Gérald. « Les racines des Chinois », *La Presse*, 13 octobre 1990.

LEBLANC, Gérald. « Prodigieuse percée des sikhs en Colombie-Britannique », *La Presse*, 19 février 2000.

LEDOYEN, Alberte. *Montréal au pluriel. Huit communautés ethnoculturelles de la région montréalaise*, Québec, Institut québécois de recherche sur la culture, 1992, 329 p.

LEDUC, Louise. « Oui à l'érouv au nom de la liberté religieuse », *La Presse*, 22 juin 2001.

LEDUC, Louise. « Témoignage de Florence M.C. Nguyen », *Le Devoir*, 26 avril 2000.

LEE, Hélène. « La naissance du culte rasta », *Géo*, n° 2, août 1997, p. 130-143.

LEGAULT, Gisèle (dir.). *L'intervention interculturelle*, Boucherville, Éditions Gaëtan Morin, 2000, 364 p.

LEPAGE, Pierre. *Mythes et réalités sur les peuples autochtones*, Montréal, Commission des droits de la personne et des droits de la jeunesse, 2002, 88 p.

LOSLIER, Sylvie et Sylvie POTHIER. *Droits et libertés. Un parcours de luttes et d'espoir*, Service interculturel collégial et Commission des droits et libertés de la personne et des droits de la jeunesse, 1999, 109 p.

LOSLIER, Sylvie et Nicole POTHIER. *Droits et libertés... à visage découvert au Québec et au Canada*, Montréal, Éditions Chenelière McGraw-Hill, 2002, 176 p.

MALHERBE, Michel. *Les religions*, Paris, coll. Repères pratiques, Éditions Nathan, , 2000, 159 p.

MATRINGE, Denis. « Les sikhs et le sikhisme », dans « Religions en Inde aujourd'hui », *Revue française de yoga*, n° 19, Paris, Éditions Dervy, 1999, p 107-125.

McANDREW, Marie. « Multiculturalisme canadien et interculturalisme québécois : mythes et réalités », *Pluralisme et éducation : politiques et pratiques au Canada, en Europe et dans les pays du Sud*, Actes du colloque de l'Association francophone d'éducation comparée, Montréal, 1994, p. 33-51.

MEDRESH, Israël. *Le Montréal juif d'autrefois*, Montréal, Éditions Septentrion, 1997, 270 p.

MEMMI, Albert. *Le racisme*, coll. Idées, Paris, Éditions Gallimard, 1994, 220 p.

MÉTHOT, Micheline. *Les Vietnamiens au Québec. La valse des identités*, coll. Edmond-de-Nevers, Institut québécois de recherche sur la culture, n° 13, 1995, 224 p.

MICONE, Marco. « De l'assimilation à la culture immigrée », *Possibles*, été 1990, p. 55-64.

MICONE, Marco. *Le figuier enchanté*, Montréal, Éditions Boréal, 1992, 128 p.

MOCK, Karen. *Les crimes haineux au Canada : aperçu de la situation et intervention*, Fondation canadienne des relations raciales, 2001.

NAJMAN, Charles et Emmanuelle HONORINE. « Les illuminations de Madame Nerval, prêtresse vaudou », *Géo*, n° 231, mai 1998, p. 16-34.

NÉRON, Claude. « Gangs de rue et conflits interethniques », *Intersection*, n° 16, 2000, p. 11-12.

NGUYEN, Van Giap. *Vietnam et culture*, Communauté vietnamienne au Canada, 1998, 103 p.

NIEMI, Fo. *Les relations entre la police et les minorités visibles à Montréal*, Montréal, Centre de recherche-action sur les relations raciales, 1984.

NOIVO, Edite et Marie Mc ANDREW. *Le racisme au Québec : éléments d'un diagnostic*, coll. Études et recherches, n° 13, Montréal, Centre d'études ethniques de l'Université de Montréal, 1996, 183 p.

PAINCHAUD, Claude et Richard POULIN. *Les Italiens au Québec*, Hull, Éditions Asticou et Critiques, 1988, 231 p.

PEROTTI, Antonio. « Immigration. Un vocabulaire à revoir », *Presse et Immigrés en France*, Centre d'informations et d'études sur les migrations internationales, n° 142, 1986.

PERPÉTUA, Belmira. *Les Portugais, 50 ans à Montréal*, Montréal, Éditions des Intouchables, 2004, 108 p.

PERREAULT, Lara-Julie. « L'affaire du kirpan portée en Cour suprême », *La Presse*, 6 mars 2004.

PHILOCTÈTE, Alexandra. *Les parents québécois d'origine indienne*, Montréal, Conseil scolaire de l'île de Montréal, 1998, 14 p.

PRÉVOST, Lionel. *Résolution de problèmes en milieu policier*, Mont-Royal, Modulo Éditeur, 1999, 181 p.

PROUJANSKAÏA, Ludmila. « Dix ans d'immigration postsoviétique au Québec », *Le Devoir*, 24 octobre 2002.

RAMIREZ, Bruno. *Les premiers Italiens de Montréal. L'origine de la petite Italie du Québec*, Montréal, Éditions Boréal-Express, 1984, 136 p.

ROCHER, Guy. *Introduction à la sociologie générale*, tome 1, Paris, Le Seuil, 1970, 192 p.

ROCHON, Monique et Pierrre BOSSET. *Le pluralisme religieux au Québec : un défi d'éthique sociale*, Commission des droits de la personne et des droits de la jeunesse, février 1995, 30 p.

ROUX, Martine. « Racisme et marché du travail. L'intolérance tranquille ». *Jobboom. Le magazine*, vol. 4, n° 3, printemps 2003.

ROY, Ghislaine. *Pratiques interculturelles sous l'angle de la modernité*, Montréal, Centre de services sociaux du Montréal métropolitain, 1991, 88 p.

RUDEL, Christian, *Le Portugal*, Paris, Édition Karthala, 1998, 209 p.

SABATIER, Colette et Marc TOURIGNY. « Écologie sociale de la famille immigrante haïtienne », *Prisme*, vol. 1, n° 2, 1990, p. 18-41.

SAINT-PIERRE, Nathalie. « Spiritualité et religion amérindienne », *La Piste amérindienne*, 2000, 4 p.

SERGENT, Bernard. « Les castes, mode d'emploi », *L'Histoire. Les mystères de l'Inde. De Bouddha à Ghandi*, n° 278, juillet-août 2003, p. 14-19.

SOULET, Jean-François et Sylvaine GUINLE-LORINET. *Le monde depuis la fin des années 60*, Paris, Éditions Armand Colin, 1999, 380 p.

TARNERO, Jacques. *Le racisme*, Toulouse, Les Essentiels Milan, 2003, 63 p.

TAGUIEFF, Pierre-André. *Le racisme*, coll. Dominos, Paris, Édition Flammarion, 1997, 128 p.

THIBAULT, Normand, Esther LÉTOURNEAU et Chantal GIRARD. « Nouvelles perspectives de la population du Québec, 2001-2051 », *Données démographiques en bref*, vol. 8, n° 2, février 2004.

TURENNE, Michèle (collaboration Noël Saint-Pierre). *« Profilage racial » : tour d'horizon*, Communication présentée le 4 juin 2004, à l'occasion du congrès annuel du Barreau, Commission des droits de la personne et des droits de la jeunesse, 22 p.

UNITED NATIONS POPULATION DIVISION, *International migration 2002*, Departement of Economic and Social affairs, United Nations Publications, october 2002.

VALOIS, Jocelyne. *Sociologie de la famille au Québec*, Montréal, Éditions CEC, 1998, 333 p.

VAN DAM, Hoanh. *Bilan des réalisations 2001-2002*, Montréal, Section programme d'accès à l'égalité, Service de police de la Ville de Montréal, 2002.

VEAR, Danny. « Le Canada, une police d'assurance pour les cerveaux de Hong-Kong », *Le Devoir*, 14 avril 1995.

VERBUNT, Gilles. *La société interculturelle, Vivre la diversité humaine*, Paris, Seuil, 2001, 281 p.

VERBUNT, Gilles. *Les obstacles culturels aux interventions sociales*, Paris, Centre national de documentation pédagogique, 1996, 179 p.

VILLE DE MONTRÉAL. *Profils socioéconomiques des 27 arrondissements de Montréal*, Service du développement économique et du développement urbain, Observatoire économique et urbain, janvier 2004, 12 p.

WILLIAMS, Dorothy W. *Les Noirs de Montréal*, Montréal, coll. Études québécoises, VLB éditeur, 1998, 212 p.

WILLIAMS, Emma et Chetan RAJANI. *L'Inde. Un profil culturel*, Ottawa, Centre catholique pour immigrants et ministère canadien de la Citoyenneté et de l'Immigration, 1998, 10 p.

WHITAKER, Reg. « La politique canadienne d'immigration depuis la Confédération », dans *Les groupes ethniques du Canada*, Ottawa, Éditions La société historique du Canada, 1991, 28 p.

YAKABUSKI, Konrad. « Le voile, une question de liberté », *Le Devoir*, 15 février 1995.

YAKABUSKI, Konrad, « Interdire le hidjab ne réglera rien. La stratégie de l'exclusion, un prétexte facile », *Le Devoir*, 19 mai 1995.

YAROSKY, Harvey. *Rapport du coroner suite à une enquête sur le décès de M. Marcellus François survenu le 18 juillet 1991*, Québec, ministère de la Justice, 1992.

Crédits de photos